VOCÊ ESTÁ PRESTES A COMETER UM ERRO TERRÍVEL

Olivier Sibony

Você está prestes a cometer um erro terrível

Como lutar contra as armadilhas do pensamento e tomar decisões melhores

TRADUÇÃO
Gustavo de Azambuja Feix

OBJETIVA

Copyright © 2019 by Olivier Sibony

Grafia atualizada segundo o Acordo Ortográfico da Língua Portuguesa de 1990, que entrou em vigor no Brasil em 2009.

Título original
Vous allez commettre une terrible erreur !: Combattre les biais cognitifs pour prendre de meilleures décisions

Capa
Eduardo Foresti

Preparação
Julia Passos

Revisão
Tatiana Custódio
Adriana Moreira Pedro

Dados Internacionais de Catalogação na Publicação (CIP)
(Câmara Brasileira do Livro, SP, Brasil)

Sibony, Olivier
    Você está prestes a cometer um erro terrível : Como lutar contra as armadilhas do pensamento e tomar decisões melhores / Olivier Sibony ; tradução Gustavo de Azambuja Feix. — 1ª ed. — Rio de Janeiro : Objetiva, 2021.

    Título original: Vous allez commettre une terrible erreur ! : Combattre les biais cognitifs pour prendre de meilleures décisions.
    Bibliografia
    ISBN 978-85-470-0128-5

    1. Discriminação 2. Sucesso em negócios 3. Tomada de decisão. I. Título.

21-66753   CDD-658.403

Índice para catálogo sistemático:
1. Tomada de decisões : Administração   658.403

Cibele Maria Dias – Bibliotecária – CRB-8/9427

[2021]
Todos os direitos desta edição reservados à
EDITORA SCHWARCZ S.A.
Praça Floriano, 19, sala 3001 — Cinelândia
20031-050 — Rio de Janeiro — RJ
Telefone: (21) 3993-7510
www.companhiadasletras.com.br
www.blogdacompanhia.com.br
facebook.com/editoraobjetiva
instagram.com/editora_objetiva
twitter.com/edobjetiva

A Anne-Lise

Sumário

Introdução 9

PARTE I: AS NOVE ARMADILHAS

1. "Bom demais para não ser verdade" 17
2. "O gênio Steve Jobs..." 33
3. "De acordo com a minha larga experiência..." 43
4. "Just do it" 53
5. "Tudo está sob controle" 65
6. "Seja um empreendedor!" 79
7. "A longo prazo é longe demais" 91
8. "Se todos fazem..." 100
9. "Só não digo isso porque..." 112

PARTE II: DECIDIR COMO DECIDIR

10. Humano, demasiado humano 125
11. Admitir a derrota na batalha para ganhar a guerra 135
12. Quando errar não é permitido 145
13. Uma boa decisão é uma decisão bem tomada 156

PARTE III: A ARQUITETURA DA DECISÃO

14. Diálogo 171
15. Descentralização 188
16. Dinâmica 206

Conclusão.. 221

Agradecimentos 227
Anexo 1 229
Anexo 2 232
Fontes e referências bibliográficas... 235

Introdução

Você está prestes a cometer um erro terrível... mas estará em boa companhia

Por maiores que sejam, os reis são humanos.
E como outro qualquer, não são livres de enganos.
Pierre Corneille, *Le Cid*

Todos nós tomamos más decisões. Para começar, no plano individual: adotamos conscientemente hábitos — tabaco, álcool, alimentação, vida sedentária — que estão entre as principais causas de mortalidade. De maneira menos drástica, talvez você constate que às vezes compra produtos só porque estão em liquidação ou que economiza menos do que deveria para a sua velhice. Esses exemplos simples ilustram que nem sempre tomamos decisões em nosso próprio benefício.

Os Estados modernos sofrem do mesmo mal. Com teimosia, um país aprofunda seus déficits e sua dívida. Já outro se lança em aventuras militares insensatas. Alguns ainda não se decidem a deter a corrupção endêmica que prejudica as chances de progresso econômico e social. As escolhas dos Estados não parecem ser mais racionais do que as feitas pelos seus cidadãos.

E o que dizer de nossos sistemas econômicos, além de que também são afetados por uma série de escolhas perigosas? Muitas vezes analisamos, com razão, a crise financeira de 2008 como fruto de decisões tomadas por bancos centrais, instituições financeiras, reguladores e agentes econômicos que, juntos, contribuíram para que o sistema financeiro estivesse à beira do colapso.

Gostaríamos que fosse diferente com nossas empresas, que elas fossem ilhas de racionalidade no oceano de decisões absurdas. A empresa moderna não é concebida exatamente como uma máquina de decidir em prol de seus objetivos econômicos e estratégicos? Nada disso. Nem um mês, nem uma semana transcorre sem que uma falência ou um escândalo ocorra e venha nos lembrar que as empresas também cometem erros graves.

O mais estranho não é que essas empresas às vezes façam escolhas que consideramos erradas do ponto de vista dos nossos valores pessoais, mas que essas decisões nem sempre sejam tomadas de acordo com seus próprios interesses. Aquisições que em pouco tempo se revelam uma calamidade; guerras de preços desencadeadas por falta de cautela; estratégias estapafúrdias de cisão que matam o paciente que deveriam salvar; riscos descontrolados que quebram o banco: as decisões estratégicas aventureiras são tudo, menos excepcionais. Além disso, podemos acrescentar as *ausências* de decisões que igualmente se revelam desastrosas. A negligência em relação a concorrentes em ascensão, a reação lenta demais a novas tecnologias, a teimosia em não abrir mão de negócios moribundos também merecem um lugar no museu dos erros.

Diante desses fracassos, nossa primeira reação é sempre a mesma: identificar, caçar e punir o culpado! Quer se trate do déficit de um país ou da falência de uma empresa, nosso reflexo inicial é buscar decisores incompetentes, corruptos, ou, se possível, as duas alternativas. Por necessidade de compreensão, mas também por receio de assumir as responsabilidades, queremos bodes expiatórios.

Lamentavelmente, essa caçada está nos desviando do bom caminho. E não se trata de isentar os eventuais culpados por negligência ou por desonestidade. Salvo esses casos raros, atribuir a responsabilidade de uma má decisão a uma única pessoa é ao mesmo tempo injusto, ilógico e improdutivo.

Injusto porque é extremamente caricato imaginar que, via de regra, nossas empresas (ou nossos governos) estão nas mãos de incompetentes notórios. Salvo exceção, ninguém é promovido a um cargo de alta responsabilidade sem provar constantemente, por anos ou décadas, talentos extraordinários. Quem afirma o contrário demonstra ignorância ou demagogia.

Ilógico porque não existe nada de incomum em um erro. Um estudo com mais de 2 mil executivos apontou que, entre eles, apenas 28% acreditam que sua empresa toma "em geral" boas decisões estratégicas. A maioria (60%) acredita que decisões erradas são quase tão frequentes quanto decisões certas. Em particular, como veremos nas páginas seguintes, há *categorias* de decisões em que os erros costumam não apenas ser comuns, como de direção constante (e não aleatória). Para resumir: as empresas sempre cometem os mesmos erros, sempre voltam a cair nas mesmas armadilhas. Logo, parece estranho sempre buscar a explicação de cada fracasso nas características individuais de uma ou outra pessoa. Mil erros diferentes poderiam ter mil justificativas, mas mil erros iguais têm a mesma explicação.

Improdutivo porque a caça ao bode expiatório reforça a perigosa ilusão de que as más decisões são tomadas por maus decisores, bastando uma mudança de capitão para impedir que o navio colida contra o iceberg. Acontece que o raciocínio é circular: como reconhecer uma pessoa que toma más decisões a não ser por seus fracassos? E por que, antes do revés, essa pessoa era considerada capaz, se não por seus êxitos? Em tais condições, de que maneira o sucessor, escolhido da mesma forma, teria mais chances de sucesso?

Então o problema não é procurar culpados. Como veremos em diversos exemplos, os "culpados" por decisões infelizes são, em sua imensa maioria, gestores muito competentes, bem informados e guiados por motivações perfeitamente adequadas. *Não são maus executivos: são bons executivos que tomam más decisões.*

As razões desse paradoxo são as mesmas que explicam nosso comportamento individual: esses executivos, como todos nós, são seres humanos. As decisões são resultado de julgamentos racionalmente imperfeitos e produzem comportamentos imperfeitamente racionais. Além disso, como todos nós, cometem erros que não são aleatórios: erros que são "irracionais" de maneira reiterada e previsível.

Essa afirmação pode causar surpresa na terra de Descartes, onde franceses estão convencidos, talvez mais do que em outros países, de ter um comportamento racional. No entanto, está estabelecida da maneira mais científica possível. Nos últimos quarenta anos, as ciências cognitivas e a psicologia do julgamento e da tomada de decisão identificaram, um a um, erros sistemáticos, padrões de desvios quanto às chamadas escolhas "racionais", compilando esses erros sob o nome de *vieses cognitivos*. Esses estudos renderam a Daniel Kahneman, seu principal inspirador, o prêmio Nobel de economia em 2002. Richard Thaler, que teve grande contribuição na aplicação dos ensinamentos da psicologia comportamental à economia e às finanças, foi laureado com o mesmo prêmio quinze anos depois.

A psicologia e a economia comportamentais têm uma influência crescente sobre os gestores políticos no mundo todo. Thaler e seu colega Cass Sunstein popularizaram sobretudo a ideia de que os cidadãos não fazem as melhores escolhas por conta própria, sendo desejável e legítimo influenciá-los sem com isso obrigá-los: é o *nudge*, ou "empurrãozinho", na direção certa. Nas mais diversas áreas, como doação de órgãos, economia de energia, arrecadação de impostos, incentivo à aposentadoria, combate à prescrição excessiva de antibióticos — em suma, onde se queira influenciar o comportamento —, os *nudges* são eficazes. O Reino Unido foi o primeiro a criar uma *nudge unit*, uma equipe de pesquisadores de ciências cognitivas que sugere ações para as administrações e ajuda a medir o impacto delas. Desde então, equipes semelhantes foram criadas ao redor do mundo. Raras correntes de pesquisa podem se orgulhar de tamanha influência.

O meio empresarial se apressou a fazer uso dos ensinamentos das ciências comportamentais. De início, para influenciar consumidores e clientes (o que apenas confere uma aparência científica a práticas antigas, como o comércio). Em seguida, de maneira mais inovadora, para tirar proveito dos erros previsíveis cometidos pelos mercados financeiros — a "finança comportamental". Por fim, mais recentemente, para tentar aprimorar suas próprias decisões, de tal modo que os melhores conselhos administrativos consideram a redução dos vieses na tomada de decisões uma de suas prioridades.

Este livro focará nessa aplicação de tomada de decisão, em particular nas *decisões estratégicas*, por natureza um pouco mais raras, embora essenciais. Quando uma empresa, por exemplo, decide sobre uma aquisição importante, opta por entrar em um novo mercado ou inicia uma reorganização radical, ela compromete recursos significativos, de maneira difícil de reverter. Sua posição concorrencial futura, seus resultados financeiros, a manutenção de empregos e, muitas vezes, a própria sobrevivência da empresa dependem dessas escolhas. No entanto, tais decisões estratégicas nem sempre são coroadas com sucesso. Como mostraremos na primeira parte deste livro, é comum que empresas admiradas, lideradas por gestores reconhecidos e bem-sucedidos, cometam erros estratégicos importantes.

As ciências comportamentais nos oferecem uma grade de leitura indispensável se quisermos aprimorar a qualidade das decisões estratégicas e lutar contra os erros recorrentes. Propomos que você tenha em mente três ideias, que serão desenvolvidas ao longo desta obra.

A primeira: *os vieses nos desviam*, mas em uma direção que podemos prever. "Embora isso seja loucura, possui certo método", afirma Polônio sobre Hamlet. Aqui também: a loucura nos arrasta para caminhos conhecidos.

Nossos vieses nos transformam em seres "previsivelmente irracionais", para retomar o título de um livro de Dan Ariely:* somos previsivelmente irracionais. Nas organizações, esses vieses, ampliados por dinâmicas também previsíveis, mas muitas vezes subestimadas, estão na origem de erros recorrentes e às vezes drásticos. A primeira parte deste livro ilustra nove erros típicos, cada um explicado por uma combinação de vieses.

A segunda ideia: *nossos vieses são incorrigíveis, mas administráveis*. Não podemos tirar lições de um viés para não voltar a repeti-lo, pois um viés não é um erro. Caso contrário, você só teria que percorrer os títulos da primeira parte deste livro para aprender a tomar decisões melhores! Por definição, um viés é um fenômeno de que não temos consciência. Como não podemos corrigi-lo por conta própria, estamos condenados a reproduzir de maneira interminável os erros oriundos de nossos vieses.

No entanto, se estamos tão mergulhados em nossos vieses, se tomamos decisões tão imperfeitas, como realizamos todos os dias proezas que encantam? Como um cético perguntou: "Se somos tão estúpidos, como pisamos na Lua?". A resposta é que não foi o homem que chegou à Lua, foi a Nasa! Nessa tirada está o remédio, a única solução possível para melhorar nossas decisões. Embora estejamos de forma individual à mercê dos nossos vieses, podemos observar e corrigir os dos outros. Inversamente, nossos familiares, nossos amigos e colegas têm consciência de nossos vieses. Para tomar decisões

---

* Para facilitar a leitura, as fontes e as referências não são indicadas no texto, mas em uma bibliografia temática para cada capítulo.

melhores, devemos nos amparar neles, encontrar uma maneira de aproveitar a força do coletivo. A segunda parte deste livro demonstra o impacto que essa metodologia pode ter para melhorar as decisões, tanto em termos humanos como financeiros.

Como decidir bem requer metodologia, uma em particular é indispensável para tomar decisões estratégicas, que são as mais importantes, interferem no futuro e muitas vezes são as mais difíceis. Chegamos à terceira ideia: diante de uma decisão estratégica, *a arte de decidir consiste em construir uma metodologia*, que chamaremos neste livro de arquitetura da decisão. A terceira parte apresenta os princípios, os "pilares" dessa arquitetura da decisão, e também diversas ferramentas práticas, "tijolos" para construir esses pilares e para aprender, ou reaprender, a tomar decisões.

Para que em cada uma dessas etapas possamos ter material para reflexão e ação, fundamentamos este livro em três tipos de fontes. Sua espinha dorsal teórica é a das ciências cognitivas e da economia comportamental. Com essa base, abordamos inúmeros trabalhos de pesquisa nas ciências de gestão, durante o estudo das metodologias de tomada de decisão das empresas. Por fim, os exemplos práticos dessas metodologias têm origem na observação in loco, nos bastidores da tomada de decisões estratégicas e nas inúmeras conversas com empresários, investidores e diretores que aceitaram dividir sua experiência conosco.

Este livro não é nem uma coletânea panfletária das piores decisões estratégicas, nem o compilado magistral de um teórico da ciência cognitiva, nem um manual de gestão com receitas simples que qualquer executivo poderia implementar "da noite para o dia". Sua ambição é levar todo gestor, seja lá qual for sua área e seu nível de atuação, a se questionar sobre sua forma de tomar decisões. Se você passar algum tempo, antes de sua próxima decisão importante, construindo sua própria metodologia, inventando sua própria "arte de decidir", o objetivo será alcançado. E, talvez, um "erro terrível" seja evitado...

Parte I

As nove armadilhas

1. "Bom demais para não ser verdade"
A armadilha do *storytelling*

> *A história é totalmente verdadeira, pois eu a imaginei do começo ao fim.*
> Boris Vian, A espuma dos dias

Em 1975, em uma França que "não tinha petróleo, mas tinha ideias", dois personagens se aproximaram da Elf Aquitaine, uma gigante estatal de petróleo na época. Sem comprovar nenhuma experiência no campo da prospecção da substância, os "inventores" alegaram que tinham desenvolvido um processo revolucionário que permitia detectar, a partir de um avião, a presença de petróleo em subsolos.

Claro, era uma fraude. Os desdobramentos mostrariam que a manipulação era bastante visível: durante alguns testes do processo, as imagens supostamente produzidas pela máquina milagrosa eram forjadas com antecedência pelos vigaristas. Bastava fazê-las aparecer acionando o controle remoto de uma lâmpada infravermelha...

No entanto, contra todas as expectativas, os diretores da Elf e as autoridades públicas que os supervisionavam — incluindo o primeiro-ministro e o presidente da França na época — acabaram convencidos. A fraude durou mais de quatro anos e absorveu um total de 1 bilhão de francos. Em alguns anos, as somas pagas aos vigaristas ultrapassaram a quantia de dividendos que a Elf Aquitaine pagava ao Estado.

A história é tão incrível que, se for contada hoje em dia para um público jovem, e ainda mais estrangeiro, será acolhida na melhor das hipóteses com uma compaixão irônica e, na pior, com um sarcasmo sobre a inteligência (ou a integridade) dos gestores franceses. Como vigaristas comuns conseguiram enganar o *top management* [alta gerência], e com ele todo o aparelho estatal, de uma das maiores empresas francesas? Quem seria capaz de acreditar em um disparate como o do princípio de aviões-petroleiros? Alguns jurariam que gestores anglo-saxões nunca engoliriam uma história dessas.

Será? Em 2004, na Costa Oeste dos Estados Unidos, a start-up Terralliance começou a levantar fundos. Seu fundador, Erlend Olson, um antigo engenheiro da Nasa, não tinha nenhuma experiência em petróleo. Qual teria sido a sua "descoberta"? Parece fácil de adivinhar: ele propôs o desenvolvimento de uma tecnologia para detectar a presença de petróleo a partir de um avião. Dessa vez, a única diferença estava nos investidores: o banco de investimento Goldman Sachs, a famosa empresa de capital de risco Kleiner Perkins (uma das primeiras a apoiar a Google) e outros grandes nomes do *smart money* [dinheiro inteligente] dos Estados Unidos.

Qualquer semelhança com pessoas ou com acontecimentos do passado não passa de mera coincidência! A mesma peça foi remontada com trinta anos de diferença. Apenas o cenário e os atores mudaram. O "descobridor" dessa vez tinha o físico irresistível de um cowboy do Texas. O rústico Boeing 707 adquirido pela Elf Aquitaine deu lugar aos Sukhoi comprados do excedente do Exército russo. Os protagonistas desse segundo caso vão sustentar a farsa — é evidente, de modo involuntário — até investir na aventura aproximadamente a mesma quantia, no valor corrigido pela inflação, cerca de meio bilhão de dólares. Desnecessário dizer que os aventureiros norte-americanos não tiveram mais sucesso do que os precursores franceses em desenterrar a mais ínfima gota de hidrocarboneto.

O que essas duas histórias nos mostram? Que mesmo profissionais experientes, com alta competência na área em que tomaram a decisão, estão sujeitos a ser vítimas de uma estranha cegueira. Não é que tenham abandonado todas as precauções ou deixado de lado as verificações: sem que tivessem consciência, o *storytelling*, a força da narrativa, acabou os levando a confirmar uma história que acreditavam estar analisando de maneira crítica.

A ARMADILHA DA BOA HISTÓRIA

Para fornecer um exemplo de uma situação menos drástica, vamos reduzir o alcance a uma decisão executiva "comum". A próxima história é a de um executivo em carne e osso, cuja cadeira ocuparemos por alguns minutos para tomar uma decisão.

Imagine que você é o diretor comercial de uma prestadora de serviços que opera em um setor altamente competitivo. Você acaba de ter uma conversa inquietante ao telefone. Bertelle, um dos seus melhores vendedores, anunciou que perdeu para sua mais temível concorrente, a Grizzli, duas cotações seguidas solicitadas por potenciais clientes valiosos. Em ambos os casos, ao que tudo indica, a Grizzli ofereceu um preço muito inferior ao seu. Bertelle acrescentou que dois dos seus melhores vendedores pediram demissão: há boatos de que serão contratados por essa mesma concorrente. Para finalizar, Bertelle falou dos rumores sobre a agressividade comercial da Grizzli com clientes históricos da sua empresa. Antes de desligar, ele sugeriu que você dedique a próxima reunião do comitê de gestão para rever seus níveis de preços, que para ele, no dia a dia do mercado, parecem cada vez mais insustentáveis.

Como não poderia ser diferente, a conversa o deixou preocupado. Porém, você já é um profissional experiente e não fica abalado com facilidade. Com sua larga experiência nesse tipo de situação, você sabe que precisa verificar as informações que acabou de ouvir.

Sem perder tempo, você liga para outro de seus vendedores, Schmidt, em quem tem confiança total. Será que ele também teria notado uma intensidade competitiva fora do comum? Por coincidência, Schmidt também queria conversar com você sobre isso! Sem pestanejar, ele confirma: Grizzli tem adotado uma estratégia particularmente agressiva nos últimos tempos. Ele conta que durante as tratativas recentes de renovação com um dos seus clientes mais fiéis, a proposta da Grizzli era mais de 25% inferior à sua. Schmidt só conseguiu manter o negócio por conta de sua estreita e antiga relação de amizade com o presidente da empresa. Porém, será mais difícil reter outro cliente de sua carteira, cujo contrato vai expirar em breve se, como é provável, a diferença de preço for a mesma.

Você agradece Schmidt por seu tempo e desliga. Em seguida, decide verificar com o departamento de recursos humanos se algum de seus vendedores se uniu à concorrência. O RH confirma que, de fato, dois de seus melhores vendedores declararam que iriam para a Grizzli, onde calcularam que a remuneração, incluindo bônus por desempenho, será maior.

Ligando os pontos, todos esses elementos começam a preocupar. O alerta do seu primeiro vendedor poderia não passar de um incidente insignificante, mas você teve tempo para verificar. Será que Bertelle estava certo? Você deveria considerar a possibilidade de baixar seus preços? No mínimo, é um tema que você vai colocar em pauta na reunião de gestão do dia seguinte. Sem dúvida, você não deseja começar uma guerra de preços, mas a questão está lançada. Uma questão de consequências potencialmente devastadoras.

Como você chegou a esse ponto? Quando Bertelle ligou, transmitiu, sem querer ou não, a própria essência do *storytelling*: ele construiu uma história conferindo sentido a fatos sem relação. No entanto, não há nenhuma evidência nessa história.

Vamos olhar para os mesmos fatos sob uma luz diferente. Dois vendedores estão deixando a sua empresa? Para começar, considerando a taxa de desgaste histórico da sua força de vendas, talvez não haja nada de anormal nisso. Em seu setor, não é raro que eles partam para a concorrente: por sinal, para onde mais iriam? Em segundo lugar, Bertelle e Schmidt, os dois que dispararam o "alerta", reclamaram da agressividade da concorrência e, quando conseguiram manter os clientes, se atribuíram todo o mérito: vindo de seus vendedores, nenhuma surpresa... Por fim, de quantos negócios estamos falando? Bertelle não conseguiu fechar dois novos acordos, e Schmidt reteve um cliente existente e antecipou o cenário de renegociação com outro. Até o momento, você não ganhou nem perdeu um único contrato. Consideradas sem o prisma distorcido da história inicial, todas essas informações reais não são suficientes para constituir um acontecimento.

Como você chegou a cogitar de verdade a ideia de levar ao comitê de gestão uma revisão de seus preços? A resposta é porque, acreditando estar verificando com objetividade os fatos apresentados por Bertelle, você na verdade buscou, por livre e espontânea vontade, corroborar as declarações dele. Você poderia ter se perguntado, por exemplo: quantos negócios os outros vendedores ganharam nas últimas semanas? Você está de fato perdendo participação no mercado? O preço "abaixo do normal" que a Grizzli ofereceu a um de seus clientes (se for mesmo verdade) atende às mesmas obrigações? Desse modo, você teria respondido a única pergunta que deveria orientar uma eventual mudança na sua política de preços: você sofreria, sim ou não, com uma diferença significativa na "proposta de valor" da sua empresa, ou seja, na relação serviço/preço global que você oferece?

Mas essas não foram as perguntas lançadas. A sua definição do problema foi moldada pela história contada por Bertelle. Em vez de buscar dados que pudessem *invalidar* a história apresentada, você procurou informações que pudessem *confirmá-la*.

Trata-se do mesmo mecanismo irresistível que convenceu os diretores da Elf Aquitaine e os investidores da Califórnia. Quando ouvimos uma boa história, temos uma tendência natural primeiro a procurar — e, claro, a encontrar — elementos que a corroboram. Acreditamos que estamos verificando os fatos, fazendo um exercício rigoroso de *fact-checking*, mas existe uma grande diferença entre a verificação dos fatos e a verificação da história. Claro que verificar os fatos é indispensável: no nosso exemplo, as informações de Bertelle poderiam estar erradas. Ainda assim, podemos tirar uma conclusão falsa de fatos verdadeiros. *Fact-checking* não é *story-checking*.

A força do *storytelling* reside na nossa necessidade insaciável de narrativa. "Nossa mente é uma maravilhosa máquina de explicação, capaz de atribuir sentido a quase tudo, capaz de engendrar razões para todos os tipos de fenômenos", escreve Nassim Nicholas Taleb, autor de *A lógica do cisne negro*. Nem Bertelle, diante de alguns fatos isolados, nem você, uma vez que sabia dos indícios, poderiam imaginar que não indicavam nada. Nós nunca pensamos de maneira espontânea que podem não ser elementos de uma história encadeada, mas meras coincidências.

O VIÉS DE CONFIRMAÇÃO

O mecanismo mental que nos leva a cair nessa armadilha tem um nome que soa familiar: o viés de confirmação. Trata-se de uma das fontes mais universais de erros de raciocínio, com manifestações em toda parte.

Uma das mais visíveis hoje está relacionada ao debate político, em que a mecânica do viés de confirmação atua de maneira particularmente poderosa. Sabemos há muito tempo que a nossa sensibilidade aos argumentos políticos depende de opiniões preexistentes: quando observam o mesmo debate, os simpatizantes de dois campos acreditam que o seu candidato "ganhou" a disputa. Cada lado é mais sensível aos argumentos usados pelo seu candidato e menos atento aos pontos marcados pelo adversário. O fenômeno se repete quando apresentamos a indivíduos de campos políticos opostos os mesmos fatos e argumentos a respeito de questões em que eles já têm opiniões formadas. Naturalmente, o efeito é ampliado quando os lados podem escolher suas fontes de informação preferidas: fica então ainda mais fácil de ignorar os artigos desagradáveis que contestam as suas posições... assim como nós costumamos fazer na vida real.

Nada disso é novo, tanto que o viés de confirmação adquiriu, em matéria política, denominações específicas: falamos de *myside bias* [viés para o meu lado] ou de "raciocínio politicamente motivado". A novidade vem das redes sociais, que na última década deram a esse viés um novo alcance. Em primeiro lugar, porque por sua própria construção as redes sociais expõem em excesso os seus membros a mensagens transmitidas por quem está próximo, que reforçam as mesmas opiniões. É o fenômeno da "câmara de eco" ou da "bolha de filtros". Em segundo lugar, porque costumam ser divulgadas informações equivocadas ou mentirosas, às vezes propagadas de propósito por participantes falsos: são as famosas fake news. Ainda não temos como avaliar com precisão o impacto dessas notícias falsas, mas podemos com certeza afirmar que, sob a influência do viés de confirmação, uma parcela dos membros dessas redes sociais acredita piamente nas fake news que reforçam os seus preconceitos.

O viés de confirmação não se limita ao campo das opiniões políticas. As evidências científicas, que em princípio deveriam ter o mesmo valor para todos, também são vistas por esse prisma. Quer se trate da mudança climática, da utilidade das vacinas ou da inocuidade dos organismos geneticamente modificados, temos uma tendência a aprovar sem análise crítica os estudos que confirmam nossas opiniões, procurando sem pestanejar razões para ignorar os que contestam nossos pontos de vista.

Poderíamos pensar que não passa de uma questão de educação e de inteligência, e que apenas leitores simplórios, distraídos ou fanáticos caem nessas armadilhas. Infelizmente, não é o caso: por mais surpreendente que seja, o *myside bias* não tem nenhuma relação com inteligência.

Por exemplo, quando apresentamos para norte-americanos uma pesquisa que mostra que um veículo alemão é perigoso, 78% acreditam que o automóvel deve ser banido das estradas de seu país. Já se os dados sugerem que um Ford Explorer (norte-americano) é considerado perigoso na Alemanha, apenas 51% acreditam que o governo alemão deveria tomar medidas. É um exemplo recorrente do *myside bias*: a preferência nacional condiciona a leitura que indivíduos fazem dos mesmos fatos. O interessante é que a diferença entre os dois cenários é exatamente a mesma entre sujeitos mais inteligentes e com QI menor. A inteligência não tem nenhuma utilidade contra o viés de confirmação: podemos ser inteligentíssimos e não de todo racionais.

O viés de confirmação se insinua até em julgamentos que supostamente seriam (e deveriam ser) objetivos. Por exemplo, uma série de estudos conduzidos por Itiel Dror, um neurocientista cognitivo do University College de Londres, mostrou que cientistas forenses, profissionais que ficaram famosos com séries como *CSI*, também estão sujeitos ao viés de confirmação.

Em um de seus estudos mais surpreendentes, Dror submeteu a peritos em impressões digitais as mesmas amostras que eles já tinham analisado anos antes. O experimento aconteceu nos locais de trabalho, e os especialistas não podiam reconhecer as amostras entre as centenas examinadas em determinado ano, acreditando se tratar de casos novos. No entanto, as amostras eram acompanhadas por informações que podiam enviesar o perito: por exemplo, "o suspeito confessou" ou "o suspeito tem um álibi sólido". Como resultado, em 17% dos casos, os especialistas contradisseram o seu próprio julgamento anterior e apresentaram uma conclusão compatível com a nova "informação".

O problema é que, na prática, esses peritos não ficam sistematicamente isolados do resto da investigação. Logo, costumam ser expostos a esse tipo de informação contextual. Por isso, o risco de viés de confirmação é significativo. Além disso, Dror e outros pesquisadores chegaram a conclusões semelhantes sobre a suscetibilidade do viés de confirmação de diversas outras áreas da ciência forense: peritos em caligrafia, em balística e até mesmo em DNA...

Desnecessário dizer que Dror não fez amigos. Indignado, o presidente da Associação de Peritos em Impressões Digitais respondeu de maneira enérgica que os indivíduos dos experimentos eram incapacitados e que deveriam "procurar emprego na Disneylândia". De qualquer maneira, os resultados de

Dror foram replicados em inúmeros estudos independentes e levaram alguns laboratórios de ciência forense a rever os procedimentos para minimizar o risco de viés de confirmação. Lentamente, a ideia vai trilhando seu caminho: por mais que sejamos muito competentes e bem-intencionados, podemos ser vítimas, sem perceber, dos nossos vieses.

Obviamente, não somos todos ingênuos ou crédulos na mesma medida. Alguns são mais sensíveis a *storytellings* do que outros. Por sinal, encontramos uma correlação negativa entre a propensão a acreditar na veracidade das fake news mais disparatadas e as qualidades de pensamento analítico ou de curiosidade científica. Ainda assim, seja lá qual for a nossa capacidade crítica, todos tendemos a acreditar com mais facilidade na "boa história" que corrobora os nossos julgamentos prévios, que reforça nossas opiniões formadas, do que naquela que contesta ou refuta nossos pontos de vista. Esse é o perigo do viés de confirmação.

O VIÉS DO VENCEDOR, O VIÉS DE EXPERIÊNCIA

Para que o viés de confirmação seja desencadeado, precisamos inflá-lo com uma hipótese plausível — como Dror fez em seus experimentos com impressões digitais. E, para que a hipótese seja plausível, seu autor deve ser confiável.

No exemplo em que você ocupou a cadeira de diretor comercial, uma das razões para levar a história de Bertelle em consideração foi a confiança depositada nele. Se o telefonema tivesse vindo de um dos vendedores com desempenho menor, você talvez achasse que a conversa era a reclamação de um incompetente. Claro que precisamos saber em quem confiar, e o emissor é um elemento crucial para a credibilidade de uma mensagem. No entanto, costumamos subestimar o quanto é mais fácil acreditar em uma história contada por uma fonte crível. É o *viés do vencedor*.

E, é evidente, o vencedor em que mais confiamos costuma ser nós mesmos! Diante de uma situação em que devemos interpretar, a primeira história que vem à nossa mente, aquela que sem perceber buscaremos confirmar, é a sugerida por nossa memória, nossa experiência própria em situações aparentemente semelhantes. É o *viés de experiência*.

Podemos ver o viés do vencedor e o viés de experiência na história recente da JCPenney. Em 2011, essa cadeia de lojas norte-americana com mais de 1100 estabelecimentos, especializada em departamentos e com promoções recorrentes, estava à procura de um diretor-executivo para ganhar um novo impulso. Seu conselho administrativo devia escolher um verdadeiro "vencedor", um salvador com um currículo ideal. Ron Johnson conhecia o varejo: tinha sido o diretor de merchandising da Target, outra cadeia de lojas, destacando-se por sua criatividade. Porém, acima de tudo, havia sido o inventor — ao lado de Steve Jobs, é claro — das Apple Stores, que quebraram todos os códigos de distribuição de computadores para se tornar um dos maiores sucessos da história do varejo. Não seria o líder dos sonhos para a JCPenney no desafio de se reinventar? Ninguém duvidava de que Ron Johnson atingiria na JCPenney resultados tão espetaculares quanto na Apple.

No entanto, ele teria um fracasso inacreditável.

Credenciado por sua experiência, aclamado por sua glória, convencido da precisão de sua visão, Ron Johnson propôs, depois impôs de maneira autoritária, uma estratégia de ruptura radical. O seu princípio se resumiu a uma ideia simples: se inspirar, de ponta a ponta, na estratégia que fez sua fama na Apple, só que aplicada com ainda mais rigor na JCPenney, já que a ideia era mudar uma empresa existente, e não de criar uma ex nihilo.

Nada escapou à febre reformista de Johnson, e a inspiração da Apple era evidente. Se o sucesso das Apple Stores estava no poder da marca, então Johnson fechou onerosos acordos de exclusividade com grandes marcas e passou a reorganizar as lojas em torno delas, e não em seções. Se a Apple não economizava para oferecer um ambiente luxuoso para os seus produtos, então Johnson investiu pesadamente em transformar as lojas em butiques de luxo. Se a Apple praticava uma política inflexível de preços, sem liquidação ou descontos, então o novo diretor-executivo da JCPenney rompeu com o modelo comercial de suas lojas e substituiu as promoções recorrentes por preços fixos e promoções mensais modestas. Temendo que o quadro de funcionários da JCPenney não fosse dinâmico o suficiente, ele renovou grande parte da diretoria, escolhendo muitas vezes ex-funcionários da Apple, sendo que alguns nem sequer se mudaram para a sede da empresa em Dallas.

Ainda mais espantoso: nenhuma dessas mudanças havia sido antes testada em pequena escala ou com os consumidores. Por quê? De acordo com as explicações de Johnson, porque "na Apple nunca testávamos nada". Algumas pessoas tinham dúvidas sobre essa estratégia de ruptura total? "Eu não gosto de negatividade. O ceticismo asfixia a inovação", respondia Johnson.

Desnecessário dizer que os resultados foram catastróficos. Clientes regulares da JCPenney não reconheciam mais a loja, sobretudo o atrativo das promoções que adoravam. Os outros, a quem Johnson desejava apresentar a "nova" JCPenney, não ficaram convencidos. Em 2012, as vendas caíram 25% e os prejuízos somaram 1 bilhão de dólares, apesar das quase 20 mil demissões feitas na tentativa de cortar custos. As ações da empresa perderam 55% de seu valor.

O primeiro ano sob a liderança de Ron Johnson também foi o último: dezessete meses após sua chegada, o conselho administrativo da JCPenney saiu enfim de sua letargia e demitiu o bombeiro incendiário. Para substituí-lo, chamaram... o antecessor, que deu o seu melhor para desfazer, chocado, o que Johnson tinha feito.

O conselho administrativo tinha apostado em um "vencedor", e esse vencedor confiava em sua experiência: ambos acreditaram em uma boa história, pois a história de um salvador que repetirá seu incrível sucesso, quebrando mais uma vez todos os tabus, é irresistível. Uma vez iniciada a boa história, tanto a diretoria quanto o diretor-executivo ignoraram todos os sinais de alerta que mostravam que a estratégia da Apple não era transponível para uma loja de departamento. Pelo contrário, para onde olhavam eles viam razões para confirmar sua crença inicial. A força do *storytelling* e o poder do viés de confirmação fizeram o seu trabalho.

O VIÉS ATINGE TODOS

A maioria de nós naturalmente imaginaria que, se estivesse na diretoria da JCPenney, não teria "comprado" a história de Johnson, cujos erros — como os dos diretores da Elf Aquitaine no caso dos aviões-petroleiros — parecem gritantes. Nem por um segundo passaria por nossa cabeça conceber que, no lugar deles, teríamos cometido esse equívoco. Quanta incompetência! Quanta arrogância!

Essa reação não tem nada de surpreendente: diante de um naufrágio, nosso reflexo é culpar o capitão. A imprensa especializada em economia invariavelmente atribui os reveses das grandes empresas aos erros de seus diretores. Compilações de narrativas desse tipo são abundantes na literatura de administração de empresas, muitas vezes invocando em última análise a fraqueza moral do líder: orgulho, ambição pessoal, mania de grandeza, teimosia para ouvir os outros e, claro, ganância.

Como a explicação moral é reconfortante! Graças a ela, podemos continuar pensando que, no lugar desses diretores, não teríamos cometido os mesmos erros, que devem ter sido exceções. Infelizmente, essas são duas conclusões falsas.

Em primeiro lugar, devemos ressaltar: os indivíduos que passaram pelos insucessos relatados neste livro não são nada tolos. Antes desses fracassos, e algumas vezes depois, foram considerados não só executivos muito competentes, mas também diretores de comando, estrategistas de elite, modelos para os seus colegas. Os diretores da Elf Aquitaine, legítimos produtos da meritocracia francesa, estavam longe de ser ingênuos — e o mesmo vale para os investidores da Goldman Sachs ou da Kleiner Perkins. Já Ron Johnson foi classificado como "um ícone do setor varejista" em um artigo sobre a sua saída da Apple. Como prova de sua reputação, bastou o anúncio de sua chegada à JCPenney para fazer o preço das ações da empresa subirem 17%.

Em segundo lugar, mesmo que os fracassos relatados sejam espetaculares, os erros cometidos são comuns. Para alguns tipos de decisão, a irracionalidade é até a norma. Em outras palavras, tais exemplos — e também os que seguem — não foram escolhidos porque fogem do normal, mas justamente porque fazem parte. Representam paradigmas de erros recorrentes que empurram os diretores para caminhos previsíveis.

Por isso, devemos resistir a duas tentações: a de se sentir superior e a de considerar esses exemplos como exceções à regra. Em vez disso, podemos nos perguntar como pessoas admiradas no mundo todo pela tomada de boas decisões, rodeadas por equipes escolhidas a dedo, à frente de organizações sólidas, puderam cair em armadilhas que nos parecem grosseiras: aquelas ciladas armadas pelo viés de confirmação diante de uma boa história. Como veremos, o mesmo raciocínio se aplica aos vieses abordados ao longo dos próximos capítulos.

"OS FATOS, NADA MAIS DO QUE OS FATOS"

"O viés atinge todos? Ah, é?", costuma perguntar o cético. "Não a mim!", rebaterão alguns, que têm uma solução mágica: eles só confiam em fatos e números, não em histórias. Julgam os fatos, nada mais do que os fatos. *Facts and figures* [fatos e números]. Então, em que armadilha poderiam cair?

Na mesma armadilha, infelizmente. Mesmo quando acreditamos tomar nossa decisão com base apenas em fatos, já estamos mentalmente contando uma história — com a melhor das intenções. Não existem fatos objetivos que possamos abordar sem fazer ligação, inconsciente ou não, com uma história que faça sentido, que lhes dê uma ordem lógica. O melhor exemplo dessa ameaça vem daqueles que deveriam ser, tanto por metodologia quanto por temperamento, os mais imunes ao viés de confirmação: os cientistas.

Um número crescente de resultados científicos publicados tem se revelado impossível de reproduzir, a ponto de hoje se falar na comunidade científica, em particular em psicologia experimental e em medicina, de uma "crise de reprodutibilidade". Um dos artigos mais citados a respeito do tema se intitula: "Por que a maioria das conclusões publicadas é falsa?". Sem dúvida, as explicações para esse fenômeno são diversas e complexas, mas o viés de confirmação desempenha um papel de protagonista.

Como isso é possível? Teoricamente, a abordagem científica, por seu próprio princípio, evita esse risco. Em outras palavras: se, por exemplo, a eficácia de um medicamento for testada, o experimento não consiste em confirmar a hipótese de que o tratamento funciona, mas em testar a "hipótese nula" de que não produz nenhum efeito. Quando os resultados permitem, com probabilidade suficiente, *rejeitar* essa hipótese nula, a conclusão do estudo é positiva. Logo, em tese, a abordagem previne o viés de confirmação: ao contrário de nossos instintos naturais, ela procura refutar a hipótese inicial.

Porém, na prática, as coisas são mais complexas. Um estudo científico é uma longa série de etapas, em que os pesquisadores tomam inúmeras decisões. No momento de definir as questões da pesquisa, de conduzir os experimentos, de decidir os dados "aberrantes" que devem ser excluídos da análise, de escolher as técnicas de tratamento estatístico, de selecionar os resultados que devem ser submetidos à publicação, os cientistas fazem escolhas. Sem abordar os (raros) casos de fraude, a cada uma dessas escolhas o pesquisador tem graus de liberdade metodológica. Cada uma dessas minúsculas decisões técnicas é uma brecha em que o viés de confirmação pode se infiltrar. Com a melhor e a mais sincera das intenções, um pesquisador pode influenciar os resultados que deseja obter. Se essas influências forem bastante sutis, podem escapar durante o processo de revisão dos colegas. Dessa maneira, aparecem nas publicações científicas os "falsos positivos", estudos tecnicamente sólidos, que passam por todos os testes necessários de significância estatística, mas que outros pesquisadores não poderão reproduzir.

Uma anedota ilustra esse perigo. Os autores de um artigo publicado em 2014 na revista *Psychology, Public Policy and Law* precisaram corrigir um adendo: por um erro de raciocínio estatístico, eles acabaram superestimando seus resultados. Qual era o tema do artigo? Justamente o efeito dos vieses cognitivos, e em particular o do viés de confirmação, no trabalho de peritos psiquiatras que testemunhavam em tribunal! Como os autores assinalaram em sua errata: "De maneira paradoxal, nosso erro demonstra exatamente o que o artigo sugere: os vieses podem levar com facilidade a erros, mesmo no caso de especialistas no tema altamente motivados a evitá-los". Não teríamos usado palavras melhores para explicar.

Devemos concluir que só podemos acreditar "nas estatísticas que nós mesmos falsificamos", como dizia Churchill? Não, claro que não. Ainda assim, nossa interpretação dos números, apesar da aparente objetividade, está sempre sujeita aos nossos vieses de confirmação. Nós sempre analisamos as estatísticas por meio do prisma de determinada história, que de modo inconsciente buscamos confirmar.

A MÁQUINA DE ILUSÕES

Vamos retornar às duas histórias dos aviões-petroleiros para tentar entender como pessoas inteligentes e calejadas puderam se enganar tanto.

Quando repassamos as histórias de 1975 ou de 2004, percebemos que, embora diferentes no conteúdo, elas se assemelham pela capacidade dos "inventores" de visar suas vítimas, construindo sob medida uma boa história.

Em 1975, a França havia sido atingida em cheio pela primeira crise petrolífera. Os "inventores" dos aviões-petroleiros prometiam à Elf Aquitaine e ao país nada menos do que uma nova forma de independência energética. Na França do Airbus, do programa nuclear, do TGV (um trem de alta velocidade), em uma nação que segue acreditando nas suas capacidades e no seu destino, não parece impossível inventar um procedimento ainda inédito no mundo, uma tecnologia revolucionária que permitiria ao país recuperar a sua grandeza! Além disso, os inventores fascinam o seu público com a perspectiva de aplicações militares ao mesmo processo: ora, o presidente da Elf é ex-ministro da Defesa...

Em suma, o "talento" dos supostos inventores está mais na capacidade de adaptar sob medida a história para seduzir o seu público do que na fraude científica. É provável que a mesma história fosse pouco plausível hoje, mas era irresistível naquele momento e naquele contexto. "Como todos foram invadidos por um clima geral de fé, quem não acreditava guardou a desconfiança para si", explicou o presidente da Elf Aquitaine.

Naturalmente, a explicação não serve de desculpa. Como o Tribunal de Contas francês observou, "nenhuma dessas considerações impedia que os envolvidos demonstrassem vigilância e espírito crítico". No relatório, é possível ler: "Longe de analisar metodicamente inventores e procedimentos [...], as afirmações foram recebidas sem exame, sem verificação, [com a diretoria priorizando] as grandes campanhas de prospecção aérea [...] em detrimento das missões pontuais que poderiam permitir a avaliação dos instrumentos e a produção de contraprovas, [e enviando especialistas que] tinham por missão aprender e entender, e não exercer dúvida sistemática". Nesse trecho citado, o Tribunal de Contas francês oferece uma descrição perfeita do viés de confirmação: buscamos evidências que confirmem a hipótese prévia.

O talento do contador para adaptar a história ao seu público também aparece no "remake" de 2004. O argumento é diferente, o resultado, igual. Dessa vez, os inventores prometem criar o "Google dos hidrocarbonetos". Essas promessas seduzem investidores ambiciosos, que sonham com inovações disruptivas que transformem setores inteiros. Em tal contexto, cada fraqueza se torna uma força, cada sinal de alerta, um indício encorajador. Olson é um recém-chegado no mundo do petróleo? Exatamente! Todos sabem que as verdadeiras inovações são fruto de empreendedores "disruptivos", de rebeldes com olhares novos! Os especialistas da indústria petrolífera estão céticos?

Bom sinal: a Terralliance poderá largar na frente desse setor sonolento e conservador!

Para resumir, tudo é bom quando desejamos acreditar em uma boa história. Como confessará um investidor desiludido, depois de perder parte da fortuna na aventura: "Mesmo que não fizesse nenhum sentido a hipótese de obter esse tipo de dados de um avião, desde o primeiro encontro pensei que valia a pena tentar. No final das contas, é uma história tão antiga quanto o mundo: um indivíduo carismático conta uma história fascinante e você quer acreditar".

Uma história boa demais para não ser verdade.

A ARMADILHA DO *STORYTELLING* EM TRINTA SEGUNDOS

- O **storytelling**, ou a armadilha da boa história, nos leva a construir uma história coerente a partir de uma seleção de fatos. Porém, essa história não é a única possível e pode nos induzir ao erro.
    - ▶ *Fatos coerentes com o início de uma guerra de preços podem ter outra explicação.*

- O **viés de confirmação** nos leva a ignorar informações que contradizem nossas crenças originais.
    - ▶ *No campo político, temos o myside bias, ou raciocínio politicamente motivado.*
    - ▶ *Nas redes sociais, temos a "bolha de filtros".*

- O viés de confirmação **não tem relação com a inteligência** e afeta julgamentos a priori objetivos.
    - ▶ *Mesmo um laudo de impressões digitais está sujeito a um viés de confirmação.*
    - ▶ *Na área científica, a "crise de reprodutibilidade" se deve em parte a esse viés.*

- O viés de confirmação se torna **viés do vencedor** quando reforça nossa confiança em um "herói"...
    - ▶ *Os diretores da JCPenney confiaram em Ron Johnson.*

- ... e **viés de experiência** quando nos leva a acreditar na pertinência da nossa própria história.
    - ▶ *Ron Johnson pensou que podia repetir na JCPenney o sucesso que teve na Apple.*

- Ainda mais poderosa do que a história é a história que **queremos ouvir**.
    - ▶ *As duas histórias dos aviões-petroleiros foram adaptadas para seu público.*

2. "O gênio Steve Jobs..."
A armadilha da imitação

100% dos ganhadores tentaram a sorte.
Publicidade da Française des Jeux, a loteria francesa

Quase dez anos depois de sua morte prematura, Steve Jobs continua sendo objeto de admiração quase universal. Essa veneração é nutrida por centenas de livros que propõem revelar tudo, muitas vezes banalidades, sobre o fundador da Apple: os segredos de inovação, os princípios de design, as técnicas de apresentação, o estilo de liderança, seu "zen", os hábitos secretos como o jeito de se vestir.

Embora a admiração por Steve Jobs seja inigualável em seu alcance, o princípio de reverenciar líderes econômicos e elevá-los ao status de modelos quase divinos não é em si novidade. Podemos citar por exemplo Jack Welch, que dirigiu a General Electric de 1981 a 2001, ou Warren Buffett, ídolo absoluto dos investidores — dois exemplos que retomaremos adiante. Outras grandes figuras do capitalismo marcaram seu lugar na lenda dos negócios: de Alfred P. Sloan (General Motors) a Larry Page (Google), de Bill Gates (Microsoft) a Elon Musk (SpaceX e Tesla), inúmeras figuras carismáticas do mundo dos negócios foram, ou ainda são, tomadas por modelo.

Essa necessidade de se espelhar em modelos é compreensível — mesmo que pudéssemos esperar que personalidades de fora do mundo dos negócios estivessem mais bem representadas nas listas de "líderes" oferecidas pela imprensa. Para um gestor, costuma ser um bom reflexo se questionar comparando os seus métodos com os de outras organizações.

No entanto, em nossa busca legítima por modelos, cometemos com muita frequência três erros. O primeiro: atribuímos todo o sucesso a um só homem. O segundo: vemos em todos os comportamentos desse homem as causas de seu sucesso. O terceiro: concluímos rápido demais que ele é um modelo a ser seguido.

A APPLE É UM SUCESSO PORQUE STEVE JOBS É GÊNIO: O ERRO DE ATRIBUIÇÃO

Como vimos, adoramos criar sentido, fabricar histórias. Para continuar no exemplo da Apple, a história que ouvimos diversas vezes, a do sucesso inesperado, da queda e do renascimento brilhante, corresponde de maneira admirável à estrutura de um relato heroico.

Ainda assim, mesmo que ninguém preste mais atenção a isso, esse relato heroico é a história de Steve Jobs, não da Apple. Ora, estamos falando de uma empresa que está, por capitalização de mercado, entre as maiores do mundo. Embora sem dúvida Steve Jobs tenha desempenhado um papel determinante na história da Apple, podemos pensar que alguns dos 120 mil funcionários também contribuíram. Inclusive, o desempenho da Apple desde a morte de seu ícone confirma isso. E mesmo que o foco seja apenas no aspecto "criativo" da aventura da Apple, que é a reiterada invenção de produtos revolucionários, Steve Jobs não é, de forma alguma, o único autor.

Por que então as histórias da Apple e de Steve Jobs se fundem em nossa mente? Porque, no fundo, é a história do herói que queremos ouvir. Não apenas temos sede de histórias, como essas histórias devem apresentar personagens exemplares, a quem atribuímos todos os méritos. Subestimamos o papel dos outros protagonistas, do meio, dos concorrentes e até da sorte ou do azar.

No capítulo anterior, nós trouxemos como exemplo desse raciocínio a chegada de Ron Johnson à JCPenney, coroada pelo retumbante sucesso das Apple Stores, que em menos de dez anos atingiram a marca de 9 bilhões de dólares em vendas. Ninguém duvidava que o sucesso das Apple Stores fosse o de Ron Johnson. Com instalações pomposas, design exclusivo, serviço de hotel de luxo e inovações tecnológicas (permitindo, por exemplo, a ausência de filas no caixa), as Apple Stores revolucionaram a distribuição de produtos high-tech. E Ron Johnson era o próprio inventor do conceito! Quando perguntados pela imprensa, especialistas do ramo não hesitavam em se referir a ele como uma espécie de rei Midas do setor: "Parece que tudo o que ele toca se transforma em ouro. É um mestre. Ninguém entende de distribuição como ele".

Seja como for, uma leitura bem diferente da história é possível. Quando atribuímos o sucesso das Apple Stores à sua concepção inovadora, esquecemos um pouco rápido demais que elas foram alavancadas por três dos produtos mais populares da história do consumo. O lançamento das Apple Stores em 2001 coincide com o do iPod – uma inovação revolucionária na época. A verdadeira decolagem acontece em 2008, com um salto de vendas de 50%: ano de lançamento do iPhone. Depois de um ano de estagnação, as vendas passam de repente de 6,5 bilhões para 9 bilhões de dólares em 2010: ano de lançamento do iPad.

Em outras palavras, a relação de causa e efeito que estabelecemos sem hesitar entre a concepção das Apple Stores e seu sucesso é, no mínimo, tênue. Os clientes que faziam fila durante toda a noite em frente às vitrines não estavam ali para admirar os pisos de mármore e os expositores de madeira clara, e sim para comprar produtos que muitas vezes não eram encontrados em outras lojas. Vamos supor que um Ron Johnson menos inspirado tivesse criado Apple Stores "básicas", réplicas perfeitas de formatos tradicionais como a Fnac ou a Darty. Elas teriam feito menos sucesso? Provavelmente sim. De qualquer maneira, não continuariam entre os maiores êxitos da história da distribuição? Como canal de distribuição privilegiado, em vista da insaciável demanda pelos produtos Apple, com quase certeza, sim.

Essa observação é interessante não por ser original, mas por ser óbvia. A ideia de que o sucesso de uma loja está vinculado, antes de tudo, aos seus produtos não tem nada de revolucionário! E, em defesa de Ron Johnson, ele estava bem ciente disso. Sua ânsia em reinventar de maneira radical a linha de produtos da JCPenney, mesmo correndo o risco de afastar os clientes tradicionais da loja, não teria outra explicação. Porém, ao ler a história da JCPenney, você chegou a refletir sobre isso? Em algum momento, você pensou: "Não só

Johnson terá dificuldade em repetir o sucesso da Apple na JCPenney, como também não podemos afirmar que ele tenha sido o grande responsável por esse sucesso?".

Se essa observação não lhe ocorreu, você não está sozinho. Nem a imprensa, nem a Bolsa, nem, sobretudo, o conselho administrativo da JCPenney pareciam ter dúvidas a respeito do papel decisivo de Johnson. Invariavelmente, e com tanta naturalidade que nem percebemos, nosso primeiro impulso é atribuir os sucessos (ou os fracassos) aos indivíduos, às suas escolhas, ao seu temperamento, mais do que às circunstâncias. Esse é o primeiro erro: o *erro de atribuição*.

STEVE JOBS É GÊNIO. LOGO, TUDO O QUE FAZ É GENIAL: O EFEITO DE HALO

Cometemos o segundo erro quando nossa admiração por um modelo nos leva a estudar sua vida, suas decisões, suas metodologias, e a procurar um sentido nelas. Os psicólogos conhecem há muito tempo o que denominaram de *efeito de halo*: uma vez que formamos uma impressão sobre alguém, julgamos todos os traços dessa pessoa pelo "halo" da nossa primeira impressão. Por conta disso, homens mais altos são vistos como líderes melhores (e conseguem, com qualificações idênticas, remunerações maiores). Também por conta disso, eleitores julgam os candidatos em parte pela fisionomia, considerando se eles têm "uma boa aparência" para o cargo. O psicólogo norte-americano Edward Lee Thorndike, que expôs esse efeito em 1920, menciona a "transposição de um julgamento sobre outro": usamos uma informação facilmente disponível (altura, aparência) para evitar responder a uma pergunta difícil (liderança, competência).

Phil Rosenzweig, em *Derrubando mitos*, mostrou como o efeito de halo se aplica não só às pessoas, como também às empresas. Nesse caso, as informações mais acessíveis são o quanto a marca é lembrada e o desempenho financeiro. Logo, não surpreende que se busque por modelos entre as empresas cujos produtos são familiares para nós (a quantos centímetros você está agora de um logotipo da Apple?) e entre as empresas cujo desempenho na Bolsa são mais espetaculares.

Esse segundo aspecto conferiu a muitas outras empresas reservas inesgotáveis de "boas práticas" por certo tempo, além da Apple. O melhor exemplo é a General Electric (GE), na época do icônico diretor-executivo Jack Welch. Nomeado "gestor do século" pela revista *Fortune* em 1999, Jack Welch liderou a criação de um valor acionário sem precedentes, aumentando o valor da GE em 4000 % entre 1981 e 2001. Como acontece com a Apple hoje, esse sucesso provocou uma sede insaciável de imitação. O próprio Jack Welch exortava os gerentes da GE a imitarem uns aos outros, "compartilhando as melhores práticas" dentro do conglomerado: se podiam ser transferidas de uma divisão da GE para outra, por que essas "boas práticas" não seriam aplicáveis a outras empresas?

Não há uma resposta pronta a essa pergunta, o que torna as "melhores práticas" tão tentadoras. Buscar inspiração externa é uma forma eficaz de combater a complacência e o risco do *not invented here* [não inventado aqui], essa rejeição prévia de ideias de fora. Se todos buscassem a "boa prática" adequada a um assunto bem definido, tudo iria às maravilhas. Lamentavelmente, o efeito de halo nos leva muitas vezes a identificar *antes* uma empresa de sucesso para *depois* extrair uma prática, presumindo que essa prática contribuiu para o seu êxito geral.

No entanto, não é fácil identificar as práticas da Apple ou da GE que "explicam" seu sucesso — que merecem, portanto, ser estabelecidas como regras gerais. De *Vencendo a crise* a *Feitas para durar*, inúmeros livros de gestão tentaram responder a essa pergunta isolando os fatores "decisivos" que explicariam os resultados de empresas "de excelência" ou "visionárias". Claro que nenhuma dessas explicações simples (demais) conseguiu revelar "o" segredo do desempenho.

Um entre tantos exemplos ilustra o problema. Sem dúvida, entre as práticas da General Electric, nenhuma atraiu mais a atenção do que o uso sistemático, a partir dos anos 1980, do *forced ranking* [classificação forçada]. Esse sistema de avaliação de desempenho individual pretendia que cada gerente classificasse seus funcionários em três categorias: os 20% mais produtivos, os 70% intermediários e os 10% menos produtivos. Como Jack Welch explicou sobre a última categoria: "Quem apresenta baixo desempenho recebe uma segunda chance. Se não aproveitar durante o ano, é demitido. Simples assim".

Diversas empresas começaram a imitar esse sistema, pois o sucesso da GE impunha respeito e a lógica parecia incontestável: quem não concordaria que a qualidade dos colaboradores era essencial para o sucesso de sua empresa? Quem não gostaria de melhorar incessantemente essa qualidade? Quem poderia contestar que a demissão dos colaboradores de menor desempenho elevaria de forma automática a qualidade média do quadro todo?

Ledo engano! Em sua maioria, as empresas que adotaram o *forced ranking* logo voltaram atrás (o número de grandes empresas dos Estados Unidos que utilizavam esse método teria passado de 49% em 2009 para 14% em 2011). Muitas mencionam os efeitos negativos no espírito de equipe, na motivação e na criatividade, e até nas implicações políticas e no favoritismo que o *forced ranking* suscita. A própria GE afirma ter abandonado o sistema e incentiva agora avaliações diferenciadas do desempenho por metodologias mais sofisticadas. Ao que parece, o sucesso da General Electric se devia a causas mais diversas e mais complexas que o *forced ranking*.

Mas isso não é tudo. Supondo que tenhamos identificado as práticas que explicam o sucesso da Apple ou da GE, ainda precisaríamos distinguir entre o que é pertinente a determinada situação e o que não é aplicável.

Retomemos o exemplo do capítulo anterior: vimos como Ron Johnson, na JCPenney, recorria à famosa aversão de Steve Jobs aos testes de marketing para se recusar a testar sua nova estratégia de preços. Muitos diretores menos midiáticos usam um raciocínio semelhante, confiando na força de sua intuição antes do lançamento de um produto: "Os consumidores nunca pedem algo que já não conheçam", defendem. Para quem deseja inovar de verdade, a criatividade e a autoconfiança seriam bem mais importantes do que as opiniões das massas.

O raciocínio pode fazer sentido... quando se trata de inovação disruptiva. Se desejamos mudar *radicalmente* o comportamento dos consumidores, podemos de fato desconfiar do poder preditivo das pesquisas de mercado (ao menos em suas formas mais convencionais). Porém, é surpreendente que esse argumento seja utilizado com frequência como justificativa para a recusa do teste de uma inovação mais "incremental": extensão de uma linha, nova variedade ou, de modo geral, qualquer inovação que se limite a substituir um produto por outro. Todos nós percebemos bem a diferença entre o lançamento do primeiro iPad e o de um novo tipo de queijo! No entanto, é muito tentador se identificar com o inovador radical.

Por fim, a busca incessante pelas boas práticas tende a nos fazer perder de vista a verdadeira fonte de vantagem estratégica, mesmo no caso das empresas que imitamos: a diferenciação. Como a boa estratégia deve ser diferente, imitar boas práticas nunca foi uma boa estratégia.

Para especificar, vamos distinguir dois tipos de "práticas". As boas práticas "de verdade" consistem na aplicação de ferramentas e metodologias *operacionais* que foram testadas. Na área de informática, marketing, produção, logística e em muitas outras, essas práticas podem melhorar o desempenho operacional. Só que, por si só, não podem conferir uma vantagem estratégica duradoura, por uma razão simples: seus concorrentes podem imitá-las tão bem quanto você! Confiar nesse tipo de metodologia para vencer significa confundir estratégia e eficiência operacional: um erro comum e perigoso.

Resta abordar as supostas "boas práticas" que consistem em imitar o posicionamento *estratégico* dos concorrentes mais rentáveis. A tese é que existe uma (e apenas uma) estratégia "vencedora" em um determinado setor: a dos concorrentes de sucesso. Por isso, deveríamos necessariamente visar os mesmos segmentos de clientes, utilizar os mesmos canais de venda e adotar as mesmas políticas de preços. As varejistas de alimentos, as companhias aéreas ou as operadoras de telefonia móvel costumam ser tentadas por esse tipo de imitação. O resultado é uma concorrência exacerbada que, na ausência de diferenciação estratégica, foca apenas nos preços e destrói o valor para todos os atores da cadeia. Confiar na imitação de estratégias inventadas por outros, por mais bem-sucedidas que sejam, só leva a um beco sem saída.

Ao estudar nossos modelos, devemos tomar cuidado para não cair na idolatria e devemos aprender a deixar, às vezes, as boas práticas para os inventores. Em especial, se consideramos esses criadores como gênios.

O QUE STEVE JOBS FEZ FOI GENIAL. POR ISSO, DEVO IMITÁ-LO: O VIÉS DE SOBREVIVÊNCIA

Esse é o terceiro erro que cometemos na nossa busca por modelos. Quando afirmo "Steve Jobs foi um gênio" e concluo "por isso, devo imitá-lo", esqueço de formular a segunda premissa do silogismo: "Logo, eu também sou um gênio".

Vamos por apagogia aplicar esse raciocínio a outro campo: o atual campeão mundial de Fórmula 1 é sem dúvida um piloto genial, mas quando estamos atrás do volante do nosso carro conduzimos a 250 quilômetros por hora?

Claro que não, porque as "boas práticas" do gênio em questão só nos parecem pertinentes... para um piloto genial! O problema lógico que salta aos nossos olhos nesse exemplo costuma escapar quando falamos dos métodos de um suposto gênio dos negócios.

Se há um "ás do volante" no meio empresarial conhecido pelo desempenho fora do comum, é Warren Buffett. Em um setor, o financeiro, em que o desempenho pode ser medido de modo objetivo e instantâneo, Warren Buffett desafia as leis do mercado há cinquenta anos. Os seus investimentos lhe permitiram construir a terceira maior fortuna do mundo — quase 90 bilhões de dólares em 2018.

Os métodos de investimento de Buffett são ainda mais estudados porque parecem simples e formulados em um estilo próximo do "senso comum": se manter fiel ao que entende, não se deixar impressionar pela moda ou até pelas novas tecnologias, não hesitar em manter posições que ainda tenham potencial de valorização durante dez, vinte ou trinta anos, limitar a diversificação etc. Para ouvir ensinamentos como esses, mais de 30 mil acionistas fazem a peregrinação anual a Omaha, uma cidadezinha no estado de Nebraska, que todos os anos se torna a Meca para investidores do mundo inteiro, durante a assembleia geral de sua companhia, a Berkshire Hathaway. Ao se reunir para ouvir o "oráculo", todos esperam compreender, para aplicar melhor, os princípios de investimento de Warren Buffett.

No entanto, os fatos são teimosos: todos os estudos demonstram que, para investidores individuais, e até profissionais, é inútil tentar bater o mercado. A grande maioria, se não a totalidade, dos peregrinos de Omaha nunca chegará perto do desempenho do "gênio". Nesse como em outros domínios, o gênio (se existir) é por definição uma exceção que não conseguiremos igualar.

Claro que essa não é a mensagem que queremos ouvir. A nossa sede de comparação com os gênios é ainda maior porque quase sempre nos superestimamos, como será abordado no capítulo 4 deste livro. Nós não nos convenceremos de verdade por nenhuma estatística de que não podemos também ser excepcionais. Por acaso Steve Jobs, Jack Welch ou Warren Buffett teriam marcado época se tivessem escutado esse tipo de mensagem desanimadora? Será que a sua existência e a de tantos outros grandes homens não é a prova de que um desempenho excepcional está ao alcance de todos, bastando ter talento e força? Não é verdade, como sussurra um anúncio da Apple, que "os que são loucos o suficiente para pensar que podem mudar o mundo são os que realmente o mudam"?

Provavelmente. E se é inspiração que buscamos, nada melhor do que procurá-la em personalidades fora do comum. No entanto, se a busca for por lições práticas, estaremos cometendo um erro grave de raciocínio. Admiramos exatamente aqueles modelos que tiveram sucesso. Entre todos que adotaram as mesmas práticas, que foram "loucos o suficiente para pensar que podiam mudar o mundo", a grande maioria fracassou... e por essa razão nunca ouvimos falar deles. Cem por cento dos perdedores também tentaram a sorte. Costumamos esquecer isso: é o *viés de sobrevivência*.

Em resumo, a nossa busca por modelos é sem dúvida fonte de inspiração, mas também de desvio. Provavelmente tiraríamos mais proveito, sem restringir as nossas aspirações, aprendendo com personalidades que se parecem conosco, com sucesso menos retumbante, do que com os poucos ídolos que o mundo inteiro tenta imitar.

E se fôssemos além? Todos concordamos que se aprende mais com os erros do que com os acertos. Aplicando esse raciocínio, por que não estudamos as *worst practices* [piores práticas]? Com certeza aprenderíamos muito mais lições, e de muito mais valor, com empresas que faliram do que com as bem-sucedidas. Com as precauções já mencionadas quanto à aplicabilidade, poderíamos analisar os erros cometidos, tentar tirar lições e, talvez, procurar não repeti-los.

A ARMADILHA DA IMITAÇÃO EM TRINTA SEGUNDOS

- O **erro de atribuição** nos leva a atribuir o sucesso (ou o fracasso) a uma pessoa e a subestimar o fator das circunstâncias e do acaso.
    - ▶ *Atribuímos o sucesso das Apple Stores a Ron Johnson, e não aos lançamentos de produtos Apple.*

- O **efeito de halo** nos leva a formar uma impressão geral a partir de algumas características salientes.
    - ▶ *O admirável sucesso de Steve Jobs nos leva a pensar que todas as suas práticas são admiráveis.*
    - ▶ *Procuramos imitar as "boas práticas" das empresas de sucesso, mesmo quando essas práticas não explicam seu sucesso.*
    - ▶ *Não nos questionamos o bastante se essas "boas práticas" são de fato transferíveis.*

- O **viés de sobrevivência** consiste em focar nos casos de sucesso, esquecendo os casos de fracasso, e nos leva a pensar que assumir riscos é a causa do sucesso.
    - ▶ *"Cem por cento dos ganhadores tentaram a sorte"... mas 100% dos perdedores também.*

3. "De acordo com a minha larga experiência..."
A armadilha da intuição

> *Não acredite cegamente em ninguém, nem em si mesmo.*
> Stendhal, *Lucien Leuwen*

Em 1994, a Quaker, uma companhia independente e próspera, pagou 1,7 bilhão de dólares para adquirir a Snapple, marca de bebidas naturais à base de frutas e chás. O CEO da Quaker, William Smithburg, tinha certeza de que o alto preço se justificava pelas potenciais sinergias: como ele fizera no caso da Gatorade, bebida esportiva adquirida em 1983 que se tornou uma marca de sucesso, a Quaker poderia usar seus recursos de marketing para dar uma nova dimensão à Snapple. A aquisição na verdade se revelaria um desastre, custando o cargo a Smithburg e a independência à Quaker (que acabou sendo adquirida pela PepsiCo seis anos depois). Ainda hoje, para criticar um preço disparatado de compra, é possível ouvir um banqueiro de investimentos esbravejar: "Mas é uma nova Snapple!". No entanto, Smithburg, um dos mais experientes e mais admirados diretores de seu ramo, tinha certeza de sua intuição.

Ah, a intuição! Paradoxalmente, nosso mundo hiper-racional nunca deixa de elogiar essa capacidade e quem a possui. Os conquistadores, os inventores, no topo de sua montanha ou à sombra de sua árvore, não decidiram sempre confiando na intuição, na visão, na inspiração? Os grandes capitães da indústria ou os empresários "geniais" que veneramos não têm no mais alto grau essa qualidade insubstituível? Baseados nesses exemplos, muitos diretores não hesitam em afirmar que recorrem à intuição para tomar decisões estratégicas.

A verdade é que a intuição desempenha um papel, e um papel importante, em nossas decisões. Só que devemos aprender a domá-la, a dirigi-la. Devemos saber quando ela é útil e quando, ao contrário, é um desvio, e devemos admitir que, no campo das decisões estratégicas, ela é uma má conselheira.

A INTUIÇÃO NO CAMPO DE BATALHA DE PESQUISADORES

A intuição foi estudada com muita seriedade por inúmeros pesquisadores, e o mais famoso provavelmente é o psicólogo Gary Klein, pioneiro da "escola naturalista" da tomada de decisões. Sua metodologia consiste em observar profissionais em situações reais. Ele estudou, por exemplo, comandantes militares que tomam decisões táticas carregadas de consequências, jogadores de xadrez de nível "grande mestre" ou enfermeiros em emergências neonatais. Como tais profissionais tomam suas decisões? O modelo "racional" padrão exigiria que analisassem a situação, identificassem opções possíveis, comparassem vantagens e desvantagens em relação a uma lista de critérios prévios, antes de escolher o melhor caminho. Naturalmente, eles não têm tempo para aplicar esse modelo. Então, como são guiados? Em uma palavra: intuição.

Uma das decisões tomadas "no calor do momento" observadas por Gary Klein envolvia bombeiros. Klein conta a história de um comandante que, "pressentindo" que a casa cujo incêndio seu batalhão tentava apagar iria ruir, evacuou os seus homens. Um momento depois, o chão de fato desabou. Quando perguntado por que tinha tomado essa — excelente — decisão, o comandante foi incapaz de explicar de maneira lógica, a ponto de se descrever com o dom de uma forma de percepção extrassensorial.

O que se passou na mente do comandante? De onde veio a intuição salvadora? Klein não concordou, é claro, com a explicação paranormal oferecida por seu entrevistado. Não há nada de mágico na intuição. Napoleão já observava que "a inspiração em geral não passa de uma reminiscência", e a maioria dos pesquisadores da atualidade divide essa opinião. Para eles, a intuição repousa no reconhecimento rápido de uma situação já vivenciada e memorizada, mesmo que os ensinamentos não tenham sido formulados de modo consciente. Klein fala de "decisão baseada no reconhecimento" [*recognition-primed decision*].

Ao entrar na casa, o comandante percebeu uma série de sinais objetivos. Em particular, notou a temperatura elevadíssima da peça, mas não ouviu nenhum barulho. Como qualquer bombeiro, ele sabe que um incêndio é muito barulhento. Se estivesse lidando, como supunha, com um incêndio de cozinha no cômodo ao lado, perceberia o fragor. Por outro lado, se o foco do incêndio ainda fosse muito pequeno para ser audível, o calor seria menos intenso. Logo, os sinais percebidos foram incongruentes com o cenário imaginado. O que viria a seguir revelaria a explicação para esses sinais contraditórios: o foco não era um pequeno incêndio na cozinha ao lado, mas uma imensa fornalha na adega logo abaixo. Em poucos instantes, a fornalha devoraria o chão da casa que o comandante e seus homens acabavam de evacuar.

A decisão do comandante dos bombeiros se baseou, portanto, no reconhecimento de uma situação conhecida (ou mais precisamente no *não* reconhecimento, já que o ruído e a temperatura eram incongruentes com a hipótese inicial). Graças à sua experiência, o comandante detectou essa incoerência, tirando de maneira instantânea, e sem ser capaz de formular o raciocínio de modo consciente, a conclusão de que não estava lidando com um simples incêndio na cozinha.

Essa experiência, essa capacidade de reconhecer em um instante sinais ínfimos, permite a muitos profissionais, cada um em sua área, tomar decisões "em um piscar de olhos". Malcolm Gladwell usou esse piscar de olhos (*blink*, em inglês) como título de seu livro mais famoso [*Blink: A decisão num piscar de olhos*], em que explica, em suma, que todos nós somos capazes, se quisermos, de tomar decisões instintivas com base no "poder da intuição".

E que bela imagem a força da intuição, que belo modelo o desses heróis! Para quem toma decisões, para todos nós que precisamos de modelos, não é mais gratificante nos identificarmos com bombeiros ou emergencistas do que com diretores metódicos e detalhistas? E se todos esses heróis, em um hospital ou na guerra, confiam na sua intuição quando arriscam suas vidas, por que não deveríamos confiar também?

A verdade é que podemos confiar... às vezes. Temos toda a razão em confiar em nossa intuição, mas apenas em determinadas situações, como veremos.

Para isso, vamos nos afastar por um momento da escola naturalista da tomada de decisão. Enquanto Gary Klein e seus colegas desenvolviam suas teorias observando situações extremas, a escola "das heurísticas e dos vieses", dirigida por Daniel Kahneman, privilegiava o laboratório como campo de experimento. E essa diferença na abordagem do processo de tomada de decisão os levou a conclusões radicalmente opostas.

Em 1969, em uma experiência fundadora, Kahneman e seu colega Amos Tversky estudaram estatísticos experientes, a quem atribuíram a tarefa (muito simples para eles, poderíamos pensar) de avaliar o tamanho ideal da amostra necessária para um estudo. Trata-se de um exercício importante: uma amostra grande demais gera custos desnecessários, e uma amostra pequena demais pode impedir que as conclusões da pesquisa sejam obtidas. Para encontrar o tamanho ideal, existem fórmulas conhecidas pelos estatísticos. Porém, como utilizam essas fórmulas centenas de vezes, esses especialistas tendem a dispensar cálculos e a raciocinar "por aproximação", por analogia com a própria experiência em estudos semelhantes. O que poderia ser mais normal? Ao fazer isso, confiam apenas na sua experiência, na sua intuição, como o comandante dos bombeiros do exemplo anterior. Pela lógica, deveriam chegar a bons resultados.

No entanto, o experimento de Kahneman e Tversky demonstrou o contrário. Os estatísticos experientes se enganaram redondamente: ao confiar em seu julgamento, superestimando a pertinência da própria experiência e sua capacidade de extrapolar a partir dela, propuseram tamanhos inadequados de amostra, e com total confiança. Essa observação foi depois corroborada por uma série de estudos em outras áreas. Para a escola "das heurísticas e dos vieses", a conclusão é óbvia: devemos desconfiar dos especialistas que depositam confiança demais em sua intuição.

O que essas duas abordagens da tomada de decisões nos ensinam? Elas são tão inconciliáveis quanto parecem à primeira vista? A resposta não é simples, mas traz inúmeros ensinamentos para quem toma decisões. Na verdade, não é nem a urgência nem a importância da decisão que torna relevante o uso da intuição, mas a presença de certas condições bastante específicas.

EM QUE CONDIÇÕES DEVEMOS CONFIAR NA INTUIÇÃO?

Para determinar essas condições, Klein e Kahneman, os dois líderes das escolas "naturalista" e "das heurísticas e dos vieses", decidiram em 2009 deixar para trás divergências teóricas e unir forças e capacidade de pesquisa em uma análise comum (uma abordagem rara entre os acadêmicos). O resultado demonstra que, partindo da premissa de uma diferença radical de pontos de vista, os dois teóricos chegaram a um consenso. Por sinal, o subtítulo do artigo escrito em parceria fala por si: "Como não conseguimos permanecer em discordância".

Podemos então confiar em nossa intuição? Kahneman e Klein afirmam que sim, se, e somente se, estivermos em "um ambiente regular o bastante para ser previsível, com a possibilidade de aprendizado com as regularidades graças a uma prática duradoura", e com um feedback rápido e claro. Em outras palavras, como nossa intuição nada mais é do que o reconhecimento de situações que vivenciamos, só deveríamos confiar nela quando aprendemos a reconhecer essas situações e a adotar uma conduta apropriada diante delas.

Pelo prisma desses critérios, compreendemos melhor os resultados aparentemente contraditórios dos estudos sobre o valor da expertise aplicada a diferentes tipos de problemas e em diferentes profissões. Por mais surpreendente que possa parecer à primeira vista, bombeiros e emergencistas trabalham em um ambiente relativamente "regular", de onde tiraram diversos ensinamentos — às vezes mais ensinamentos do que eles imaginam. O mesmo se aplica a pilotos de teste, jogadores de xadrez ou até contadores: ambientes "regulares", feedback claro, aprendizado possível.

Em sentido oposto, psiquiatras, juízes ou investidores da Bolsa se enganam quando acreditam que podem confiar em sua intuição: seus ambientes são complexos e imprevisíveis, o feedback é ambíguo e tardio, de modo que é impossível desenvolver uma verdadeira expertise. Sem dúvida, o caso extremo é o das ciências políticas e das relações internacionais. O psicólogo Philip E. Tetlock compilou durante vinte anos as previsões de quase trezentos especialistas "que vivem de suas opiniões a respeito das tendências políticas e econômicas" e avaliou com cuidado cada uma delas: nada menos do que 82 361 previsões no total. Ele concluiu que os especialistas fariam melhor se tivessem respondido ao acaso e que suas previsões eram piores do que a dos "amadores" consultados sobre os mesmos temas. Nessa área altamente "irregular", a intuição dos peritos não tem qualquer valor.

Resta respondermos a uma pergunta essencial: as decisões administrativas pertencem a qual dessas categorias? Como não somos nem bombeiros nem psiquiatras, podemos apelar à nossa intuição ao conduzir os nossos negócios?

Para responder a essa pergunta, precisamos aplicar a lógica de Kahneman e Klein *a cada decisão*. Para diversas decisões administrativas, já desenvolvemos uma expertise real em contato com um número suficiente de situações, em um ambiente regular. Para muitas outras, não. O desafio será reconhecê-las.

Em uma decisão de recrutamento, por exemplo, podemos confiar na nossa intuição para escolher os colaboradores? Talvez, se a pergunta estiver sendo feita por quem já recrutou uma grande quantidade de candidatos para o mesmo tipo de cargo e acompanhou os resultados obtidos por seus escolhidos. Desse modo, o gerente de RH que recrutou centenas de assistentes-executivos ao longo da carreira e acompanhou depois seus desempenhos pode ter desenvolvido um bom julgamento intuitivo. Só que essa é a exceção, e não a regra. Muitas vezes, quem é responsável por recrutar faz essa seleção de maneira ocasional, não como seu trabalho principal. Mesmo um profissional de RH muitas vezes precisa recrutar para uma posição "única" ou específica.

Nesse contexto, a grade analítica de Kahneman e Klein sugere que a intuição será má conselheira, e décadas de pesquisas empíricas sobre metodologias de recrutamento confirmam isso. As entrevistas tradicionais (ou "não estruturadas"), em que o recrutador forma uma convicção global e intuitiva sobre o candidato, não são confiáveis no prognóstico do sucesso dos futuros empregados. Em muitos casos, testes simples dariam melhores resultados.

Ainda assim, nossa confiança quanto ao valor da intuição permanece intacta: quase todos estamos convencidos de que somos capazes, no decorrer de uma breve entrevista, de avaliar as aptidões, as motivações e a capacidade de integração de um candidato. Por sua vez, se fôssemos candidatos, ficaríamos chocados se uma empresa nos oferecesse (ou, pior, negasse) uma vaga sem que precisássemos passar por uma entrevista. Por isso, quase todas as empresas continuam aplicando métodos tradicionais de recrutamento, amplamente baseados na intuição. Pesquisadores especializados no tema analisam esse comportamento como um caso emblemático de "persistência de uma ilusão".

Outro exemplo de decisões que leva alguns diretores a se orgulhar de ter desenvolvido uma expertise insubstituível: lançamentos de novos produtos em empresas de produtos de grande consumo ou de luxo. Como o CEO de uma dessas empresas confidenciou: "Tenho mil casos de lançamentos de produtos em mente quando julgo se um produto merece carregar o nome da nossa empresa. Quem decidiria isso melhor do que eu?". De fato, esse CEO reunia as condições de expertise intuitiva. A escolha dos produtos, ainda mais quando envolve uma dimensão de julgamento estético, é uma área de aplicação da expertise individual. Tudo ia às mil maravilhas... até o dia em que esse diretor foi substituído por um gestor brilhante, mas sem a mesma base de experiência e com o julgamento menos firme.

Como podemos ver por esses dois exemplos, é impossível afirmar simplesmente que o recrutamento ou o lançamento de novos produtos são — ou não — áreas de aplicação da intuição. Tudo depende da decisão certa a ser tomada e da experiência real de quem "intui". No dia a dia de muitos diretores, a intuição ou a experiência são trunfos que eles não dispensariam por nada no mundo. E com razão! De qualquer maneira, só os mais sábios conseguirão reconhecer o que pode ser "intuitivo" ou não em determinado contexto.

Um diretor calejado confidenciou dessa maneira a que ponto sua intuição é importante quando conduz negociações que perpassam seu dia a dia. Apenas sua larga experiência em negociações extensas lhe permite "sentir" as partes interessadas, perceber cansaço e fraqueza, detectar com lucidez o momento de apresentar sua vantagem ou de fazer um recuo estratégico. No entanto, perspicaz, esse diretor sabe ponderar as situações: embora confie na intuição para administrar a parte humana da negociação, toma o cuidado de não recorrer a ela quando se trata da decisão técnica a respeito do *deal* [negócio] propriamente dito. Queremos esse ativo? Qual é o nosso preço máximo? Quais são as condições inegociáveis que precisam ser respeitadas? A intuição não deve responder a essas perguntas, pois cada caso é diferente. Mesmo para quem fechou dezenas de negócios, julgar a causa do sucesso ou do fracasso não é fácil. Quando se trata da escolha estratégica em si, as condições para um aprendizado efetivo não estão reunidas. A decisão de adquirir ou não um ativo é matéria de análise, não de intuição.

O que nos leva de volta à aquisição da Snapple e a William Smithburg, cuja intuição se baseava em uma única analogia: a aquisição e o sucesso da Gatorade. Smithburg estava tentado a ver essa experiência como um caso de sucesso que poderia ser repetido com facilidade. No entanto, sua intuição ignorou o que uma análise mostrava a observadores externos: a Snapple, ao contrário da Gatorade durante a sua aquisição pela Quaker, já estava perdendo participação de mercado. Seu modelo de distribuição era muito diferente do da Quaker, que teria dificuldade de integrá-lo. Os métodos de produção de bebidas à base de chá também eram diferentes. Seria difícil que o posicionamento original da Snapple fosse compatível com o pertencimento a um grupo como o da Quaker. Todas essas diferenças em relação à Gatorade, para um observador externo, seriam significativas. Só que Smithburg, certo de sua intuição, enxergou apenas as semelhanças.

A INTUIÇÃO É MÁ CONSELHEIRA DAS DECISÕES ESTRATÉGICAS

A moral dessa história vai além do caso de Smithburg. Vamos retornar às condições de Kahneman e Klein para que uma intuição pertinente possa se desenvolver: prática duradoura, em um ambiente regular, com feedback claro. Uma decisão como a aquisição da Snapple preenche essas condições? De resto, de modo geral, uma decisão *estratégica* pode cumprir esses requisitos?

Como precisamos nos lembrar, as decisões estratégicas têm como característica principal ser relativamente raras. Logo, é improvável que um gestor que se depare com uma decisão estratégica tenha tomado diversas decisões do mesmo tipo antes. Quando decidimos por uma profunda reorganização, por uma inovação radical, por uma aquisição que mudará o destino da nossa empresa, não temos elementos suficientes para comparação. Às vezes, como no caso de Smithburg com a Gatorade, temos apenas um único exemplo, e não é fácil julgar sua real relevância.

Outra característica essencial das decisões estratégicas é que comprometem a empresa como um todo. Por isso, com a possível exceção dos mais retumbantes sucessos e dos mais acachapantes fracassos, as próprias consequências são difíceis de isolar. Elas se mesclam — abordaremos o tema mais adiante — com os efeitos de inúmeras outras decisões, de mudanças conjunturais, de evolução de mercado e da concorrência, sem mencionar a "má execução", desculpa alegada convenientemente tantas vezes. Em tal ambiente, a experiência não permite um aprendizado real.

Em suma, a definição de uma decisão estratégica é exatamente o oposto das condições de Kahneman e Klein: a prática é limitada e o ambiente, irregular. Se buscarmos um exemplo de decisões em que é *impossível* desenvolver uma intuição abalizada, dificilmente poderíamos encontrar modelo melhor.

No entanto, muitos de nós estamos convencidos do valor do nosso *gut feeling* [intuição] no momento de tomar uma decisão estratégica. Aprender a desconfiar da intuição não é fácil, sobretudo quando tivemos alguns sucessos na vida. Para muitos, a intensidade da convicção subjetiva serve de bússola: "Quando tenho dúvida, eu me abstenho. Mas quando tenho certeza absoluta, vou adiante".

Ao pensar assim, esquecemos que os estatísticos ou os corretores que foram induzidos ao erro por sua intuição também tinham grande confiança em suas avaliações, e que, em geral, a confiança em nosso próprio julgamento é quase sempre grande demais. Esse será o tema do próximo capítulo.

A ARMADILHA DA INTUIÇÃO EM TRINTA SEGUNDOS

- A escola "**naturalista**" da tomada de decisão valoriza a intuição por meio do estudo de situações reais e muitas vezes extremas.
  - ▶ *O bombeiro pode "sentir" que a casa está prestes a ruir.*

- Pelo contrário, a tradição **das heurísticas e dos vieses**, que estuda decisões em laboratório, conclui em geral que a intuição nos engana.
  - ▶ *Estatísticos experientes se enganam quanto ao tamanho das amostras.*

- Kahneman e Klein trabalharam juntos para superar essa discordância e identificaram as **condições necessárias** para o desenvolvimento de uma expertise real: **ambiente "regular" (previsível), prática duradoura com feedback rápido e claro**.
  - ▶ *A intuição abalizada pode, portanto, ser desenvolvida em bombeiros, pilotos ou jogadores de xadrez...*
  - ▶ *... mas não em psiquiatras, juízes ou investidores da Bolsa.*

- A **questão da pertinência da intuição** deve ser levantada **para cada decisão** com base nesses critérios. A força subjetiva da intuição (intensidade do sentimento de confiança) não tem relação com o seu valor.
  - ▶ *Smithburg estava convencido de que sua intuição sobre a Snapple era certeira.*

- De modo geral, **quanto mais uma decisão é estratégica, menos a intuição é boa conselheira**: as decisões estratégicas são raras, o ambiente é irregular e o feedback é ambíguo.

4. "Just do it"
A armadilha do excesso de confiança

Temos absoluta confiança no Titanic. Acreditamos que é um navio inafundável.
Philip A. S. Franklin, vice-presidente da International
Mercantile Marine Company, proprietária do *Titanic*

No início dos anos 2000, o mercado de locação de filmes nos Estados Unidos estava dividido entre diversos players com modelos e perímetros muito diferentes. Entre eles, a Blockbuster, dirigida por John Antioco, era um mastodonte: com 9100 locadoras e mais de 25 mil funcionários, era um império de 3 bilhões de dólares.

À sombra desse gigante, uma start-up fundada em 1997 ainda passava despercebida. A Netflix desenvolvia um modelo completamente diferente. Mediante um valor mensal, os assinantes podiam entrar em uma "fila de espera" de DVDs no site da Netflix, receber de forma gratuita os filmes pelo correio e, à medida que os devolvessem pelo mesmo método, obter os próximos da fila. Embora não fosse de alta tecnologia, o modelo atendia às expectativas dos consumidores: com um estoque central em vez de milhares de pequenas locadoras, o catálogo era imenso, era mais difícil que os DVDs estivessem esgotados, e as dicas para escolher um filme eram mais pertinentes. O mais importante: ao contrário das locadoras que cobravam pesadas penalidades aos clientes que devolvessem os DVDs com atraso, a Netflix prometia um preço fixo mensal e sem surpresas — vinte dólares —, como um plano de celular com tudo incluso. A start-up contava à época com 300 mil assinantes.

Na primavera de 2000, a Netflix ainda não era rentável. Diante da explosão da primeira bolha da internet, a empresa penava para se refinanciar. Seu diretor-executivo, Reed Hastings, fez então uma visita à Blockbuster e propôs uma espécie de "tratado de paz". A Netflix cederia 49% de seu capital à Blockbuster, se tornaria seu braço armado na internet e adotaria o nome blockbuster.com. As locadoras Blockbuster também ofereceriam as assinaturas da Netflix. Seria uma espécie de "modelo multicanal" à frente do tempo, como muitas distribuidoras se esforçam ainda hoje para alcançar. O preço: 50 milhões de dólares.

Qual foi a reação de John Antioco e sua equipe? Desprezo. "Eles nos acompanharam até a porta rindo", contariam mais tarde os diretores da Netflix. Para Antioco, a Netflix não representava uma ameaça. A start-up sem dúvida tinha desenvolvido uma pequena base de clientes na rede, mas a perspectiva de streaming de filmes parecia muito distante na era da internet de baixa velocidade. Além disso, de qualquer maneira, Antioco deve ter pensado, se a Blockbuster quiser imitar a Netflix, nada a impediria de desenvolver também um modelo de assinatura mensal. Sozinha.

O resto é história: a Netflix ultrapassou 1 milhão de assinantes em 2002 e atingiu a marca de 5,6 milhões de clientes em 2006 — ainda com seu surpreendente modelo postal. Só mais tarde o avanço do streaming lhe daria um impulso decisivo. Cotada na Bolsa desde 2005, a empresa valia em 2018 mais de 150 bilhões de dólares, cerca de trezentas vezes mais do que seu valor inicial.

Já a Blockbuster tentará lançar seu próprio serviço de assinatura em 2004, tarde e timidamente demais para alcançar a Netflix. Com um déficit de 1 bilhão de dólares em 2010, a empresa foi liquidada em 2013. Davi derrotou Golias.

A moral da história não se limita nem à falta de "visão" de Antioco, que não foi capaz de ver a chegada da era digital, nem à incapacidade da Blockbuster de repensar seu modelo. Embora esses dois elementos com certeza tenham desempenhado um papel, se em 2000 Golias não tivesse se superestimado tanto nem subestimado Davi, talvez ele tivesse apertado a mão estendida ou, ao menos, aproveitado os anos que ainda o separavam da explosão da banda larga para investir nesse campo. Nada garante que a Blockbuster teria sido capaz de manter a liderança em um contexto de mudança tecnológica, mas a história sem dúvida teria sido bem diferente.

O EXCESSO DE AUTOCONFIANÇA

Ao ler essa história, nossa primeira reação é muito semelhante com a que tivemos no caso dos aviões-petroleiros do primeiro capítulo. "Os diretores da Blockbuster não tinham visão. No lugar deles, nunca teríamos cometido o mesmo erro." Essa reação apenas reflete nosso próprio excesso de confiança: paradoxalmente, o mesmo equívoco demonstrado por John Antioco ao subestimar Reed Hastings.*

De modo geral, todos os estudos demonstram que nos superestimamos de maneira considerável em quase todas as áreas. Por exemplo, quando perguntamos a um grupo de condutores dos Estados Unidos se eles se consideram entre os 50% melhores motoristas do país, 93% respondem que sim (mais de 46% chegam a se incluir entre os 20% melhores). Na mesma linha, 95% dos estudantes de MBA declaram que fazem parte dos 50% melhores da classe, ainda que costumem receber notas semelhantes à de seus colegas. Seus professores não escapam do mesmo viés, como demonstrou um acadêmico espirituoso, quando perguntou aos colegas se eles achavam que estavam entre os 50% melhores do corpo docente: 94% não pestanejaram nem por um segundo ao responder que sim.

O OTIMISMO DAS PREVISÕES E O VIÉS DE PLANEJAMENTO

Diferente do excesso de autoconfiança, o excesso de confiança no futuro é um viés recorrente. O excesso de otimismo assume diversas formas.

A primeira é a mais simples: constatamos muitas vezes que previsões teoricamente "objetivas" sobre acontecimentos externos fora de nosso controle são otimistas demais. Um exemplo típico é o das previsões econômicas: um estudo considerando 33 países mostrou que as previsões de crescimento apresentadas pelos órgãos governamentais oficiais costumam ser otimistas demais, mais ainda a médio (três anos) do que a curto prazo.

---

* Essa reação revela também nossa tendência a julgar uma situação do passado à luz de informações que só estão disponíveis ex post. Trata-se do viés retrospectivo, que abordaremos no capítulo 6.

Uma segunda forma de otimismo se aplica especificamente ao tempo e ao orçamento necessários para a conclusão de um projeto. Quem precisou reformar um imóvel já deve ter ouvido: "Obra é assim mesmo, a gente sabe quando começa, mas...". A piada é (ainda) menos engraçada no caso de grandes projetos. A construção da Ópera de Sydney, iniciada em 1958, deveria custar 7 milhões de dólares australianos. Levou dezesseis anos e custou 102 milhões. O caso não é uma exceção, pelo contrário. O imponente Getty Center, em Los Angeles, abriu as portas em 1998, dez anos depois do planejado e ao custo de 1,3 bilhão de dólares, quatro vezes mais do que a estimativa inicial. O Museu das Confluências, em Lyon, inaugurou com dez anos de atraso e custou cinco vezes mais do que o previsto. Diante desses exemplos, a Filarmônica de Paris, que ultrapassou o orçamento em "apenas" duas vezes, é praticamente uma boa aluna.

As derrapadas não são prerrogativa dos projetos culturais. O reator EPR da Usina Nuclear de Flamanville atrasará e custará pelo menos o triplo de seu orçamento inicial: é de se notar que são as mesmas variações sofridas pelo seu antecessor finlandês na usina de Olkiluoto. Um estudo sobre 258 grandes projetos de infraestrutura de transporte — ferrovias, túneis, pontes — apontou que 86% excedem o orçamento inicial. E, é claro, projetos armamentistas são negativamente célebres pelas extrapolações astronômicas: os custos adicionais do projeto F-35 de caças multiusos, afirma a *Joint Strike Fighter*, chegam a dezenas, talvez centenas de bilhões de dólares.

Não ficamos nada surpresos quando lemos esse tipo de informação, porque, sem cinismo exagerado, estamos quase habituados a ver projetos com financiamento público saírem dos trilhos. Acreditamos que as empresas que respondem a licitações têm interesse em minimizar os custos e os prazos para vencer os contratos, mesmo que isso signifique renegociá-los depois. Já os proponentes, que devem convencer as próprias partes interessadas, também têm interesse em minimizar as dificuldades. Bent Flyvbjerg, pesquisador da Universidade de Oxford que compilou a maioria dessas estatísticas sobre a derrapagem em todos os tipos de "megaprojetos", confirma de modo categórico o que ele chama de "explicação maquiavélica": "Uma subestimação a esse ponto não pode ser explicada por erros, o que sugere a presença de estratégias que visam induzir ao erro, ou seja, mentiras".

No entanto, esse "viés de planejamento" [*planning fallacy*], que leva os proponentes de um projeto a subestimar prazos e custos, não se limita a projetos com financiamento público. Longe disso. Projetos totalmente privados também estão sujeitos a esse viés, e até pessoas: estudantes que precisam terminar uma tese, autores que se comprometem com uma data para a entrega de um manuscrito, quase sempre subestimam o tempo necessário...

Além dos já citados motivos "estratégicos" ou "maquiavélicos", existem inúmeras causas para o viés de planejamento. Quando fazemos um plano, não necessariamente imaginamos todas as razões que podem levá-lo ao fracasso. Esquecemos que o sucesso envolve a conjunção de múltiplos fatores positivos, ao passo que um único fator negativo pode retardar o todo. Além disso, nos concentramos em nosso plano pela "visão interna": não nos perguntamos que prazos e orçamentos foram necessários em projetos similares no passado, nem se houve atrasos e custos adicionais. No capítulo 15, veremos como usar uma "visão externa" para corrigir o viés de planejamento.

O EXCESSO DE PRECISÃO

Por fim, existe uma terceira forma de excesso de confiança, bem distinta das anteriores: a que consiste em formular nossas previsões (otimistas ou não) de maneira demasiado exata. Podemos superestimar nossa capacidade de prever o futuro, mesmo quando nossa previsão é pessimista.

Naturalmente, qualquer previsão é incerta. Por isso, não basta fazer previsões: é preciso também ter uma ideia da confiabilidade, do nível de confiança que nós atribuímos a elas. A questão do nível de confiança se aplica sobretudo quando fazemos previsões estatísticas. Falamos então de "intervalo de confiança": mirar por exemplo em uma previsão que seja 90% confiável é propor não uma previsão, mas dois limites, escolhidos de modo que, em nove de dez casos de uma série de previsões, a realidade esteja dentro do intervalo definido por esses limites.

É exatamente por esse exercício que passam os participantes do experimento clássico do excesso de precisão, projetado por Marc Alpert e Howard Raiffa e desenvolvido por Edward Russo e Paul Schoemaker. Os participantes são convidados a responder dez perguntas consideradas de cultura geral. Para gestores, costumam ser questões relacionadas com a sua atividade, enquanto na versão "popular" do experimento os participantes devem, por exemplo, estimar a extensão do Nilo, a data de nascimento de Mozart ou o período de gestação de um elefante africano. Para cada pergunta, os participantes respondem com um intervalo amplo o bastante para oferecer "90% de certeza" de que a resposta esteja dentro do intervalo proposto. Por exemplo, podemos responder que temos 90% de certeza de que Mozart nasceu entre 1700 e 1800.

O resultado do experimento é autoexplicativo. Se os nossos intervalos de confiança fossem bem calibrados, se fôssemos bons juízes do nosso nível de confiança em nossas próprias estimativas, obteríamos nove respostas corretas, ou ao menos oito.* No entanto, dependendo da versão do teste, nossa média é de três a seis respostas certas a cada dez. Para resumir, quando temos "90% de certeza" de algo, estamos errados na metade das vezes! Dos mais de 2 mil participantes do experimento de Russo e Schoemaker, menos de 1% não estava sujeito a um viés de excesso de precisão.

Na situação do experimento que acabamos de descrever, é importante observar que nada impedia o participante de escolher um intervalo de confiança muito amplo. Não havia nenhuma penalidade em responder que Mozart nasceu entre o ano 1000 e o ano 2000, intervalo de que se pode ter 90% (ou muito mais) de certeza. Em contrapartida, em uma situação real, essa estimativa exporia seu autor ao descrédito imediato. Apesar de muitas empresas operarem em um ambiente incerto e volátil (tornou-se até lugar comum), poucas mudaram seus métodos de previsão. Em sua maioria, os diretores continuam fazendo previsões como se o futuro fosse perfeitamente límpido. Assim, quando fazem previsões para o crescimento da receita ou de seus resultados vindouros, esperamos que eles o façam com confiança e precisão. Como um diretor preocupado em parecer competente não forneceria um intervalo muito restrito?

"SOZINHOS NO MUNDO": COMO SUBESTIMAMOS NOSSOS CONCORRENTES

O excesso de confiança em nossas próprias habilidades, a fé exagerada em nossas previsões e a pressão das organizações para que tenhamos um semblante

---

* Para ser mais específico, um participante que fornecesse dez respostas com um intervalo de confiança de 90% deveria ter ao menos oito respostas certas em 94% dos casos.

de certeza acabam produzindo outro problema conhecido: a subestimação dos concorrentes. "Subestimação" chega a ser um eufemismo, pois muitas vezes se resume pura e simplesmente à falta de consideração do comportamento e das reações dos concorrentes.

Se você está ou esteve em uma posição de responsabilidade em uma empresa, você pode fazer uma rápida avaliação. Você com certeza foi o receptor ou o autor de diversos planos — de marketing, de vendas, estratégicos etc. Qual percentual desses planos previa um *ganho*, quer se tratasse de clientela, de participação de mercado ou de outra medida? Por certo, a maioria. Quantos desses mesmos planos previam a reação dos seus concorrentes ao ganho esperado? Muito provavelmente nenhum ou quase nenhum! Grande parte dos nossos projetos prevê a invasão de território dos concorrentes sem que haja uma mínima reação por parte deles.

No entanto, sem sombra de dúvida, no exato momento em que apresentamos um projeto para vencer nossos concorrentes, esses mesmos concorrentes estão elaborando um plano semelhante contra nós. A única diferença é que eles tentam ganhar *nossa* participação de mercado, embora também não imaginem que haverá resistência de nossa parte. Richard Rumelt, professor da Universidade da Califórnia, em Los Angeles, e autor do excelente livro *Estratégia boa, estratégia ruim*, observa a seguinte constante: "Quando a situação que levo aos gerentes não aborda a concorrência, eles não pensam sobre isso. O aprendizado mais importante que você pode ter sobre estratégia é se preocupar com a concorrência, mesmo quando ninguém lhe pede para fazer isso".

Esse cenário apresentado de forma esquemática pode parecer absurdo, e seria um exagero atribuí-lo apenas ao excesso de confiança de quem toma decisões. Inúmeros fatores contribuem para que fechemos os olhos aos concorrentes no momento da elaboração dos nossos planos. Em primeiro lugar, o objetivo real e imediato do plano não costuma ser derrotar a concorrência, e sim obter recursos. Em segundo, tentar prever a reação dos concorrentes é um exercício difícil, de resultados indefinidos: logo, não há garantia de que o esforço sempre compense. Em terceiro lugar e acima de tudo, refletindo sobre a reação previsível dos concorrentes, corremos o risco de chegar a uma conclusão indesejada: o plano é falho, seja porque temos pouca vantagem sobre os concorrentes, seja porque a reação previsível da concorrência acaba de saída com nossa ideia!

Nessa linha, A. G. Lafley, o antigo CEO da Procter & Gamble (P&G), tem um bom exemplo para contar sobre o lançamento do Vibrant, um produto à base de água sanitária. O raciocínio da P&G era simples: sem participação nesse segmento de produtos de limpeza, ela utilizaria todo o seu "aparato" de marketing e de vendas para abrir espaço, para prejuízo da líder no ramo, Clorox. Sem dúvida a direção da P&G desconfiava que a Clorox reagiria. Ainda assim, tiveram uma surpresa quando descobriram que, na área escolhida como mercado de teste, a Clorox tinha entregado uma garrafa gratuita de água sanitária na porta de cada casa! Esse ataque preventivo obviamente custou caro, mas era previsível, se considerássemos a posição da Clorox. O risco de deixar o gigante de Cincinnati entrar em seu próprio quintal era tão grande que nenhuma despesa seria poupada para dissuadi-lo de fazer isso. A P&G logo desistiu da aventura e Lafley aprendeu uma lição memorável: "Ataques frontais a cidades fortificadas, ao estilo da Primeira Guerra Mundial, costumam terminar com muitas baixas".

MAUS TOMADORES DE DECISÃO, MAS EXCELENTES GESTORES?

O exemplo que acabamos de ver demonstra bem o problema prático imposto aos gestores pelo viés do excesso de confiança, e de modo mais geral pelos vieses que reuniremos sob a categoria de *vieses de ação*. Em diversas empresas, produtos são lançados todos os dias, com base em planos otimistas. Se tivéssemos uma visão friamente realista do ambiente, da concorrência e das incontáveis variáveis que podem ameaçar o sucesso deste ou daquele projeto, cruzaríamos os braços: essa inércia seria com certeza a pior estratégia. A "paralisia por análise", que atinge certas empresas, sem dúvida traz mais prejuízos do que o otimismo, que nos leva a agir, mesmo que depois seja necessário corrigir o rumo.

Por isso, devemos deixar muito claro que, sim, o otimismo é benéfico, até indispensável! Por sinal, é por isso que as empresas o exploram de maneira intencional e descomplicada, na medida em que, na maioria das situações administrativas, mantemos uma forma de confusão intencional entre ambição e realidade, objetivo e previsão, desejo e crença.

O exemplo mais evidente desse fenômeno é o ritual de projeção de orçamento anual. O orçamento é ao mesmo tempo uma ferramenta de mobilização e exercício de estimativa. O gerente a quem passamos uma meta quer alcançá-la, e nós, se tivermos confiança nele, acreditamos que a alcançará. Essa tensão entre expectativa e objetivo é inerente ao exercício, permitindo em tese a negociação de um número que ambas as partes consideram realista.

O problema ocorre quando a tensão aumenta, o que infelizmente é comum. Por exemplo, se a meta anual de uma de nossas unidades de negócios parecer comprometida, o que faremos? Vamos dizer ao responsável daquela unidade que *acreditamos* ainda que é um objetivo alcançável? Ou vamos dizer que *queremos* que seja alcançado? Provavelmente as duas coisas, porque temos todo o interesse, para manter o colaborador motivado, de que a meta e a previsão permaneçam misturados. Com sinceridade ou não, fingiremos acreditar.

Onde termina o que acreditamos e onde começa o que esperamos? Um diretor experiente saberá como transformar a ambiguidade entre essas duas noções em uma ferramenta de gestão. O realismo frio de um analista que declarasse que o objetivo inicial era inacessível seria racional, mas contraprodutivo. Para um diretor eficaz, pode ser muito útil uma visão otimista das previsões.

O OTIMISMO DARWINIANO

Há outra razão que leva o otimismo a ser prejudicial para a tomada de decisões, mas benéfico para os gestores: nossos líderes são, em sua maioria, otimistas. Para começar, porque valorizamos essa qualidade por si só: o otimismo gera simpatia, suscita o engajamento, tornando-se uma qualidade essencial dos líderes. Mas também, de maneira mais traiçoeira, porque qualquer seleção sobre os resultados favorece os otimistas.

Vamos abrir um parêntese. Como estamos sujeitos a vieses cognitivos, ou seja, a cometer erros sistemáticos de raciocínio, uma questão importante se impõe: *por quê*? Ou melhor, como a evolução e a seleção natural favoreceram o aparecimento desses vieses? Se os erros sistemáticos cometidos fossem penalizantes para nossa adaptação e nossa sobrevivência, a seleção natural teria eliminado quem os cometesse, e os vieses teriam se tornado cada vez mais raros. Acontece que eles são universais, o que sugere o contrário: nossos vieses, ou, para ser mais exato, as heurísticas de que são manifestações ocasionais foram para os nossos ancestrais distantes, de geração em geração, fatores de sucesso e de adaptação.

Fechado o parêntese, voltemos aos nossos contemporâneos que trabalham em organizações. Sempre que houver alguma forma de meritocracia na escolha dos diretores, esse mecanismo de seleção vai se assemelhar — menos natural, mas também implacável — ao da seleção darwiniana, por meio da qual nossos vieses otimistas surgiram. Com toda a lógica, os aspirantes a cargos de liderança vão ter a tendência de querer alcançar resultados visíveis, até espetaculares. Qual a melhor maneira, seja em uma empresa, em um partido político ou em um laboratório, de alcançar resultados espetaculares? Claro, correndo riscos... e sendo bem-sucedidos! Os mais sensatos ou os mais tímidos, que ficam satisfeitos com resultados constantes e consideráveis, mas sem estardalhaço, muitas vezes terão carreiras longas e respeitáveis, mas nunca chegarão ao topo.

O resultado está ao nosso redor: nossos líderes são otimistas bem-sucedidos, não prudentes ou azarados. Ainda bem! Só não devemos nos surpreender, portanto, que esses otimistas possam às vezes, mais do que ninguém, acreditar nas boas histórias de sucesso que sua experiência sugere, depositar grande confiança em sua intuição ou ter excesso de segurança em suas previsões. O otimismo atua como um amplificador dos nossos outros vieses.

QUANDO DEVEMOS SER OTIMISTAS?

Como temos uma necessidade visceral de otimismo, em particular em cargos de liderança, como distinguir entre o otimismo necessário e o excesso de confiança? Onde termina o voluntarismo e começa o otimismo insensato?

Sem dúvida é uma pergunta complexa, mas ao menos podemos contar com um princípio orientador para respondê-la. Para citar uma distinção simples mas crucial de Phil Rosenzweig, precisamos diferenciar entre o que podemos influenciar, quando se trata de *criar* o futuro, e o que não podemos influenciar, quando se trata de *prever* o futuro. No primeiro contexto, o otimismo é essencial; no segundo, faz o indivíduo se perder.

No caso do lançamento de um produto, por exemplo, é saudável adotar a priori uma postura otimista sobre os aspectos do projeto que podemos influenciar: o custo de fabricação a ser atingido, o nível de preço a ser estabelecido em relação à média do mercado e até a participação de mercado que pretendemos ter. Ao estabelecer esse tipo de meta com certo otimismo, estamos realizando um ato de gestão: definir uma ambição e impelir nossas equipes a darem o seu melhor.

Em contrapartida, se mantivermos o otimismo, consciente ou não, sobre fatores que não controlamos, a história é muito diferente. Quando se trata do tamanho do mercado, da reação dos concorrentes, da evolução dos preços de mercado ou das taxas de câmbio, devemos tentar formular a previsão mais objetiva e neutra possível. Adotar o otimismo nesses tipos de parâmetro é se iludir.

A dificuldade decorre de que a pergunta nem sempre é feita em termos tão claros. Para continuar no exemplo do lançamento de um produto, será que alguma vez formulamos uma previsão de vendas sem dividi-la entre elementos gerenciáveis e não gerenciáveis? É bastante tentador, portanto, adotar um otimismo quanto à gestão do objetivo geral.

Assim, sem perceber, acabamos sendo otimistas demais em relação a parâmetros que não controlamos. Assim também, indivíduos racionais e sensatos podem acabar tomando seus desejos por realidades, ou "acreditando na própria propaganda".

A ARMADILHA DO EXCESSO DE CONFIANÇA EM TRINTA SEGUNDOS

O **excesso de confiança** assume diferentes formas:

- Nós **nos superestimamos** (em relação aos outros ou de modo absoluto).
  - ▶ *90% dos motoristas acreditam que estão entre os 50% melhores.*
- Somos otimistas demais em nossos projetos (**viés de planejamento**).
  - ▶ *86% dos megaprojetos apresentam atraso e custos adicionais.*
  - ▶ *As **condições da licitação** contribuem para o problema, mas não são a única causa.*
- Somos confiantes demais na exatidão de nossas previsões (**excesso de precisão**).
  - ▶ *Quando temos "90% de certeza" de algo, estamos errados na metade das vezes.*
- Nós **subestimamos nossos concorrentes...**
  - ▶ *Os diretores da Blockbuster "acompanharam até a porta rindo" os executivos da Netflix.*
- ... isso quando não **esquecemos por completo sua existência**, negligenciando a possibilidade de antecipar o contra-ataque.
  - ▶ *P&G não antecipou a reação totalmente previsível da Clorox.*
- As empresas, como a evolução, favorecem os otimistas, pois **o otimismo é indispensável ao sucesso**: os líderes são otimistas bem-sucedidos.
- Contanto, é preciso evitar **"acreditar na própria propaganda"**: é salutar ser otimista no que depende de nós, não no resto.

5. "Tudo está sob controle"
A armadilha da inércia

> *Nada acontece até que algo se mova.*
> Albert Einstein

Em 1997, a Polaroid era líder mundial em fotografia, admirada pelo domínio tecnológico, pelo know-how em marketing e pela esmagadora participação no mercado. A receita da Polaroid era de 2,3 bilhões de dólares, e seu novo CEO, Gary DiCamillo, contava com a confiança do mercado de ações, que aprovou seu plano estratégico, como mostra o aumento de quase 50% dos papéis da empresa desde sua chegada.

Menos de quatro anos depois, a Polaroid declarava falência. Se tivesse sobrado tempo para DiCamillo escrever com sangue um testamento na parede do escritório, ele teria escrito: "A fotografia digital é a culpada de minha morte!".

No entanto, a história de DiCamillo não é um remake da trama da Blockbuster. Nem DiCamillo nem seus antecessores negligenciaram o surgimento da foto digital. Já em 1990, MacAllister Booth, o histórico CEO da empresa, declarava: "Pretendemos ser um dos principais protagonistas no ramo da imagem eletrônica, que consideramos uma tendência importantíssima". Em 1996, o setor digital da Polaroid representava mais de 100 milhões de dólares de receita e crescia 20% ao ano. Seu principal produto na categoria, a câmera PDC-2000, era considerada a melhor câmera digital do mundo. DiCamillo tinha consciência total da importância dessa ruptura tecnológica e fez dela o principal dos três grandes eixos de sua estratégia.

A Polaroid naufragou não porque seu capitão não viu o iceberg, e sim porque era muito difícil de virar o leme. Sua história ilustra um problema conhecido e enigmático para muitos: as organizações nem sempre seguem a decisão de seus líderes. Diante das mudanças de ambiente, focam a energia e alocam os recursos de uma forma que não corresponde à intenção estratégica declarada por seus dirigentes. Na maioria das vezes, elas demonstram uma inércia surpreendente, enraizada em uma combinação de vieses cognitivos e fatores organizacionais. Essa inércia às vezes pode, como no caso da Polaroid, se revelar fatal.

COLOCAR SUAS TROPAS NO CAMPO DE BATALHA

Afirmar que a alocação dos recursos não reflete as intenções dos dirigentes pode causar espanto. Como as administrações e os governos, as empresas têm prioridades, planos estratégicos, orçamentos. Em tese, esses instrumentos servem para definir objetivos e alocar os recursos que vão permitir atingi-los. Para utilizá-los, as empresas organizam e dedicam um tempo precioso a rituais complexos, como bem sabe quem já passou pelas noites de preparação e pelos dias de negociação durante períodos de planejamento e de orçamento.

No entanto, as empresas utilizam essas ferramentas para alocar seus recursos de modo diferente de um ano para o outro? Praticamente não. Ao final de cada maratona orçamentária anual, as empresas alocaram seus recursos quase da mesma maneira que no ano anterior!

Esse resultado surpreendente é oriundo de um estudo intersetorial, que analisou mais de 1600 grupos diversos ao longo de um período de 25 anos. Ao observar a distribuição dos investimentos em bens de capital (*CapEx*) entre as divisões dessas empresas, a correlação entre a alocação do ano corrente e a do ano anterior é de 92%. Para um terço das empresas, chega a ser de 99%. Em outras palavras, em vez de se sujeitar a essas maratonas orçamentárias, seus diretores poderiam muito bem ter aproveitado a família ou jogado golfe: o resultado teria sido em mais de 90% o mesmo. Seus esforços, por mais sinceros e enérgicos que sejam, esbarram em uma formidável força de inércia.

Naturalmente, esse resultado não significa que os números do orçamento anterior sejam copiados de maneira idêntica. Há muitos orçamentos que passam por reduções e outros, por aumentos. Acontece também que uma prioridade identificada com clareza, acompanhada pelo mais alto nível da hierarquia, beneficia-se de uma exceção para escapar da inércia geral. Ainda assim, se a conjuntura exigir uma redução global dos investimentos, costumamos verificar, ao final do processo orçamentário, que todas as divisões terão feito concessões nas mesmas proporções. Mesmo que cada divisão imagine que travou uma batalha homérica, no fim das contas, nenhuma realocação de verdade, nenhuma escolha voluntarista terá sido feita. O resultado é uma surpreendente desconexão entre a lista das prioridades estratégicas e os recursos que lhes são atribuídos. Quando se trata de alocar seus recursos, essas empresas não fazem o que dita sua estratégia estabelecida.

OS ÁGEIS E OS INERTES

Poderíamos ter a tentação de ver essa falta de realocação como um sinal encorajador. Quem disse que uma empresa deve alterar sua alocação de recursos a cada ano, de acordo com a mudança de modas ou preceitos? Pelo contrário, a constância na destinação de recursos não reflete a perseverança indispensável para conduzir por anos uma estratégia coerente?

Trata-se de uma tese sensata, mas, precisamos admitir, paradoxal: em um mundo que está sempre mudando (como sempre repetimos), há algo de surpreendente em reivindicar alocações imutáveis de recursos. Claro que não é o caso de virar a mesa a cada planejamento orçamentário, de fazer todo ano um "orçamento base zero". Ainda assim, deve ser possível encontrar o equilíbrio certo entre mudar radicalmente a alocação de recursos e reproduzi-la em mais de 90%.

Além disso, se a ausência de realocação dos recursos fosse mesmo sinal de uma condução firme, e se por outro lado os "realocadores" mais ativos não passassem de cataventos sem visão, os resultados deveriam ser melhores entre os mais constantes. Acontece que ocorre exatamente o contrário.

Se dividirmos as empresas analisadas em três grupos, por "grau de realocação", parece que aquelas que realocam mais recursos têm desempenho melhor do que as que realocam menos. Em um período de quinze anos, a diferença de criação de valor para os acionistas é de 40% entre os dois grupos! Logo, o grau de realocação de recursos não diferencia os "constantes" dos "inconstantes". Ele separa os "inertes" dos "ágeis".

O VIÉS DE ANCORAGEM

Assim como a armadilha do excesso de confiança, a da inércia decorre dos vieses cognitivos que acabam ampliados pela dinâmica das organizações. O principal viés em questão é chamado de *viés de ancoragem*: quando precisamos estimar ou definir um valor numérico, tendemos a usar um número disponível como uma "âncora", aplicando a ele um ajuste insuficiente.

A característica mais marcante do viés de ancoragem é que somos influenciados por ele mesmo quando a âncora não tem relação com o valor estimado e até quando é absurda. Depois da experiência fundadora de Kahneman e Tversky nos anos 1970, dois pesquisadores alemães, Thomas Mussweiler e Fritz Strack, demonstraram esse efeito com uma criatividade notável. Em uma de suas experiências, perguntaram à metade de seus participantes se Gandhi ao morrer teria menos ou mais de 140 anos de idade. À outra metade, se teria menos ou mais de nove anos. Duas perguntas que, é claro, ninguém teria dificuldade em responder. Apesar disso, os números assim "ancorados", embora absurdos, influenciaram as respostas: a média do grupo "ancorado" nos 140 anos estimou que Gandhi morreu aos 67 anos, e a média do grupo "ancorado" em nove anos estimou que ele morreu aos cinquenta anos. (Na verdade, Gandhi morreu aos 79 anos.)

Como muitos experimentos sobre os vieses cognitivos, essas histórias costumam provocar uma reação inicial de ceticismo. Os participantes desses estudos não se agarram à âncora como a uma boia salva-vidas para mascarar sua ignorância? Teríamos caído em uma armadilha tão grotesca, sobretudo se fosse uma pergunta importante sobre algo que soubéssemos?

Para responder a essa objeção, os espirituosos pesquisadores alemães conduziram muitos outros experimentos, colocando os participantes em situações realistas ligadas ao seu campo de expertise. Uma dessas experiências demonstrou o viés de ancoragem em magistrados, cujas decisões não deveriam ser proferidas de maneira leviana. Os pesquisadores apresentaram um relatório detalhado de furtos em lojas a um grupo de juízes experientes e perguntaram a sentença que dariam ao ladrão. No entanto, faltava ao relatório a requisição da promotoria, uma "âncora" importante para os juízes. Os próprios juízes deveriam fabricar essa "âncora", lançando dois dados e inserindo o resultado no campo "requisições" do relatório, para indicar o número de meses "requerido" pela promotoria. Dessa maneira, não havia nenhuma ambiguidade de que as "requisições" eram completamente falsas. Ainda assim, elas tiveram uma influência visível: os juízes que tiraram três nos dados pronunciaram, em média, uma pena de cinco meses, ao passo que os magistrados que tiraram nove sentenciaram o réu a oito meses!*

Esses (e muitos outros) experimentos demonstram que, apesar das nossas aptidões e dos nossos esforços para a dissociação dos números fornecidos, continuamos visceralmente sujeitos ao viés de ancoragem. O simples fato de um número ser mencionado, mesmo quando não tem nenhuma relação com a pergunta feita, influencia nosso julgamento.

Se podemos ser influenciados por números arbitrários, como não seríamos por números relevantes e até oriundos de nosso próprio ambiente de trabalho? Como não poderíamos ser pesadamente influenciados, durante a elaboração de um orçamento, pelo do ano anterior, formado por números que nós mesmos aprovamos? Quem está familiarizado com processos orçamentários não se surpreende que o viés de ancoragem contribua para a inércia dos recursos.

A DINÂMICA DA INÉRCIA

Os efeitos "de inércia" do viés de ancoragem são ampliados, na maioria das empresas, por dinâmicas humanas e organizacionais que podemos reconhecer com facilidade. A elaboração do plano estratégico e a discussão do orçamento são momentos de negociação permanente. Pois bem, todas as negociações estão sujeitas ao viés de ancoragem: os números iniciais que os protagonistas têm em mente são um determinante essencial, sobretudo em uma negociação de

---

* Para facilitar a interpretação dos resultados, são oferecidos dados viciados, de modo que todos os magistrados tirassem três ou nove.

orçamento, em que os pontos de referência são conhecidos e visíveis. O chefe de unidade que teve cem de orçamento para investir no ano passado talvez peça 110 este ano — em casos raros, duzentos. Já a diretoria, com a mesma âncora em mente, talvez peça a ele uma redução de orçamento para noventa — mas não para quarenta. A ancoragem estabelece limites implícitos à negociação.

O fenômeno é agravado ainda pela "pressão social" interna: a credibilidade pessoal de um líder depende de sua capacidade de defender sua unidade, mantendo e aumentando os recursos para o desenvolvimento dela. Seu prestígio aos olhos de colegas e subordinados depende disso.

Se olharmos para esse quadro não mais do ponto de vista dos gerentes, e sim do CEO que procura realocar recursos entre estes, o problema é mais complexo. Como um deles observou: "Eu precisaria tirar dos ricos para dar aos pobres, mas não sou Robin Hood!". Essa é uma boa alusão porque, via de regra, trata-se de reduzir os recursos dos negócios estabelecidos para focar naqueles com forte potencial de desenvolvimento. Só que os "ricos", que administram as maiores unidades, não têm nenhum interesse de ver um corte em suas alocações históricas. Para se defender durante as negociações, os vencedores do passado estão mais bem armados do que os futuros vencedores, que são os "pobres" do presente.

Por fim, cabe lembrar que todos os participantes dessa grande sessão de regateio estiveram envolvidos na mesma negociação no ano passado. Mudar de modo radical uma alocação de recursos significa questionar o próprio julgamento, sob o risco de perder credibilidade. Sem dúvida, todos acreditam que podem fazer isso: quando perguntamos a diretores, a membros de comitês executivos, se "admitem seus erros pondo um fim às iniciativas malsucedidas", 80% afirmam que sim. No entanto, é tudo uma questão de ponto de vista: quando descemos uma hierarquia e perguntamos aos gerentes se os seus diretores fazem mesmo esse tipo de questionamento, 52% afirmam que não.

De resto, é significativo que as realocações de recursos mais fortes e mais produtivas sejam o resultado de um olhar novo. As empresas realocam mais recursos no ano seguinte à nomeação de um novo CEO, sobretudo quando o novo CEO vem de fora, o que o torna mais capaz de resistir ao viés de ancoragem e à pressão da empresa. Além disso, quanto mais rápida for a realocação de recursos implementada por esses novos CEOs, mais positivos são os resultados.

OS *SUNK COSTS* E A ESCALADA DO COMPROMETIMENTO

Há uma forma específica de inércia que não consiste exatamente em não fazer nada, mas nos leva a insistir em um beco sem saída, redobrando nossos esforços e nossos recursos. Trata-se da *escalada do comprometimento*.

O exemplo mais trágico da escalada de comprometimento é o de uma nação que se afunda em uma guerra que não pode mais vencer. No início da Guerra do Vietnã, George Ball, subsecretário de Estado dos Estados Unidos, antecipou o seguinte cenário em um memorando ao presidente Lyndon Johnson: "À medida que sofrermos perdas significativas, teremos entrado em um processo praticamente irreversível. Nosso envolvimento será tão grande que não poderemos, sem sofrer uma humilhação nacional, nos retirar antes de atingir todos os nossos objetivos". Essa previsão sombria infelizmente se confirmou: entre 1964 e 1968, o número de soldados dos Estados Unidos combatendo no Vietnã subiria de 23 mil para 536 mil.

Porém, o mais terrível é que encontramos a lógica implacável da escalada em guerras posteriores. Em 2006, George Bush declarou: "Faço esta promessa a vocês: não vou deixar que o sacrifício de 2527 soldados mortos no Iraque *seja em vão*, não vou retirar as tropas antes que a missão esteja cumprida". Cinco anos depois, quer consideremos a missão cumprida ou não, o número de baixas de soldados dos Estados Unidos, que justificava o raciocínio inicial, tinha dobrado. Em 2017, ao justificar a sua decisão de aumentar o número de homens no Afeganistão, Donald Trump — que no começo era muito hostil a essa guerra — considerou imperativo "chegar a um *resultado à altura dos enormes sacrifícios*, em particular humanos, feitos pela nossa nação".

O raciocínio é sempre o mesmo: quanto mais graves as perdas, mais essencial se torna o convencimento de que "não foram em vão". Em um exemplo perfeito do que os economistas nomeiam de "falácia dos custos irrecuperáveis" [*sunk cost fallacy*], a futura escalada é justificada pelas perdas já sofridas. O erro de raciocínio é gritante: de maneira lógica, a decisão de comprometer novos recursos não deveria levar em consideração perdas irreversíveis, custos que nunca serão recuperados. A única questão que conta visa o futuro, o "retorno sobre o investimento" esperado: se comprometermos novos recursos hoje, será com discernimento?

Só que é muito difícil raciocinar assim, como constatamos em nossas decisões diárias. Você já manteve um investimento em que perdeu dinheiro? Sem dúvida, o *sunk cost* teve influência em você. Também somos afetados pelos *sunk costs* quando nos obrigamos a terminar um livro chato ou o prato que pedimos, mas não gostamos.

É evidente que não faltam exemplos de escalada de comprometimento no mundo dos negócios — para citar um, quando empresas se esforçam, muito além do razoável, para tentar dar a volta por cima em negócios deficitários. Um caso espetacular é Saturn, nova divisão criada pela General Motors em 1983 para enfrentar os carros japoneses importados. A ideia original era criar uma divisão "diferente", cujos produtos e técnicas de venda não estariam sujeitos às regras (e encargos) do mastodonte. Vinte anos depois, a GM tinha dissipado mais de 15 bilhões de dólares em Saturn sem nunca tirar um *cent* de lucro. Qual foi a decisão da sua diretoria? Reinvestir mais 3 bilhões de dólares para transformar Saturn em uma divisão "comum" da GM! Sem mais sucesso, é claro. Apenas em 2008 a GM, já sob o controle governamental depois de sua quase falência, foi obrigada a colocar à venda sua divisão... que ninguém quis. Saturn foi liquidada em 2010.

Com certeza o caso de Saturn é extremo: poucas empresas podem, como a GM, se dar ao luxo de insistir durante 27 anos e de perder cerca de 20 bilhões de dólares. De qualquer maneira, a relutância em se separar dos negócios deficitários e a fé ilimitada nos planos de recuperação são generalizadas. Tanto assim que as cessões nas grandes empresas são muito mais raras do que se poderia esperar. Um estudo com mais de 2 mil empresas ao longo de dezessete anos apontou que, em média, elas fazem apenas uma cessão a cada cinco anos, por um valor total vinte vezes menor do que o das aquisições.

Como todos esses exemplos mostram, a memória dos custos irrecuperáveis não basta para desencadear a escalada: devemos também nos convencer de que o caminho em que insistimos não é um beco sem saída, e sim a via para um futuro brilhante. Sempre quando enviam reforços de tropas, os senhores da guerra têm certeza de que "desta vez, com os meios apropriados" a vitória está ao alcance da mão. Os investidores que reinvestem em uma ação cujo preço despencou acreditam cegamente que ela voltará a subir. A diretoria da GM estava convencida de que, a cada novo plano de recuperação, *daquela vez* a nova estratégia, o novo gerente ou condições de mercado mais favoráveis por fim tirariam Saturn do atoleiro.

Reconhecemos nesse contexto o erro visto no capítulo anterior. A escalada do comprometimento não é apenas uma forma de inércia que consiste em insistir no erro, como é também, e simultaneamente, a manifestação de um otimismo insensato. Ela decorre de uma união perversa entre a atenção aos *sunk costs* do passado e o excesso de confiança nos planos do futuro. Por essa combinação de vieses aparentemente antagônicos, ela é tão difícil de detectar e de combater.

A INÉRCIA DIANTE DA DISRUPÇÃO

Outra forma de inércia que pode ser perigosíssima ocorre com empresas poderosas e lucrativas que, diante de uma mudança significativa em seu ambiente, demoram a tirar as conclusões em termos de alocação de recursos. Embora possamos pensar no caso da Polaroid em 1996, esse é um cenário encontrado em todas as empresas confrontadas pela revolução digital a uma mudança brutal: operadoras telefônicas diante da voz sobre IP, desenvolvedores de software diante da *cloud computing* [computação em nuvem], distribuidoras físicas diante dos e-commerces, gravadoras diante da música digital. Em todos os casos, o dilema é o mesmo.

A questão enfrentada pelo conselho administrativo de todas essas empresas é a de frear, e até de "canibalizar", as atividades existentes. O desafio é desenvolver um novo negócio, mais competitivo e quase sempre menos rentável do que aquele que será substituído. Mais tarde, a resposta parece óbvia (outra vez o viés retrospectivo), mas não no calor do momento, porque o conselho encontrará muitos motivos para hesitar: Temos certeza de que a atividade histórica da empresa está irremediavelmente condenada? Entre todas as tecnologias emergentes concorrentes, em qual apostar? Seremos capazes de desenvolvê-la de maneira lucrativa? Por fim, qual seria o momento ideal — nem cedo nem tarde demais — para migrar nossa atividade para o novo modelo?

Uma anedota ilustra essa última dificuldade. Vimos no capítulo anterior que a Blockbuster reagiu tarde demais ao surgimento simultâneo dos DVDs e da internet, assim "perdendo o trem" em que estava a Netflix, o da entrega de DVDs por correio. Alguns anos depois, ocorreria uma segunda mudança nesse negócio (a "verdadeira" mudança, por assim dizer): a desmaterialização da locação de filmes, distribuídos via internet de alta velocidade e não mais por DVDs em envelopes.

Com toda a razão, Reed Hastings, o CEO da Netflix, quis a todo custo evitar cometer o mesmo erro de seu concorrente. Como fazer para que a Netflix não se comportasse também como dinossauro, defendendo sua atividade postal sufocando o negócio emergente do streaming? Para evitar esse perigo, Hastings imaginou em 2011 uma solução radical: a cisão da Netflix em duas sociedades, uma com foco no streaming, a outra (batizada de Qwikster) para gerir seu legado da distribuição por correios. Duas equipes distintas que competiriam entre si: uma forma segura, como lhe parecia, de travar duas frentes de batalha e de otimizar ao mesmo tempo o crescimento futuro e a rentabilidade da atividade histórica da empresa.

Reed Hastings só não contava com a reação dos assinantes, que viram na manobra uma complicação desnecessária (por que administrar duas contas?) e, sobretudo, uma forma de ter que pagar duas vezes pelo que consideravam um mesmo e único serviço. Hastings levou apenas algumas semanas para perceber o deslize e abandonar o plano de cisão. Ainda assim, em um trimestre, a Netflix perdeu 800 mil assinantes nos Estados Unidos. Admitindo seu erro, ele reconheceu mais tarde que foi precipitado demais: o futuro estava no streaming e não na locação de DVDs... mas o futuro ainda não tinha chegado.

Podemos ver a partir desse exemplo que não é simples saber até que ponto devemos manter um negócio rentável, mesmo quando sabemos que ele está condenado. De nada adianta partir cedo demais. De qualquer maneira, se há um princípio orientador nesse cenário, é que a inércia da Blockbuster é a regra, e a precipitação da Netflix, a exceção. Quase sempre, quando um negócio já estabelecido está diante de uma "disrupção", para usar o termo de Clayton Christensen, demora a realocar seus recursos para enfrentá-la. Em sua grande maioria, as empresas não vão reagir com exagero, e sim hesitar até que seja tarde demais.

Parece que foi o que aconteceu com a Polaroid, apesar do diagnóstico correto de seus sucessivos diretores. DiCamillo encontrou a empresa em que estado de espírito? Apesar da rentabilidade próxima a zero, a Polaroid era uma empresa que confiava muito em si mesma. Seu departamento de marketing produzia com alegria relatórios mostrando uma participação de 100% do mercado — no caso, o mercado da fotografia instantânea dos Estados Unidos. Seus laboratórios, onde trabalhavam 450 pesquisadores com doutorado (tantos quanto no Instituto de Tecnologia de Massachusetts), fervilhavam de novas ideias.

DiCamillo percebeu de saída o problema dessa cultura corporativa. Assim que chegou, reorganizou a Polaroid para reaproximar os laboratórios do mercado. "Nosso trabalho é atender às expectativas dos clientes, não registrar patentes, nem escrever artigos científicos, nem tampouco descobrir invenções geniais", ele explicou às suas tropas. Uma mensagem forte — e nova. Colocando as palavras em prática, por assim dizer, DiCamillo despediu 2500 pessoas, ou seja, um quarto da força de trabalho. Sem dúvida, ele não subestimava a gravidade da situação nem a importância de estabelecer um novo rumo à empresa para lidar com o desafio.

Porém, a inércia da organização e dos recursos era implacável. A que se dedicavam os laboratórios Polaroid e seus pesquisadores tão notáveis? A desenvolver produtos digitais, claro, mas sobretudo a completar a gama de câmeras instantâneas com modelos mais baratos, por sinal, alguns muito bem-sucedidos. Essa inércia era ainda reforçada pelo modelo econômico da Polaroid, que, como o dos fabricantes de barbeadores e lâminas, consistia em vender máquinas a preços baixos e filmes a preços altos. Um modelo que é impossível reproduzir no mundo digital, no qual quase não há mais consumíveis! Para poder cogitar a adaptação à era digital, a Polaroid precisaria realizar uma transformação drástica (e arriscada): reduzir de modo radical a base de custos, canibalizar com eficácia o cerne do negócio e reinvestir pesadamente em tecnologias digitais.

Assim como a Polaroid, muitas empresas reagem pouco demais, tarde demais, e nunca conseguem realocar seus recursos o bastante. Para citar os autores de um estudo de referência no tema, as empresas "ignoram os sinais de perigo, não alteram os objetivos para contemplar novas informações e continuam investindo sem expectativa de retorno em atividades do passado".

O VIÉS DO STATUS QUO

Por fim, outro fator explica a inércia da realocação dos recursos em geral e, em particular, a dificuldade em se separar de um negócio em declínio: é só que a pergunta não é necessariamente colocada. Todos estamos sujeitos ao *viés do status quo*: é mais fácil não decidir do que decidir.

Vamos supor que você tenha acabado de receber uma grande quantia de dinheiro de herança. Você pode escolher investir o capital em diferentes carteiras, como ações, títulos etc. Claro que a escolha depende de suas preferências (incluindo o desejo pelo risco) e do que você pensa sobre as diversas opções propostas. Por isso, nem todos respondem da mesma forma, o que é normal. No entanto, no experimento que dá seu nome ao viés do status quo, Samuelson e Zeckhauser tiveram a ideia de sugerir a certo número de participantes que a herança não era uma simples quantia de dinheiro, e sim que já estava aplicada em uma das carteiras propostas. O que aconteceu? Uma grande parte dos participantes preferiu se contentar com isso, em vez de realocar o capital como bem entendesse. O conforto da não decisão superou as supostas preferências racionais.*

Encontramos a preferência pelo status quo em inúmeras situações em que há uma "opção padrão". Seja na escolha da cor do carro, na aplicação de fundos dentro de um plano de previdência ou até no consentimento prévio para ser doador de órgãos, nossa tendência é a de não escolher, logo, a de adotar a opção apresentada como o status quo.

Nossas empresas também estão sujeitas ao viés do status quo. Como regra geral, nos processos orçamentários, a sede revisa o orçamento de cada unidade em uma discussão bilateral e não realiza de modo categórico um exercício de realocação envolvendo todas as unidades. Em virtude da metodologia escolhida, a "opção padrão" é alterar apenas superficialmente as alocações de recursos. A mesma lógica se aplica à escolha da carteira de atividades: os grupos conservam os negócios que administram, em vez de se separar deles, também porque essa é a prática seguida "por padrão". O viés do status quo age contra os desinvestimentos.

---

* Não se trata de uma escolha econômica que visa limitar os custos de arbitragem, pois os participantes são informados de que os custos de transação entre portfólios são supostamente zero.

Além dos vieses da ancoragem, do status quo e da falácia dos custos irrecuperáveis, há outro elemento muito presente nas decisões de realocação (ou melhor, de não realocação) de recursos: a aversão à perda. Essa aversão explica parte da nossa resistência no momento de tomar uma decisão dolorosa e é o tema do próximo capítulo.

A ARMADILHA DA INÉRCIA EM TRINTA SEGUNDOS

- O **viés de ancoragem** nos leva a basear uma estimativa em um número que vem à cabeça, mesmo que não seja pertinente.
  - ▶ *Até números absurdos nos influenciam: a idade de Gandhi, juízes que jogam dados...*
  - ▶ *Vale mais ainda para números relevantes, como o orçamento do ano anterior para decidir o do ano atual.*

- A **inércia na alocação de recursos**, ligada em grande parte ao viés de ancoragem, é muito forte.
  - ▶ *90% de correlação com o ano anterior: para que servem as longas reuniões de orçamento?*

- A **luta pelos recursos** dentro das organizações agrava o problema.
  - ▶ *Os "ricos" não querem dar para os "pobres", e o CEO "não é Robin Hood".*

- A inércia pode culminar na **escalada do comprometimento**, quando redobramos recursos em um beco sem saída.
  - ▶ *O sacrifício dos mortos no início da guerra "não deve ser em vão".*
  - ▶ *A GM injetou recursos em sua divisão deficitária, Saturn, durante 27 anos.*

- A inércia contribui para a **subestimação dos impactos** e das disrupções.
  - ▶ *A Polaroid viu chegar a era digital, mas não realocou seus recursos com agilidade suficiente.*

- É mais fácil não decidir do que decidir: o **viés do status quo**.

6. "Seja um empreendedor!"
A armadilha da percepção dos riscos

Há muitas maneiras de fracassar, mas a mais certa é não correndo riscos.
Benjamin Franklin

Vamos supor que você receba a proposta de um projeto de investimento que exija um aporte de 100 milhões de euros. Caso seja bem-sucedido, o projeto poderia render rapidamente 400 milhões de euros. Em caso de fracasso, todo o investimento inicial seria perdido. Qual seria a probabilidade máxima de insucesso que você estaria disposto a tolerar para dar seu aval ao projeto?

O problema, embora apresentado de maneira simplificada, surge todos os dias nas empresas. O perfil de risco dessa decisão se assemelha, por exemplo, ao de um investimento arriscado em pesquisa e desenvolvimento (P&D): uma aposta que pode dar muito retorno, mas que também pode não dar retorno nenhum.

Não existe uma resposta teórica única para a pergunta. Na melhor das hipóteses, podemos observar que, se a probabilidade de perda fosse 75%, a expectativa matemática de ganho seria nula: uma chance em quatro de quadruplicar a aposta e três chances em quatro de perdê-la se anulam. Por isso, aceitar uma probabilidade de perda superior a 75% seria irracional, e exigir que essa probabilidade de perda fosse estritamente inferior a 75% seria exigir uma remuneração pelo risco que se corre, o que é legítimo. Se você respondesse

50%, por exemplo, você estaria exigindo que a expectativa de ganho fosse na verdade 200 milhões: uma chance em dois de perder tudo, uma chance em dois de ganhar 400 milhões. Se você respondesse 25%, a expectativa de ganho seria de 300 milhões etc.

Uma equipe de pesquisadores da McKinsey & Company submeteu esse problema a cerca de oitocentos dirigentes de grandes empresas. A resposta que deram é instrutiva: em média, a probabilidade máxima de perda que eles aceitariam é da ordem de 18%. Apenas um terço aceitaria que fosse superior a 20%. Como fica claro, no todo, os gestores interrogados demonstraram grande aversão ao risco: só toparam uma aposta que pudesse pagar quatro vezes o investimento se tivessem ao menos quatro em cinco chances de sucesso! Poucas casas de apostas sobreviveriam se os apostadores raciocinassem assim.

Naturalmente, os gestores não estão apostando em uma corrida de cavalos. Sem dúvida, é necessário ter certa prudência, ainda mais no caso de um investimento de 100 milhões de euros. Em uma empresa de médio porte, perder uma quantia dessas poderia representar um risco mortal. Para medir o peso desse fator, a mesma pergunta foi feita a outro grupo de oitocentos gestores, dessa vez para um investimento de 10 milhões de euros (e para um ganho potencial de 40 milhões de euros).

Poderíamos pensar que a aversão ao risco seria menor no novo cenário: se, por exemplo, oferecêssemos a um diretor um portfólio de projetos de pesquisa individualmente arriscados, mas bastante diversificados, ele agiria com bom senso ao aceitar uma probabilidade de perda maior. Se ele fizesse dez vezes a aposta, bastaria que três dos dez projetos fossem bem-sucedidos para um balanço claramente positivo. Se cinco dos dez projetos tivessem sucesso, o que é mais provável quando a probabilidade de perda é de 50%, a empresa terá dobrado sua aposta: um investimento excelente.

No entanto, por mais estranho que seja, a resposta dos diretores quase não mudou quando o valor do investimento foi alterado. Não é o total do investimento que afasta quem decide, e sim a perspectiva da perda, qualquer que seja o valor.

Esse resultado talvez não surpreenda quem está acostumado a tomar esse tipo de decisão. Não é fácil assinar uma proposta de investimento com 50% de probabilidade de perda. Ainda mais porque sempre podemos temer, como vimos nos capítulos anteriores, que os custos sejam subestimados e as previsões de ganho, exageradamente otimistas.

No entanto, o comportamento que acabamos de ver também não é sensato. Quando pedimos aos mesmos diretores, no mesmo questionário, para classificar a atitude de sua empresa em relação à tomada de riscos, 45% responderam que sua empresa é refratária *demais* ao risco (contra 16% que pensam o contrário). Além disso, 50% (contra 20%) pensam que a sua empresa não investe o suficiente. Em resumo, lamentam que sua empresa não seja mais empreendedora. Para dizer o mínimo, a reação que tiveram ao nosso investimento hipotético não é passível de resolver o problema que deploram.

FAÇA O QUE EU DIGO, NÃO FAÇA O QUE EU FAÇO

Podemos observar, portanto, uma contradição entre, por um lado, um desejo "teórico" pelo risco que a empresa deveria assumir de maneira coletiva e, por outro, uma grande relutância individual em enfrentar a decisão arriscada. Essa contradição levanta um problema: a aversão exagerada ao risco pode trazer consequências tão nocivas quanto o otimismo insensato.

Uma das manifestações mais marcantes desse fenômeno é a relutância das empresas em investir os ativos líquidos disponíveis. No final de 2016, as empresas dos Estados Unidos cotadas na Bolsa acumularam cerca de 1,8 trilhão de dólares em dinheiro, o que sugere que não encontraram projetos atraentes o suficiente para investir esse valor. O fenômeno, que seria compreensível se afetasse apenas empresas antiquadas, em setores em declínio, está longe de se limitar a elas. Quase metade do total do estoque de dinheiro não utilizado estava no setor de alta tecnologia. No início de 2018, só a Apple detinha cerca de 285 bilhões de dólares de ativos líquidos (ou seja, quase a receita fiscal anual do governo francês). Em que essa empresa admirada no mundo por sua capacidade de inovação investe seus recursos? Sobretudo, e desde 2012, no maior programa de recompra de ações da história. Como lamentou Clayton Christensen, citado no capítulo anterior, "apesar das taxas de juros historicamente baixas, [essas empresas] continuam sentadas em pilhas de ativos líquidos e investem pouco em inovação".

É um paradoxo que tais empresas confessem falta de projetos quando dispõem de todos os recursos imagináveis: talentos, marcas, patentes, redes de distribuição... Porém, oportunidades não faltam, já que empreendedores, embora sem todos esses recursos, conseguem criar empresas inovadoras, como o WhatsApp, vendido por 19 bilhões de dólares para o Facebook em 2014.

Quando discutimos esse paradoxo com o diretor de uma dessas empresas, a resposta é sempre a mesma: ele de fato não encontra projetos suficientes para investir, pois em geral não lhe são apresentados muitos projetos, nem, em particular, projetos de risco. As ideias inovadoras e as iniciativas de risco são provavelmente censuradas (ou autocensuradas) em escalas inferiores da organização, porque nunca chegam até ele. Em off, alguns CEOs garantem até que nunca tiveram a oportunidade de considerar uma proposta de investimento como a apresentada no começo deste capítulo: ninguém ousaria submeter um projeto tão temerário!

Cientes desse problema, muitos CEOs incentivam suas tropas a assumir riscos, a "agir como empreendedores". Alguns tentam lançar concursos de ideias, criar células "fora da estrutura" dedicadas à inovação, e até fundos internos de capital de risco. Todas essas iniciativas destacam, nas entrelinhas, a dificuldade do problema: é inexplicavelmente difícil suscitar o surgimento de projetos de risco em uma organização.

Inexplicavelmente... até passarmos a compreender o que motiva nossos comportamentos individuais e coletivos diante do risco. Para isso, precisamos olhar de perto três vieses distintos, cuja combinação explica o problema da aversão irracional ao risco.

A AVERSÃO À PERDA

O primeiro e mais importante desses vieses é o que Kahneman e Tversky nomearam de *aversão à perda*, que é diferente da aversão ao risco. Trata-se de um fenômeno muito mais elementar: em proporções iguais, as perdas e as desvantagens pesam mais do que os ganhos e as vantagens. Ficamos mais tristes ao perder um euro do que alegres ao ganhar.

A maneira mais simples de medir sua aversão à perda é imaginar sua resposta à seguinte pergunta: "Vamos atirar uma moeda ao ar. Se der cara, você perderá cem euros. Quanto você quer ganhar se der coroa para aceitar o desafio?". Em tese, para um agente racional, bastaria 101 euros. No entanto, para a maioria dos indivíduos, a resposta aceitável é cerca de duzentos euros, ou um "coeficiente de aversão à perda" de dois. À medida que a quantia da aposta aumenta, o coeficiente de aversão à perda também aumenta, até beirar o infinito: a menos que você seja extremamente rico e apostador, você nunca aceitará jogar cara ou coroa podendo perder 1 milhão de euros, seja lá qual for a quantia oferecida no caso de uma vitória.

Existem inúmeras consequências práticas da aversão à perda, e a mais imediata é encontrada em técnicas comerciais que conhecemos. Em vez de oferecer ao consumidor um ganho, muitas vezes é mais eficaz mencionar a perda que será evitada: "Não perca essa oportunidade única."; "Só hoje. Amanhã será tarde demais.". Por sinal, você deve ter notado que o título deste livro segue o mesmo preceito: há mais impacto em prometer ajudar você a escapar de um "erro terrível" (ou seja, de uma perda) do que propor um ganho (usando um título como, por exemplo, "Melhore suas decisões").

De qualquer maneira, a importância da aversão à perda vai muito além dessas anedotas. Daniel Kahneman chega a ver no tema "a contribuição mais significativa da psicologia para a economia comportamental". Em uma negociação, por exemplo, uma das partes fará com mais facilidade um movimento de concessão para evitar uma perda do que para obter um ganho equivalente. Além disso, o fato de que tantos projetos de reforma fracassem pode ser visto como uma consequência de que toda reforma tem favorecidos, mas também prejudicados, que, por sentirem as perdas mais profundamente que os beneficiados sentem as vantagens, mobilizam-se para impedi-las.

A AVERSÃO À INCERTEZA

Um segundo fenômeno contribui para criar os níveis anormais de aversão ao risco que observamos: a questão de um investimento de risco nunca surge em termos tão simples e claros como em nosso exemplo hipotético dos 100 milhões de euros. O mundo dos negócios não é um cassino, onde poderíamos calcular nossas chances com precisão no momento de lançar os dados. Na verdade, nunca sabemos a probabilidade real de sucesso ou de fracasso de um projeto. Além disso, quando recebemos a estimativa de probabilidade de sucesso de um projeto, suspeitamos (muitas vezes com razão) que o número seja excessivamente otimista.

Por sua vez, o retorno do investimento também é incerto. Embora possamos ter certeza quase absoluta de que perderemos todo o investimento da aposta em caso de insucesso, nunca sabemos com exatidão o ganho esperado em caso de sucesso. Com frequência, é difícil estimar até mesmo o horizonte temporal em que se definirá o sucesso ou o fracasso.

Por fim, muitos outros fatores interferem na nossa decisão, como nossa familiaridade com o tema, o grau de confiança que temos na equipe que conduzirá o projeto ou o nível de controle que poderemos exercer durante sua implementação.

Para resumir, uma questão de investimento quase nunca é levantada em termos de risco, e sim em termos de incerteza no sentido dado por Knight, ou seja, riscos cujas somas e probabilidades não conhecemos com precisão. Ora, se há algo que detestamos quase tanto quanto a perda, é a incerteza: os economistas falam em *aversão à incerteza* ou *aversão à ambiguidade*. "Melhor o diabo conhecido do que o diabo desconhecido", sentencia um provérbio inglês. De fato, muitos experimentos confirmam que estamos dispostos a pagar para evitar a incerteza, para assumir um risco quantificável, em vez de um risco que não conhecemos.

O VIÉS RETROSPECTIVO

Para concluir, a fuga diante do risco tem uma terceira causa. Para entendê-la, imagine algo que aconteceu na sua vida privada (ou pública) que o surpreendeu. Você consegue pensar nos motivos? Com certeza, sim. Mesmo quando somos surpreendidos por uma notícia, conseguimos explicá-la sem muita dificuldade. Os mesmos analistas que consideraram impossível a eleição de Donald Trump ou de Emmanuel Macron tinham argumentos, no dia seguinte, para achar o resultado compreensível, lógico e até inescapável. Da mesma maneira, as agências de inteligência dos Estados Unidos foram duramente criticadas pela incapacidade de prever os ataques de Onze de Setembro de 2001, apesar dos inúmeros indícios e sinais que "anunciavam" a tragédia e não podiam passar despercebidos... ao menos aos olhos de quem, depois, conheceu os acontecimentos.

Baruch Fischhoff descobriu esse fenômeno ao estudar a lacuna entre o "antes" e o "depois" na percepção dos acontecimentos políticos, batizando-o de viés retrospectivo [*hindsight bias*]. Fischhoff teve a ideia de pedir a um grupo de voluntários para calcular as probabilidades de acontecimentos públicos — por exemplo, as inúmeras consequências da histórica visita de Nixon à China. Mais tarde, uma vez decorridos os acontecimentos, Fischhoff pediu aos mesmos voluntários que se lembrassem das probabilidades atribuídas. Naturalmente, pouquíssimos puderam se lembrar ao certo de suas respostas, mas a maioria se enganou de um jeito particular: quando um acontecimento ocorria, eles superestimavam a probabilidade que tinham atribuído ao fato: "Na verdade, eu sabia que isso ia acontecer". Já quando um acontecimento não ocorria, eles se esqueciam da previsão dada antes: "Eu sabia que isso não ia acontecer". Em suma, como o título do artigo de Fischhoff resume: "Eu sabia que ia acontecer".

O viés retrospectivo está em toda parte, a começar pelos livros de história. Todos aprendemos a analisar "as causas da Revolução Francesa" ou "as consequências do Tratado de Versalhes". Porém, os historiadores que estabelecem esses laços lógicos implacáveis entre "causas e consequências" escolheram tudo com cuidado, a partir de uma quantidade infinita de fatos históricos. À luz dos acontecimentos posteriores, isolaram os fatos que contribuem para sua narrativa, e apenas esses.

Lemos muitas vezes, por exemplo, que a Inglaterra de 1940, diante da iminente ameaça alemã, "precisava" escolher como primeiro-ministro um líder militar inflexível, e dificilmente poderíamos imaginar que essa escolha não recairia sobre Winston Churchill. No entanto, poucos dias antes de sua posse, ninguém na Câmara dos Comuns teria apostado um xelim em suas chances. Será necessária uma combinação extraordinária de circunstâncias para que um debate parlamentar sobre o lamentável fracasso da Batalha da Noruega, de que Churchill era o principal responsável, culminasse paradoxalmente em sua ascensão ao cargo de primeiro-ministro. Uma vez pediram a Martin Gilbert, biógrafo de Churchill, para resumir o que tinha guardado dos 38 volumes dedicados ao ex-primeiro-ministro, se limitou a dizer: "Foi realmente por muito pouco".

Podemos ver que o viés retrospectivo é indispensável para dar sentido aos fatos. Sem ele, o tumulto da história seria tão indecifrável quanto os acontecimentos contemporâneos, pois os mesmos fatos apresentados a posteriori como as "causas" de acontecimentos quase inevitáveis costumam passar completamente despercebidos aos olhos dos contemporâneos.

O que vale para a história geral também se aplica à nossa história particular: quando tentamos explicar um acidente ou um fracasso, muitas vezes somos vítimas do viés retrospectivo. Dessa maneira, quem apresenta um projeto de risco sabe que sua iniciativa será julgada de acordo com os resultados. Retomemos o exemplo hipotético do começo deste capítulo: como os 100 (ou os 10) milhões foram por água abaixo, ninguém vai lembrar que a aposta fazia todo o sentido — com base nos dados disponíveis no momento da decisão. Pelo contrário, todos serão perfeitamente capazes de explicar as inúmeras razões por que o fracasso era inevitável. Além disso, se o insucesso tiver relação com um imprevisto ou com uma fatalidade, perguntaremos por que essas eventualidades não foram antecipadas: afinal, poucos acontecimentos são totalmente imprevisíveis.

Em poucas palavras, todos vão se lembrar com sinceridade (mas sem razão) de que "sabiam que aconteceria". Qualquer gerente com um pouco de experiência em organizações é capaz de antecipar essa reação. Nessas condições, por que assumiria a responsabilidade de um projeto arriscado? Richard Thaler, ganhador do prêmio Nobel de economia de 2017, vê na pergunta um dilema quase insolúvel. "Um dos problemas mais difíceis enfrentados por um CEO é convencer seus gerentes a empreender em projetos de risco quando os ganhos esperados justificam isso", escreveu ele.

Como podemos ver, a aversão à perda, a aversão à incerteza e o viés retrospectivo se unem para produzir uma aversão exagerada ao risco. Em geral, podemos encontrar aí uma explicação para o fato de as empresas correrem menos riscos do que poderiam, menos do que deveriam de maneira racional, e menos do que seus próprios diretores gostariam.*

COMO PERDER TUDO SEM CORRER RISCOS

No entanto, essa observação levanta um paradoxo. Como explicar esse raciocínio com o grande número de erros oriundos de um otimismo exagerado?

---

* É evidente que, a partir da perspectiva macroeconômica, outros fatores contribuem para esse déficit de investimento: expectativas dos acionistas, disponibilidade de capitais, tributação das distribuições de dividendos, ambiente econômico etc.

Por que a tendência de fuga diante do risco não impediu que os diretores de JCPenney ou da Quaker se lançassem em suas aventuras perigosas? Por que empreendedores, quando apostam economias e tempo em projetos que são por definição arriscados, não parecem sujeitos a essa aversão ao risco? Em suma, como explicar a coexistência dos comportamentos pusilânimes cujo mecanismo acabamos de analisar com as apostas imprudentes mencionadas no capítulo 4?

Simplesmente com uma observação: mesmo com grande aversão ao risco, podemos tomar decisões arriscadas, *desde que não saibamos disso*. Na maioria das vezes, quando empresas assumem grandes riscos, não estão cientes deles.

A observação pode parecer paradoxal, mas não surpreenderá quem já observou o curso das decisões dentro das empresas. Ninguém nunca apresenta uma decisão importante como um lançamento de dados. Em sua imensa maioria, aqueles que tomam decisões não se consideram jogadores que aumentam as apostas enquanto um ganho é estatisticamente provável. Para eles, ao contrário, todo risco é um problema a ser minimizado, um desafio que é de sua responsabilidade aceitar. Quem fala de risco logo menciona antecipação e prudência. A própria palavra "risco" tem uma conotação negativa (ao menos fora do ambiente das instituições financeiras, em que tem um significado mais técnico). Dessa maneira, embora um investimento nunca seja totalmente seguro, sempre exigiremos, antes de financiá-lo, que todos os "riscos" possíveis tenham sido analisados e antecipados.

Logo, os erros de excesso de confiança não têm relação *consciente* com apostas arriscadas. Quando se lança em um caminho audacioso, uma empresa quase nunca decide com conhecimento de causa apostar em um projeto "de alto risco, mas de alto retorno". Pelo contrário, essa decisão é tomada porque a empresa desenvolveu uma perspectiva excessivamente otimista, acreditando 100% no projeto.

Para isso, basta que a *previsão* associada ao projeto, embora otimista, seja anunciada como quase certa. Invariavelmente, as projeções de vendas, lucros e prazo para a conclusão partirão de um pensamento "confiante", por todas as razões mostradas no capítulo 4. Além disso, serão apresentadas como seguras. Por exemplo, se uma projeção de receitas inclui um "cenário base" e um "cenário pessimista" (sutileza destinada a mostrar a que ponto o proponente é sensato), o "cenário pessimista" na verdade não será muito razoável. Se o prazo de um projeto for de "três a seis meses", podemos considerar seis meses o mínimo. O autor do projeto será ainda mais otimista porque sabe que não há espaço para dúvidas: apenas os projetos que parecem seguros, cujos proponentes estampam uma confiança inalterável, têm chance de aprovação!

Quando essa dinâmica organizacional é desencadeada, o paradoxo que observamos se explica com facilidade. Podemos perceber simultaneamente projetos otimistas demais e uma prudência excessiva porque o excesso de confiança e a aversão ao risco, que produzem efeitos opostos, não se equilibram de modo perfeito. Daniel Kahneman e Dan Lovallo, os teóricos desse paradoxo, batizaram-no de "previsões ousadas e escolhas tímidas", o que resume muito bem o fenômeno: o excesso de confiança abrange as *previsões*; já a aversão exagerada ao risco condiciona as *decisões*.

É claro, tornar confiável uma previsão ousada não é para qualquer um. Todos os passos de um investimento são idealizados para garantir que os projetos sejam realistas. Por isso, não surpreende que os projetos mais ousados costumem ser também os de mais envergadura: quanto mais próximo um proponente estiver do topo da organização, haverá menos níveis de hierarquia para questioná-lo sobre suas hipóteses. O caso extremo é o dos projetos de aquisição ou de transformação radical, propostos pelos próprios CEOs: não é nenhuma surpresa que os exemplos da Snapple e da JCPenney pertençam a essas duas categorias.

No sentido inverso, quanto menos envergadura tiver um projeto, mais próximo da base estará o proponente, e mais obstáculos hierárquicos deverá superar para ser aprovado. Em cada etapa, será submetido a uma análise crítica que busca desencavar o menor traço de otimismo insensato. Basta lembrar a surpresa demonstrada pelos CEOs porque ninguém nunca apresentava projetos de risco: com certeza a empresa dissuadiu com eficácia os proponentes internos. No entanto, esses projetos deveriam ter tido seu risco tolerado: enquanto um projeto grande e de alto risco pode colocar a empresa em perigo, um portfólio diversificado de pequenos projetos de risco (mas de alto retorno) é uma escolha bastante racional.

O paradoxo das previsões ousadas e das escolhas tímidas explica, portanto, como é possível a coexistência do acúmulo e das jogadas de pôquer, inclusive em uma mesma empresa. Podemos pensar na Microsoft, por exemplo, que acumula centenas de bilhões de ativos líquidos não utilizados, mas desembolsa

26 bilhões de dólares para comprar o LinkedIn (pagando um prêmio de 49% sobre o preço de suas ações na Bolsa). O otimismo triunfa com mais facilidade quando o projeto é grande, ao passo que a aversão ao risco prevalece quando ele é pequeno. O exato oposto seria mais racional.

"Eles não sabiam que era impossível, então fizeram", escreveu Mark Twain. O aforismo, sempre citado para incentivar a tomada de riscos, tem o mérito de destacar o que muitas vezes nos leva a corrê-los: o desconhecimento! Ora, embora possamos ter êxito quando tentamos o impossível, sem dúvida é raro. Seria muito mais construtivo aprender a superar nossa aversão ao risco e assumir, *com conhecimento de causa*, riscos múltiplos e calculados. Aqueles cujo trabalho é assumir riscos — investidores e capitalistas de risco, em particular — desenvolveram para isso metodologias e culturas que podem nos servir de inspiração. A terceira parte deste livro abordará essas estratégias em detalhes.

A ARMADILHA DA PERCEPÇÃO DOS RISCOS EM TRINTA SEGUNDOS

- As empresas parecem assumir **pouquíssimos riscos**: elas penam para investir seus ativos líquidos e seus gerentes não aceitam endossar projetos arriscados. Pelo menos três vieses contribuem para isso:
  - **Aversão à perda**: sentimos mais a perda do que um ganho de mesmo valor.
    - *Quanto você precisaria ganhar para correr o risco de perder 100 euros no cara ou coroa?*
  - **Aversão à incerteza**
    - *"Melhor o diabo conhecido do que o diabo desconhecido."*
  - **Viés retrospectivo**: "Eu sabia que isso aconteceria".
    - *A posteriori, a história parece "lógica"...*
    - *... e, quando um projeto fracassa, culpamos o proponente.*

- As empresas **superam a aversão ao risco negando o risco**. Os projetos de risco são apresentados como seguros, o que permite uma aprovação sem a impressão de assumir um risco.

- A prudência é a regra para projetos pequenos, e o **otimismo, para projetos grandes**: deveria ocorrer o contrário!
  - *Poucas empresas desenvolvem, nos moldes do capital de risco, um portfólio de projetos pequenos de alto risco e de alto rendimento.*
  - *Muitas iniciam projetos de grande envergadura (aquisições, transformações etc.) subestimando as dificuldades.*

7. "A longo prazo é longe demais"
A armadilha dos horizontes de tempo

A longo prazo, estaremos todos mortos.
John Maynard Keynes

"Muitas empresas não têm mais coragem de investir em seu crescimento futuro. Muitas sacrificaram os investimentos e até aumentaram a dívida para a distribuição de dividendos e para a recompra de ações. [...] Quando [essas distribuições] são feitas pelas razões erradas e em detrimento do investimento, comprometem a rentabilidade de uma empresa a longo prazo."

Quem se dirige assim ao comitê do S&P 500 para alertá-lo dos perigos do curto prazo? Seria um sindicalista enfurecido? Um governador preocupado com cortes de empregos em seu estado? Nada disso. Essa carta de março de 2014 é assinada por Larry Fink, CEO da BlackRock, um dos maiores fundos de investimento do mundo. "Não, não me devolva muito dinheiro", é o que ele está querendo dizer. Em vez disso, invista nos ativos de amanhã, na inovação ou na formação dos funcionários.

Dessa maneira, um financista, um dos que apontamos o dedo para denunciar a ditadura dos resultados de curto prazo da bolsa de valores, está preocupado com o embalo da máquina capitalista! Da mesma maneira, a *Harvard Business Review*, que não faz da crítica ao capitalismo sua linha editorial, pergunta em uma de suas capas: "Os investidores são ruins para os negócios?". Ao que parece, a ditadura do curto prazo é uma realidade — e uma fonte de preocupação. No entanto, antes de analisar as razões para isso, devemos esclarecer o que se entende por curto prazo.

AS DUAS CRÍTICAS AO CURTO PRAZO

Ao analisar mais de perto, podemos perceber que a crítica ao curto prazo das empresas recai em dois discursos distintos. O primeiro e mais difundido (em especial na França) denuncia o foco exclusivo em objetivos financeiros, ainda mais do que o próprio horizonte temporal. Ao se preocupar apenas em gerar lucro, as empresas e sua diretoria demonstrariam uma rapacidade sem limites em relação ao ambiente, aos países em que estão sediadas e, é claro, a funcionários, clientes e fornecedores, esgotando inexoravelmente o planeta e as sociedades em que se desenvolvem.

O fundamento dessa crítica é cada vez menos debatido, ao menos em tese: muitos diretores, inclusive anglo-saxões, procuram hoje se afastar da doxa neoliberal para defender visões "mais amplas" da missão e das finalidades de suas empresas. Bill George, o icônico ex-CEO da Medtronic, "não aprova a ideia de que a única finalidade das empresas seja criar valor para os acionistas". Paul Polman, CEO da Unilever, direcionou a empresa para um caminho de crescimento sustentável, mais econômico em termos de recursos e mais participativo. Até mesmo Michael Porter, professor de Harvard e figura de destaque em estratégia corporativa, teorizou a respeito da "criação de valor compartilhado", que busca combinar desempenho econômico e progresso social. Na França, a lei Pacte, aprovada em 2018, propõe reconhecer que as empresas têm uma "razão de ser" distinta da busca exclusiva do lucro.

Porém, na verdade, essa acusação não levanta (ou não apenas) a questão de horizontes de tempo, e sim algo mais amplo: o papel da empresa na sociedade. Não causa surpresa que exista uma tensão entre os objetivos de lucro e as consequências para a sociedade dessa busca pelo lucro, entre os interesses dos acionistas e os objetivos das outras partes interessadas: essa tensão é até inevitável.

Em contrapartida, o que causa surpresa é que a questão do curto prazo é levantada mesmo se o debate se limitar aos objetivos puramente financeiros das empresas, à sua missão de criar valor financeiro para os acionistas. Como vimos, essa segunda versão da crítica ao curto prazo é a de Larry Fink. Talvez o financista também estivesse preocupado com o destino das partes interessadas, mas o sentido de sua carta é bem mais restrito: ele está preocupado com a capacidade das empresas de manter sua lucratividade no futuro se não fizerem investimentos necessários no presente.*

Desse modo, mesmo se pensarmos que a empresa não presta conta senão aos acionistas, mesmo se ela não tiver outra "razão de ser" além de maximizar os rendimentos, ela ainda deve arbitrar entre ganhos imediatos e lucros futuros. Acontece que a arbitragem entre esses horizontes de tempo nem sempre é fácil. Um estudo apontou que 80% dos gestores estariam dispostos a abrir mão de investimentos que geram valor a longo prazo para não perder uma meta de lucro imediato. Outra pesquisa, realizada entre mais de mil membros do *top management* de empresas de todo o mundo, revelou que 63% deles sentem uma pressão crescente sobre os resultados financeiros de curto prazo. No entanto, quase 90% pensam que, se dispusessem de um horizonte de longo prazo para suas decisões, os resultados seriam afetados de maneira positiva, tanto em termos de retorno financeiro quanto de inovação! Essa dificuldade para arbitrar entre o curto e o longo prazo, às vezes chamada de *miopia de gestão*, afeta sobretudo as empresas cotadas na Bolsa.

Um estudo de pesquisadores de Harvard e da Universidade de Nova York demonstrou a extensão dessa miopia de gestão. Os pesquisadores compararam dados contábeis de empresas cotadas e de empresas não cotadas na Bolsa, nos mesmos setores de atividade. Se a pressão dos resultados do mercado acionário for real, raciocinaram os pesquisadores, seria possível constatar que as empresas cotadas investem menos do que as não cotadas. É exatamente isso o que revela o estudo, em proporções surpreendentes. Considerando empresas da mesma categoria, as cotadas dedicam *duas vezes menos* dinheiro para investimentos do que as não cotadas na Bolsa! Além disso, quando as receitas aumentam — o que de modo geral indica uma oportunidade de investimento — ou quando a alíquota do imposto cai — o que libera dinheiro para

---

* A longo prazo, as duas questões convergem, como esclarece Fink em cartas mais recentes aos acionistas: as empresas incapazes de "demonstrar que trazem uma contribuição positiva para a sociedade" acabarão "perdendo a permissão para operar". Sem dúvida, isso não seria bom para seus investidores.

investimento —, as empresas cotadas estão bem menos dispostas a investir para aproveitar as oportunidades do que as não cotadas. Tudo isso prova que a miopia de gestão é bem real.

BOLSA E *STOCK OPTIONS*: CULPADAS OU BODES EXPIATÓRIOS?

Para responder à pergunta, devemos fazer uma análise. A maneira mais fácil de explicar a visão de curto prazo das empresas é acusar a Bolsa. Irresponsáveis e sem rosto, os mercados financeiros são os culpados ideais e servem de justificativa cômoda para os diretores, que alegam não tirar os olhos do preço das ações da empresa por conta dos caprichosos analistas financeiros, que ditam sua linha de conduta. Outros acrescentarão que os diretores se preocupam apenas com o valor dos papéis da empresa porque sua remuneração, pelo jogo das *stock options* ou de mecanismos similares, alinha seus interesses aos dos acionistas. Mercados míopes, dirigentes gananciosos: como precisamos de culpados, aqui estão eles!

No entanto, essa explicação não é de todo satisfatória, na medida em que, embora possa parecer paradoxal à primeira vista, a Bolsa não privilegia o curto prazo, chegando a ser a melhor maneira de julgar o valor de uma empresa a longo prazo. Quando separamos o valor de uma ação cotada entre os resultados de curto prazo (três a cinco anos) e o valor atualizado dos fluxos futuros, estes costumam representar 70% ou 80% de seu preço. O que a Bolsa fundamentalmente valoriza quando atribui um preço a uma empresa é o seu valor de longo prazo. Claro que essa valorização tem variações diárias, pois é influenciada pela leitura de curto prazo — a da empresa e a do ambiente. Apesar disso, nada pondera melhor o curto e o longo prazos do que a Bolsa.

A Bolsa não segue uma linha de curto prazo, mas antecipatória. Se acredita que as dificuldades de curto prazo revelam problemas profundos que comprometam os resultados de longo prazo, se perde a confiança na diretoria, a Bolsa "reage com exagero" — mesmo que corra o risco de se corrigir depois. Só que ela não faz isso como "punição" de um resultado ruim de curto prazo, e sim porque o interpreta como sinal de um problema profundo.

Cada vez mais, grandes empresas estão mudando a natureza do diálogo estabelecido com os investidores, em um esforço para evitar um foco excessivo na visão de curto prazo. Um exemplo dessa transformação é a atitude diante da "orientação de lucros" [*earnings guidance*]. Essa prática, que consiste em indicar com antecedência aos mercados financeiros a meta de ganhos por ação que a empresa se esforçará para atingir durante determinado trimestre, tornou-se ao longo dos anos um hábito, quase uma norma. Naturalmente, depois de assumir esse compromisso, a empresa pode esperar ser penalizada por uma queda no preço de seus papéis se não atingir a meta anunciada. Para evitar isso, seus diretores serão tentados a sacrificar despesas futuras, como P&D ou formação, em prejuízo da criação de valor a longo prazo.

Em vista dessa grave consequência, parece que dar uma *orientação* não traz vantagens. Nem os múltiplos de avaliação nem a liquidez parecem ser afetados pelo compromisso com resultados de curto prazo. Muitas empresas, como Coca-Cola, CostCo, Ford, Google ou Citigroup, anunciaram que renunciariam à prática. A Unilever foi ainda mais longe, deixando de apresentar resultados trimestrais e publicando balanços apenas duas vezes por ano, como seus principais concorrentes europeus.

Pois bem, o que aconteceu com essas empresas? Tiveram uma deserção de investidores? O preço de suas ações despencou? De jeito nenhum. Pelo contrário, passaram a observar com frequência uma mudança em sua base de investidores: atraíram mais acionistas focados no valor intrínseco da empresa e afastaram os especuladores em busca de arbitragens imediatas. Assim que abriram mão dos comunicados de curto prazo, atraíram acionistas de longo prazo. Como observou o CEO da Unilever, Paul Polman, em 2014: "Nossa cotação na Bolsa caiu no dia em que anunciamos que pararíamos de publicar a *orientação de lucros*, mas [...] dois anos depois nada sugere que estávamos errados". Em 2018, no *Wall Street Journal*, Warren Buffett se uniu a Jamie Dimon, presidente do JPMorgan Chase Bank, para convidar todas as empresas cotadas na Bolsa a seguir o mesmo caminho: "Reduzir ou eliminar a orientação trimestral não eliminará todas as pressões de curto prazo enfrentadas pelas empresas, mas seria um passo na direção certa".

Passemos agora ao segundo culpado, o modo de remuneração da diretoria. Os incentivos pessoais dos diretores desempenham um papel na miopia de gestão? Com certeza, a resposta a essa pergunta depende da estrutura desses incentivos. Cabe ao conselho administrativo alinhá-los aos interesses da empresa. De qualquer maneira, podemos observar que as *stock options*, muitas vezes contestadas, são incentivos... para pensar a longo prazo. Se aceitarmos que o valor de mercado das ações reflete uma avaliação de longo prazo, um diretor que sacrificasse de maneira ostensiva o futuro para obter resultados imediatos degradaria automaticamente o valor de suas *stock options*. Logo, se a Bolsa privilegia uma visão de longo prazo, os detentores de *stock options* deveriam fazer o mesmo.

Para resumir, a visão de curto prazo é bem real, mas não pode ser explicada nem pela pressão da cotação da Bolsa nem pelo interesse dos diretores. Por sinal, a visão de curto prazo não se restringe ao círculo dos diretores de empresas cotadas e seus estragos vão muito além. Os gestores das empresas públicas estão totalmente isentos da preferência pela visão de curto prazo? Os líderes políticos não adiam reformas essenciais por medo de uma reação pública imediata? E já ouvimos alguém ser reprovado por uma visão excessivamente de longo prazo?

A resposta a essas perguntas é óbvia porque, mais uma vez, fomos desviados pela busca por culpados. Com certeza os dirigentes têm uma visão de curto prazo, porque nós também temos.

TODOS TEMOS UMA VISÃO DE CURTO PRAZO: O VIÉS DO PRESENTE

Um experimento clássico de economia comportamental consiste na seguinte pergunta: você prefere receber cem euros hoje ou 102 euros amanhã? Você provavelmente escolheria cem euros hoje. A sabedoria popular nos incentiva a fazer essa escolha com dois provérbios conhecidos em todas as línguas. O primeiro diz que "tempo é dinheiro", pois os cem euros que você tem hoje podem ser investidos e gerar juros até amanhã. O segundo ensina que "mais vale um pássaro na mão do que dois voando", maneira de dizer que esperar é um risco, já que nem sempre uma promessa é cumprida.

Para comparar um valor presente com um valor futuro, os financistas utilizam uma *taxa de atualização*: eles aplicam uma taxa de juros que reflete tanto o tempo quanto o risco, permitindo que fluxos futuros sejam traduzidos em um valor "presente". Ao escolher cem euros hoje em vez de 102 euros amanhã, você está implicitamente sinalizando que sua taxa de atualização é superior a 2% por dia. Em outras palavras, para que você concorde em esperar, sua tolerância de tempo e de risco precisaria ser recompensada com uma taxa maior. Por exemplo, se o valor de 102 euros fosse substituído por 150 euros, talvez você escolhesse essa opção.

Até aí, tudo bem. O problema é que não somos nada coerentes nas taxas de atualização que aplicamos. Vamos retomar os mesmos números, mas alterar as datas. Você prefere receber cem euros em *um ano*, ou 102 euros em *um ano e um dia*? Para a grande maioria de nós, a resposta é fácil. Já que precisamos esperar tanto tempo, um dia a mais ou a menos não faz diferença: melhor ganhar mais dois euros!

Escolha natural — de tal forma que costuma parecer óbvia — e, no entanto, ilógica. Se você preferiu ganhar imediatamente cem euros no primeiro caso e optou por esperar para conseguir 102 euros no segundo, qual é a justificativa para que sua taxa de atualização varie no decorrer do tempo? Para colocar a questão de maneira mais objetiva, se você está disposto a esperar mais um dia para ganhar dois euros, por que não espera já hoje? Ou, para tornar o paradoxo ainda mais evidente, daqui a exatamente um ano, a escolha do segundo cenário não será idêntica à do primeiro, entre o dia de hoje e o dia de amanhã?

A explicação é simples: quando se trata do presente imediato, somos muito menos pacientes. Estamos menos dispostos a escolher "dois pássaros voando do que um na mão" quando a decisão é tomada no presente do que quando for tomada no futuro. Esse paradoxo, chamado de *viés do presente*, está bem comprovado. Ao submeter uma série de amostras de possíveis escolhas semelhantes à que acabamos de descrever, Richard Thaler demostrou que as mesmas pessoas aplicam uma taxa de atualização anual de 19% em um horizonte de dez anos, mas de 345% em um horizonte de um mês. Alguns economistas se referem à *atualização hiperbólica* para dar um modelo matemático a comportamentos como esse.

Outro tipo de comportamento, comum a muitos de nós, explica o mesmo fenômeno: o problema do *self-control*, do "autocontrole". Temos dificuldade para resistir a uma sobremesa, para deixar de fumar ou para levantar cedo e praticar esportes, apesar dos benefícios futuros que ganharíamos com essas atitudes. Em compensação, temos facilidade para fazer resoluções de Ano--Novo, para esvaziar nossos armários de doces e cigarros ou para nos inscrever em uma academia. Ao fazer isso, estamos apenas nos comprometendo (aliás, não com garantia) a fazer um esforço *amanhã* para colher os frutos *depois de amanhã*. Trata-se do mesmo esforço que nos recusamos a fazer *hoje* para ter benefício idêntico *amanhã*. Somos capazes de demonstrar toda a paciência do mundo... desde que não seja agora!

Se combinarmos o problema do viés do presente com o da aversão à perda abordado no capítulo anterior, entendemos o fundamento comportamental para a visão de curto prazo. Como já foi visto, a "perda" tem um peso desproporcional na nossa avaliação da relação custo-benefício. Devemos acrescentar a essa constatação o fato de que, na arbitragem entre o presente e o futuro, a voz do presente fala muito mais alto: dessa maneira, compreendemos por que aceitar perder hoje para ganhar amanhã não é uma proposta atraente. Além disso, aceitar que um objetivo de curto prazo não seja alcançado equivale a sentir uma perda, mesmo quando o diretor que anuncia o resultado possa justificá-lo por um cálculo de longo prazo. Por mais imaterial que seja essa perda — de prestígio, de imagem, de credibilidade —, ela pode parecer insuportável.

Da mesma forma, a visão de curto prazo está presente na inércia descrita no capítulo 5, quando adiamos as decisões difíceis que deveríamos tomar no presente. Não aderir à escalada do comprometimento, por exemplo ao abrir mão de um negócio deficitário ou ao interromper um projeto de desenvolvimento infrutífero, é virar a página, é materializar uma perda imediata para vislumbrar um ganho no futuro (ou evitar uma perda maior). Nossa aversão à perda e nosso viés do presente tornam essa arbitragem irracionalmente difícil.

Tudo isso é humano, demasiado humano... tão humano que ficamos tentados a, mais uma vez, colocar o problema em termos de vício e de virtude, de culpados e de heróis. Não por menos, Bill George acredita que apenas "os melhores escolhem a visão de longo prazo e têm a coragem de não se render e de ignorar as pressões externas para ceder ao ganho de curto prazo".

Como é fácil essa oposição entre "os melhores" e os meros mortais! No entanto, se quisermos buscar soluções efetivas para esse problema, devemos primeiro tomar consciência de sua realidade: a dificuldade em administrar os horizontes de tempo não é apenas um malefício do capitalismo, nem um efeito colateral lamentável da remuneração dos diretores das empresas, e sim parte normal da natureza humana.

A ARMADILHA DOS HORIZONTES DE TEMPO EM TRINTA SEGUNDOS

- A visão de curto prazo não é apenas a primazia do acionista sobre as demais partes interessadas: é também a preferência pelo lucro imediato em detrimento do lucro futuro (**miopia de gestão**).
  - ▶ *Até mesmo os financistas estão preocupados com essa preferência (BlackRock).*
  - ▶ *As empresas cotadas na Bolsa têm uma visão mais voltada ao curto prazo do que as empresas não cotadas.*
- No entanto, a pressão do mercado financeiro não explica tudo: **o valor da ação também reflete o longo prazo**.
  - ▶ *É possível limitar a receptividade à visão de curto prazo: várias empresas vêm abandonando a prática da orientação de lucros.*
- Nossa avaliação dos valores no tempo mostra um **viés do presente**.
  - ▶ *Um dia no presente tem muito mais peso do que um dia dentro de um ano.*
  - ▶ *Logo, nossas taxas de atualização não são constantes no decorrer do tempo.*
- Aversão à perda + viés do presente = **visão de curto prazo**.
  - ▶ *Para não perder uma meta de lucro (o que seria percebido como uma perda), muitos gestores desistem de investimentos que gerariam valor a longo prazo.*

8. "Se todos fazem..."
A armadilha do grupo

> *A sabedoria universal ensina que é melhor para uma reputação fracassar ao lado das convenções do que ser bem-sucedida contra elas.*
> John Maynard Keynes

Em 1961, pouco depois da posse na Casa Branca, o presidente Kennedy autorizou a invasão de Cuba por um batalhão de 1400 expatriados cubanos treinados pela CIA. O desembarque das tropas na baía dos Porcos terminou em um fiasco: em sua maioria, os combatentes anti-Castro foram mortos ou presos. Os últimos se renderam ao Exército cubano no dia 19 de abril, dois dias após o desembarque. A humilhação do governo dos Estados Unidos foi completa.

Muitos historiadores mostraram mais tarde que o fiasco não teve nada de azar. O plano apresentado ao presidente estava repleto de inconsistências e se baseava em suposições imprudentes, em particular a ideia de que os invasores seriam recebidos como libertadores pela população. Além disso, o elemento surpresa do projeto estava, no mínimo, comprometido: o *New York Times* tinha divulgado a existência de planos de invasão. Como o presidente e seus assessores, apelidados de *"the best and the brightest"* [os melhores e os mais brilhantes], poderiam ter tomado uma decisão tão catastrófica? Ou, como o próprio Kennedy vai perguntar: *"How could we have been so stupid?"* [Como pudemos ser tão estúpidos?].

A mesma pergunta pode ser feita para todas as decisões desastrosas abordadas nos capítulos anteriores. Como não havia ninguém no círculo dos dirigentes para soar o alarme e parar o trem? Qual era a dinâmica dessas organizações para que o alerta não tivesse sido dado? Como os conselhos administrativos dessas empresas fracassaram na missão de evitar aquisições superfaturadas ou em identificar os perigos estratégicos subestimados?

Para descobrir a resposta, devemos nos afastar por um momento das ciências cognitivas e recorrer às grades de leitura da psicologia social, pois os erros das organizações não se limitam aos das lideranças, que acabam arcando com toda a responsabilidade. Os grandes erros são coletivos.

A DIVERGÊNCIA ABAFADA

Em suas memórias, Arthur Schlesinger, assistente especial do presidente Kennedy, concluiu da seguinte maneira sua análise a respeito da invasão da baía dos Porcos: "Durante os meses seguintes a essa decisão, eu me repreendi com amargura por meu silêncio durante as reuniões cruciais na Casa Branca. Só posso explicar esse silêncio pelo fato de que soar o alarme era simplesmente impossível, *dadas as circunstâncias da discussão*" [ênfase nossa].

A confissão, cuja lucidez deve ser reconhecida, é a mais perfeita definição do *groupthink*. Por sinal, Irving Janis popularizou esse termo, inventado por William Whyte alguns anos antes e às vezes traduzido como "pensamento de grupo" ou "pensamento de manada", analisando essa decisão histórica, entre outras. Embora Schlesinger fosse um dos conselheiros mais próximos de John F. Kennedy e estivesse convencido de que a decisão seria um erro colossal, não encontrou forças para manifestar suas reservas para evitar o desastre. O reputado intelectual guardou para si suas dúvidas e concordou com a opinião do grupo, que suposta ou efetivamente também é a do líder.

A razão para o fenômeno está ligada ao que Schlesinger chamou de "dadas as circunstâncias da discussão". No sentido literal, o "pensamento de grupo" não existe, pois são os membros do grupo que pensam. Além disso, possivelmente todos nós já testemunhamos (e intervimos) em debates com oposição e confronto de ideias entre os membros de um grupo, com o risco da discordância degenerar para o conflito pessoal. No entanto, na decisão referente à invasão da baía dos Porcos, tudo aconteceu como se o grupo tivesse um pensamento próprio, capaz de esmagar o pensamento individual. De onde vem essa homogeneidade? Por que cada um dos envolvidos concordou com a opinião dos outros que estavam ao redor?

Os primeiros estudos sobre o tema são os famosos experimentos de Solomon Asch nos anos 1950. Os pesquisadores pediam a pequenos grupos de alunos que comparassem o comprimento das linhas traçadas em uma folha de papel, e cada um se revezava para dar a resposta em voz alta. Os primeiros alunos que respondiam na verdade eram cúmplices e, sem exceção e com confiança, davam uma resposta errada. O último aluno que respondia era, portanto, a única "cobaia" do experimento e devia fazer uma escolha simples: declarar a evidência que estava diante de seus olhos ou concordar com o grupo, que tinha acabado de dar, de maneira homogênea, uma resposta obviamente falsa.

Os resultados do experimento causam ainda hoje surpresa: 75% dos participantes escolheram ao menos uma vez seguir a opinião do grupo, embora tivessem plena consciência do dilema entre o que viam e o que disseram. A força do *groupthink* foi suficiente para que se sujeitassem à opinião coletiva. No estudo, no entanto, o grupo era formado por completos desconhecidos, a pergunta não exigia nem reflexão nem juízo, e a resposta certa saltava diante dos olhos. Alguma dúvida de que sejamos no mínimo tão influenciados quando se trata de formar opinião sobre problemas complexos, com várias soluções aparentemente aceitáveis? E que sejamos ainda mais influenciáveis quando estamos rodeados por colegas que respeitamos e por superiores cujas diretrizes estamos acostumados a seguir?

Claro que nosso "sistema imunológico" intelectual sugere, em um piscar de olhos, mil razões para que nós — ao contrário desses participantes — sejamos insensíveis ao *groupthink*. Será que as "cobaias" escolhidas pelos pesquisadores liderados por Asch eram particularmente impressionáveis? Ou, pelo contrário, escolheram seguir o grupo apenas por mera comodidade, pois se tratava de um experimento sem implicações e não valia a pena esclarecer estranhos iludidos? Quanto à decisão da invasão da baía dos Porcos, os responsáveis não eram sobretudo vítimas de jogos políticos e até de manipulação? A próxima história, em forma de enigma, nos levará a duvidar dessa maneira de pensar.

A cena se passou em 2014, no conselho administrativo da Coca-Cola. A diretoria da empresa submeteu à aprovação do conselho um plano de *stock options* muito generoso — tão generoso que um acionista "ativista" se pronunciou, pública e violentamente, contra a proposta. Apoiado por outros fundos, ele pediu ao conselho que votasse contra o projeto. Segundo ele, tratava-se de defender os interesses dos acionistas, às custas de quem a diretoria enriqueceria de maneira abusiva.

Podemos ou não concordar com o acionista ativista. A diretoria da Coca-Cola, é claro, contestou sua análise. De qualquer maneira, o papel do conselho é exatamente resolver esse tipo de divergência. Por sorte, um dos mais eminentes membros independentes (ou seja, não integrante da diretoria da empresa) se posicionou reiteradas vezes contra as *stock options*, que chegou a chamar de "bilhetes de loteria". Ele também fez seus cálculos e desaprovou o plano apresentado, sem esconder o seu ponto de vista, que até expressou em uma entrevista na televisão. Seria de se esperar que ele votasse contra o plano. No entanto, ele optou por se abster. A explicação para essa escolha surpreende pela sinceridade: se opor a um plano de *stock options* "é como arrotar alto na mesa. Se fizer isso, vão acabar mandando você terminar o prato na cozinha".

Para quem não reconheceu o membro misterioso, vamos revelar a identidade: trata-se de Warren Buffett, lendário investidor cuja trajetória impressionante foi narrada no capítulo 2 deste livro. Buffett, o "oráculo de Omaha" que atrai multidões em busca do conselho certo, o maior financiador de todos os tempos! Se algum membro tinha a credibilidade necessária para enfrentar os colegas, seria ele. Além disso, seus interesses como acionista estão perfeitamente alinhados com os dos demais acionistas que ele representa, muito mais do que com os da diretoria da empresa. Ainda assim, mesmo convencido de que era uma má decisão, Buffett se recusou a quebrar a harmonia do grupo: "Eu adoro a Coca-Cola, adoro sua diretoria e seus administradores, por isso não quis votar contra. Votar não em uma reunião do conselho da Coca-Cola é quase antipatriótico". Além do mais, acrescentou Buffett, o problema não se limita à Coca-Cola: "Nas dezenove empresas em que faço parte do conselho administrativo, nunca ouvi ninguém dizer em uma reunião que era contra um projeto". A propósito, o exemplo mostra como a governança é uma tarefa difícil.

Sempre poderemos objetar que se tratava de uma situação de conflito aberto, em que Warren Buffett decidiu por estratégia não tomar partido contra a diretoria. Podemos pensar que, ao não desaprovar abertamente os diretores da empresa, ele vai levá-los, mais tarde e de modo mais discreto, a mudar de posição. Por sinal, é o que vai acontecer no fim.

No entanto, outro exemplo mostrará que o *groupthink* sempre nos afeta, mesmo em ambientes harmônicos e sem conflito aberto. O contexto é uma reunião de um fundo de *private equity* [investimento de capital], para ser mais específico de seu comitê de investimento, que aprova as decisões de aquisição e de alienação. Também nesse cenário os interesses estão perfeitamente alinhados: todos os membros do comitê, acionistas do fundo, têm interesse em que o fundo faça boas escolhas e, por isso, participam do comitê. Para aumentar a segurança nas decisões, o fundo adotou a seguinte regra de funcionamento: dos doze membros do comitê, dez votos "a favor" são necessários para aprovar um investimento. Logo, a adesão deve ser unânime ou quase.

O paradoxo da situação é que, ao analisar os investimentos passados, os membros do comitê constatam que, às vezes, foram otimistas demais. Um resultado surpreendente, pois temiam o contrário, que a exigência da quase unanimidade de votos acabasse levando à recusa de projetos atraentes. Apesar dessa regra tão cautelosa, como puderam deixar passar escolhas arriscadas?

A explicação está na dinâmica do comitê de investimento. Como em qualquer time, mesmo que a vitória do coletivo seja celebrada, é melhor ser quem marca os gols — nesse caso, quem propõe ao comitê os projetos que receberão investimentos do fundo. Pois bem, cada membro do comitê que votar hoje sobre a proposta de um colega que estará, amanhã, na condição de submeter seus próprios projetos para aprovação. Dessa maneira, é desconfortável questionar a proposta de um colega, nem que seja por medo de "retaliação" aos seus próprios projetos. A armadilha do *groupthink* está montada.

Pior ainda: em conversa com os membros do comitê de investimento, percebemos que a regra da quase unanimidade, em vez de limitar, amplia os efeitos do *groupthink*. Todos temem ser a ave de mau agouro, quem pedirá a palavra para questionar a pertinência de um investimento. O primeiro que fizer a "pergunta incômoda" sabe que, se apenas um membro do comitê dividir as mesmas dúvidas, a proposta apresentada não vai passar. Também sabe que o colega que apresenta a proposta trabalhou por semanas a fio no relatório e que parte de sua reputação está em jogo.

Nessas condições, é tentador abafar as próprias desconfianças sobre o investimento proposto, da mesma maneira que fizeram os participantes do experimento de Solomon Asch sobre o comprimento das linhas. Até mesmo executivos com muita experiência, e cujos interesses estão perfeitamente alinhados, podem preferir preservar a harmonia do grupo e não expor uma crítica bem fundamentada.

OS DOIS PROPULSORES DO PENSAMENTO DE GRUPO

O vocabulário utilizado para descrever o *groupthink* está muitas vezes impregnado de juízo moral. Mesmo nas linhas que acabamos de ler, descrevemos indivíduos que "sucumbem" a essa "tentação" por falta de "coragem" para expressar suas opiniões.

Verdade que o *groupthink* envolve, em parte, *pressão social*, medo de "retaliações", que às vezes são concretas, como no caso dos membros do comitê de investimento que consideram como suas próximas propostas serão recebidas. No entanto, com mais frequência, essas retaliações são simbólicas: ao se opor ao consenso do grupo, primeiro geraremos incompreensão, depois, aborrecimento e, por fim, ostracismo, como resume muito bem a tirada de Warren Buffett sobre "terminar o prato na cozinha".

Seja lá qual for a natureza das retaliações, para evitá-las, muitas vezes o indivíduo isolado escolhe permanecer em silêncio. Podemos considerar a escolha como marca de cinismo amoral ou como sinal de realismo: Warren Buffett "escolhe suas batalhas". Apesar de tudo, sua motivação leva em conta a pressão social.

Em todo o caso, existe uma razão mais nobre de silenciar suas dúvidas diante do grupo: a *adequação racional* à opinião da maioria. Quando muitos membros do grupo são de uma mesma opinião, é lógico supor que existem boas razões para isso: logo, essa opinião é correta. Esse raciocínio de senso comum foi demonstrado matematicamente por Condorcet em 1785 em seu teorema do júri: se os participantes de uma votação formam juízo independente entre si, e se cada um tem mais chances de estar certo do que de estar errado, a probabilidade de que a decisão da maioria esteja correta aumenta à medida que cresce o número de votos. Em outras palavras, quanto mais numerosa for a maioria, mais importante é a opinião majoritária.

Porém, números não são tudo: sem dúvida, a opinião de seus colegas contará ainda mais se forem bem informados, competentes e confiáveis. Dessa maneira, é legítimo que Schlesinger pudesse ter acreditado que seus colegas do gabinete Kennedy que aprovaram o desembarque em Cuba (e, claro, os militares que levaram a proposta) tinham acesso a informações e a análises pertinentes. O mesmo vale para os membros do comitê de investimento do *private equity*, que sabem que o colega que propõe uma transação está bem familiarizado com o setor estudado e realizou uma análise profunda do alvo. Logo, não causa surpresa que sua opinião prevaleça sobre a de um generalista que acabou de conhecer o tema.

Nessas condições, na balança de "prós" e "contras", as razões do grupo podem, de maneira lógica, pesar mais do que as dúvidas de alguém, levando a pessoa a reconsiderar seu posicionamento.* Optar pelo silêncio diante do grupo pode ser apenas o reflexo de que se estava errado. Ceder à opinião da maioria não é necessariamente uma fraqueza moral: pode ser uma escolha racional.

Dessas duas motivações, qual é a principal? Quando alguém se une ao ponto de vista da maioria, age por pressão social ou por adequação racional? A força do *groupthink* provém de que os dois motivos estão intrinsecamente ligados. Embora alguns façam a escolha consciente de não expor suas dúvidas e suspeitas, a maioria das pessoas que adere à opinião majoritária age porque mudou *de verdade* de ideia. À medida que o consenso do grupo se revela — e aumenta a pressão social —, as pessoas se convencem com sinceridade das razões apresentadas. No fim das contas, eles não abafaram, e sim superaram as dúvidas. Ao mudar de opinião, essas pessoas têm certeza de que não demonstraram covardia, mas honestidade intelectual.

O EFEITO CASCATA E A POLARIZAÇÃO

Em todos os exemplos mencionados, o pensamento de grupo consiste em abafar as discordâncias. O grupo converge para uma das opiniões prévias. Porém, o *groupthink* pode assumir outra forma: a de uma polarização, de um reforço da opinião da maioria.

---

* É possível determinar com bastante precisão em que medida devemos racionalmente mudar de opinião diante de informações novas. Vamos desenvolver isso no capítulo 15.

A maneira mais simples de entender essa forma é imaginar uma reunião em que cada participante expõe o seu posicionamento — por exemplo, a favor ou contra um investimento. De maneira sucessiva, a opinião de cada participante vai passar por uma "adequação racional", como mencionamos antes. Se a primeira pessoa for favorável ao projeto, a segunda levará isso em conta: ela poderia ter expressado dúvidas se fosse a primeira a falar, mas a probabilidade de ser a favor é agora um pouco maior. A terceira pessoa deverá considerar a opinião convergente de dois colegas: mais uma vez, sem alteração, a probabilidade do voto "a favor" aumentou. E assim por diante. De maneira perfeitamente lógica e racional, e mesmo supondo que não haja pressão social, cada um vai adequar seu ponto de vista para considerar as opiniões emitidas antes, em um fenômeno de *efeito cascata*.

A mecânica dos efeitos cascata tem duas consequências básicas. A primeira é bem conhecida dos mediadores de reunião: a ordem de quem fala pode ser decisiva. O efeito cascata confere uma importância desproporcional às primeiras opiniões. Abordaremos no capítulo 14 as implicações práticas dessa observação para quem deseja organizar um debate de qualidade.

A segunda consequência é mais sutil: um grupo pode acabar, *de maneira racional*, tomando uma má decisão. Para entender isso, retomemos de maneira simplificada o exemplo da decisão de investimento. Cada um leva em consideração as opiniões dos participantes anteriores, que, em número cada vez maior a cada etapa, são favoráveis à proposta. Além disso, nessa hipótese, cada participante conclui que as razões dos antecessores para votar a favor têm mais peso do que as suas individuais para votar contra.

A tragédia do efeito cascata é que esse raciocínio pode ser perfeitamente correto para cada indivíduo, mas catastrófico para o grupo, pois a cada etapa do efeito cascata alguma informação pode ser perdida. Todos guardam para si dúvidas que, se fossem reveladas e analisadas em conjunto, poderiam mudar a equação coletiva. As informações "particulares", ou seja, que apenas alguns membros do grupo têm, não são divididas — ou, quando são, têm menos peso na discussão. Pelo contrário, o debate se concentra nas informações e nas análises proferidas, que reforçam o consenso do grupo. Para resumir, o grupo que pensa em cascata é menos informado do que a soma de seus membros.

Podemos ver como esse mecanismo de cascata pode não só levar um grupo a aprovar a opinião da maioria, como a torná-la mais extrema. Diversos estudos sugerem que a deliberação de um grupo produz dois efeitos simultâneos. Por um lado, os grupos chegam a uma versão mais extrema da conclusão a que tendia inicialmente a média de seus membros. Por outro, seus membros têm mais confiança nessa conclusão do que teriam se não tivesse existido o debate. Essa intensificação dupla — do resultado e do nível de confiança associado a ele — é a *polarização de grupo*.

Estudos recentes apontaram a presença desse fenômeno nas discussões de comitês encarregados, dentro de conselhos administrativos, de estabelecer a remuneração dos CEOs. No momento de fazer essa escolha, a grande maioria das empresas dos Estados Unidos baseia suas decisões em um benchmarking, uma aferição das remunerações recebidas por outros CEOs do setor. Essa aferição confere um "salário de mercado", que será considerado quando o comitê se posicionar para decidir se paga ao CEO mais ou menos em comparação à média do setor.* A constatação foi a de que, quando os diretores responsáveis por essa decisão faziam no passado parte de conselhos que pagavam aos CEOs acima do valor de mercado, a deliberação do conselho será a de pagar o CEO de maneira ainda mais generosa. Por outro lado, se faziam parte de conselhos que pagavam aos CEOs, em média, abaixo do preço de mercado, a deliberação do conselho estabelecerá uma remuneração ainda mais baixa do que a média aferida. O debate entre os diretores acentua as preferências prévias e polariza a decisão do grupo.

Outro fenômeno que costuma se basear na polarização de grupo é a escalada de comprometimento, vista no capítulo 5 deste livro. Em geral, não são indivíduos que caem nessa escalada, e sim equipes e até organizações inteiras. Dessa maneira, a escalada do comprometimento é mais frequente e mais forte quando decidida em grupo.

---

* O procedimento que consiste em estabelecer a remuneração do CEO levando em conta colegas do setor e não critérios objetivos de desempenho ou escala salarial interna da empresa é, sem dúvida, discutível. Esse não é o tema do estudo.

O PENSAMENTO DE GRUPO E A CULTURA CORPORATIVA

Não deve causar espanto que todos esses fenômenos de grupo sejam agravados pela homogeneidade cultural. Quanto mais nos identificamos com nossos colegas, mais crédito damos ao seu posicionamento, de modo que a pressão social sentida para se adequar à opinião também é ampliada por uma forte comunhão de valores. A homogeneidade alimenta assim os dois condutores do pensamento de grupo. Além disso, inúmeros estudos empíricos confirmam que, quando membros de um grupo se identificam com a mesma cultura, têm mais tendência a não expor suas dúvidas, a se polarizar em uma opinião extrema e a persistir em um beco sem saída.

O efeito da identidade de grupo tem um exemplo contundente nas "derivas" culturais de algumas organizações nas quais grupos que dividem uma cultura comum tomam decisões catastróficas, que provavelmente não teriam tomado de maneira individual. Para ficar em um, o banco Wells Fargo, dos Estados Unidos, enfrentou uma grave crise em 2016. Seus gestores de contas, incentivados a aumentar a receita multiplicando serviços e produtos financeiros vendidos à clientela, tinham se acostumado a fazer isso sem o consentimento dos clientes. "Bastava" apenas criar e-mails, códigos de segurança e endereços falsos, que supostamente seriam dos clientes. Alguns funcionários chegaram até a falsificar assinaturas.

Sem sombra de dúvida, quase todos sabemos (ainda mais funcionários de banco) que essas práticas são inaceitáveis. No entanto, aparentemente elas se tornaram corriqueiras no Wells Fargo: ao menos 5300 funcionários foram demitidos por envolvimento nesse tipo de atividade, e 3,5 milhões de contas falsas foram abertas. Em uma escala como essa, não se trata de algumas "maçãs podres", indivíduos isolados de moralidade questionável, mas de um problema de "cultura corporativa".

A que nos referimos exatamente quando falamos de "cultura"? Em primeiro lugar, aos incentivos financeiros oferecidos pelo banco para que funcionários vendessem serviços e produtos. No entanto, por sorte, nem todos os funcionários que recebem metas comerciais altas infringem a lei. Para que isso aconteça, para que haja uma "cultura tóxica", é preciso que cada um possa observar ao redor desvios de conduta. Quando muitos colegas respeitáveis adotam práticas anormais e quando a cúpula faz o mesmo (ou prefere fazer vista grossa), a anormalidade se torna a norma. O *groupthink* normaliza os desvios, e a transgressão em que todos se envolvem não é mais única. "Se todos fazem, por que não vou fazer?"

Um pertencimento comum na empresa, a observação de alguns desvios de conduta e a mecânica do pensamento de grupo: esses são os ingredientes de uma deriva coletiva. Quando, além de uma empresa, um setor ou até um sistema econômico divide a mesma identidade e pensa da mesma maneira, a deriva pode assumir a forma de uma bolha especulativa ou de uma crise sistêmica.

Esse breve inventário dos estragos do pensamento de grupo não esgota o assunto, longe disso. No entanto, permite ressaltar a dimensão social de todos os grandes erros.

Os exemplos apresentados também ilustram um fator essencial, mencionado apenas de maneira indireta: o interesse individual dos membros do grupo, que pode diferir do interesse da organização. Esse é o tema do próximo capítulo.

A ARMADILHA DO GRUPO EM TRINTA SEGUNDOS

- O *groupthink* pode levar os participantes mais bem informados a não expor suas dúvidas para seguir a corrente do grupo.
  - ▶ *Kennedy e os membros de seu gabinete ficaram surpresos com a estupidez que demonstraram ao aprovar o desembarque das tropas na baía dos Porcos.*
  - ▶ *Warren Buffett: votar contra na sessão de um conselho é como arrotar alto na mesa.*
- O *groupthink* é **racional para uma pessoa**: de um lado por conta da pressão social, de outro porque é lógico considerar a opinião dos outros.
- Porém, é **catastrófico para um grupo,** que se vê privado de informações "particulares" que seriam úteis.
- O grupo pode também intensificar a opinião da maioria: trata-se da **polarização**, que inclusive acentua a escalada do comprometimento.
- A **homogeneidade**, a presença de uma **cultura comum**, agrava o *groupthink*.
  - ▶ *Desvios éticos: "Se todos fazem, por que não vou fazer?".*

9. "Só não digo isso porque..."
A armadilha do conflito de interesses

> *É difícil fazer um homem compreender algo quando seu salário depende de que não compreenda.*
> Upton Sinclair

A ideia de que as decisões individuais são influenciadas por interesses pessoais não é nova, para dizer o mínimo. Pode até ser a primeira explicação que nos vem à mente quando ouvimos falar de um erro. Os banqueiros que contribuíram para a crise financeira não tinham sido antes influenciados pela estrutura de sua própria remuneração? Os dirigentes que se aventuram em aquisições arriscadas não estão preocupados sobretudo em expandir seu império e virar "capa" das revistas? As lideranças políticas que adiam reformas dolorosas não estão pensando em particular na reeleição?

Claro que a resposta parece óbvia. Adam Smith, ao se referir aos diretores de sociedades por ações, observou o seguinte: "Como os diretores de tais companhias administram mais o dinheiro de outros do que o próprio, não se pode esperar que tenham a vigilância rigorosa e preocupada que sócios costumam ter ao gerir seus próprios fundos".

Em economia, a observação de Smith encontra sua tradução moderna na teoria da agência, ou *modelo principal-agente*, cuja situação típica supõe que um "principal" delegue o poder a um "agente", por exemplo, acionistas a um

CEO, um diretor a funcionários ou eleitores a um eleito. O alinhamento imperfeito dos incentivos e a assimetria de informação entre os agentes e seus dirigentes resultam em decisões imperfeitas do ponto de vista destes. A teoria da agência produziu uma literatura importante sobre a forma ideal de estruturar contratos entre principais e agentes, contribuindo muito na popularização da ideia de que o desempenho dos diretores deve ser medido apenas em termos do valor que criam para os acionistas.

Em suma, tomamos como certeza, e quase como evidência, a ideia de que os indivíduos são otimistas cínicos e colocam seus interesses pessoais acima daqueles das instituições que comandam. O paradoxo dessa explicação universalmente aceita é que ela costuma ser verdadeira e, como veremos, insuficiente.

O INTERESSE DO AGENTE, UMA REALIDADE

Vamos analisar primeiro por que essa explicação costuma ser verdadeira. Inúmeros estudos destacaram, no mundo dos negócios, a pertinência do modelo principal-agente. Pesquisas empíricas mostraram, por exemplo, ligações claríssimas entre as escolhas estratégicas dos diretores de empresas e seus interesses pessoais. Em particular, as motivações dos diretores (incentivos financeiros, mas também psicológicos) podem levá-los a aumentar o tamanho da empresa, se necessário em detrimento de sua rentabilidade e, portanto, da criação de valor para os acionistas. Esse fenômeno, chamado de *empire building*, sem dúvida contribui para o problema das aquisições superfaturadas, como a da Snapple pela Quaker.

Conflitos de interesse são também evidentes dentro do quadro de diretores de uma empresa. Por um lado, é comum que um diretor seja incentivado financeiramente a otimizar os resultados de sua divisão ou de sua atividade em vez dos resultados da empresa como um todo. Por outro, mesmo sem incentivo financeiro direto, os gestores costumam agir, e de maneira bastante consciente, para beneficiar sua divisão ou seu departamento. Em algumas culturas corporativas, esse tipo de comportamento é muito encorajado: posicionar-se em defesa da unidade que se lidera é visto como um sinal de comprometimento, convicção e liderança.

Os jogos políticos desempenham um papel determinante em muitos dos erros mencionados até aqui, em particular no problema da tomada de riscos abordada no capítulo 6. Vimos que os diretores que poderiam propor investimentos de risco à sua cúpula raramente fazem isso, e que o resultado é um nível irracional de aversão à perda. Uma das explicações para esse comportamento é que a "perda" não é igual para a empresa e para a pessoa que recomenda um investimento arriscado. No âmbito individual, a questão do que a empresa pode perder é secundária ao risco de entrar em uma enrascada em caso de fracasso do projeto. Qual seria o impacto do resultado em sua credibilidade, em seu prestígio, em sua carreira? A empresa talvez tenha outros projetos. Já o diretor tem apenas uma reputação, que ele põe em jogo, como um todo.

Por fim, a lógica principal-agente explica diversos desvios de comportamento. Vimos no exemplo da Wells Fargo que os incentivos financeiros oferecidos aos gestores de conta para multiplicar a venda de produtos a cada cliente estavam na origem do escândalo. Outras infrações parecem ter relação direta com a presença de incentivos financeiros. Alguns estudos sugerem, por exemplo, que diretores com *stock options* podem passar pela tentação de "inflar" de maneira artificial seus resultados para manipular para cima o valor dos papéis, ao passo que, de maneira inversa, um resultado trimestral decepcionante pouco antes da opção de compra de *stock options* oferece uma boa oportunidade para baixar a sua cotação.

OS LIMITES DO CINISMO

Pouquíssimas pessoas ficam surpresas com essas observações. Ninguém parece acreditar que diretores e quadros corporativos coloquem, de modo geral, o interesse da empresa acima dos seus.

Essa ideia parece tão recorrente que inspira diversas práticas corporativas universalmente aceitas. Para começar, orienta esforços incessantes para otimizar os sistemas de gestão do desempenho e da remuneração de modo a fazer com que os interesses dos indivíduos e os da empresa coincidam. O alinhamento dos incentivos financeiros costuma ser (e com razão) considerado um pré--requisito essencial para construir uma organização eficiente.

Porém, acima de tudo, o modelo do superior como agente racional condiciona a maneira como um diretor analisa as sugestões e as opiniões de seus colaboradores. É fácil reconhecer o jogo de interesses pessoais: quando defendemos nosso projeto ou nossa equipe, quando pregamos para nossa paróquia e não para toda a cidade, ninguém se deixa enganar. Por isso, todos os diretores integraram à sua prática diária a necessidade de se perguntar quais são os objetivos de seus interlocutores. Entre os mais experientes, essa precaução se tornou uma segunda natureza.

Em suma, costumamos pensar que os conflitos de interesse são um problema relativamente simples de administrar, desde que tenhamos consciência dos interesses de todos. Como em uma empresa o diretor que escuta os membros de sua equipe conhece suas motivações, ele se considera capaz de decifrar os possíveis jogos políticos.

No entanto, essa visão do superior como agente econômico racional, até cínico, esbarra em algumas objeções sérias. A principal é empírica: diversos estudos em economia experimental apontaram que os indivíduos nem sempre agem por interesse pessoal. O axioma de que seriam movidos apenas pela busca do lucro pessoal não é, portanto, confirmado pelos fatos.

O contraexemplo mais marcante é o "jogo do ultimato", em que dois participantes (aleatoriamente escolhidos para um dos dois papéis) devem dividir uma soma de dinheiro. O primeiro sugere uma divisão, que o segundo pode aceitar, recebendo a parte atribuída, ou recusar. Nesse caso, nenhum dos jogadores ganha nada.

A hipótese de um *homo economicus* maximizando o lucro pessoal deveria levar o primeiro jogador, que oferece a divisão, a propor uma partilha leonina. Já o segundo participante deveria aceitar em todos os cenários: mesmo que a soma atribuída fosse ínfima, seria sempre maior que zero. Porém, não é o que acontece. De modo geral, a maioria dos jogadores oferece uma divisão relativamente justa. No entanto, quando oferecem — de acordo com o modelo racional — uma divisão muito desigual para benefício próprio, a maioria dos participantes recusa a proposta. Agindo assim, não hesitam em se privar de um ganho para "punir" quem deseja obter um lucro maior para si. Esses resultados foram replicados inúmeras vezes, inclusive em países com baixos padrões de vida, em que os valores envolvidos poderiam representar três meses da renda dos participantes.

O jogo do ultimato (assim como, por sorte, muitas observações que podemos fazer todos os dias) parece levar uma mensagem reconfortante sobre a natureza humana: não, nem sempre nos comportamos apenas de acordo com nossos interesses financeiros imediatos! Outras considerações, como a preferência pela justiça e pela igualdade, ou pela preservação de uma reputação, influenciam nosso comportamento. Claro que esses fatores pesam ainda mais no contexto de uma organização do que em um jogo envolvendo participantes que não se conhecem nem voltarão a se ver. Dessa maneira, é muito simplista supor que todos os diretores se comportem, o tempo todo e em todas as decisões, de modo a atingir os próprios objetivos pessoais.

A ETICALIDADE LIMITADA E O "VIÉS EM BENEFÍCIO PRÓPRIO"

Como acabamos de ver, os incentivos financeiros nem sempre são determinantes. Ainda assim, embora não sejam nossa única motivação, não devemos minimizar a sua importância. Pelo contrário, inúmeros estudos recentes sugerem que os incentivos financeiros nos influenciam *muito mais do que imaginamos*. Mesmo que não condicionem todo nosso comportamento, não podemos escapar de sua influência.

Além disso, o mecanismo de atuação desses incentivos parece diferente do que costumamos imaginar. Ao observar que os agentes privilegiam os interesses próprios, subentendemos que fazem isso de propósito. Acontece que diversos pesquisadores consideram, baseados em seus experimentos, que muitas vezes somos *incapazes* de escapar da influência dos incentivos financeiros, *mesmo quando pretendemos fazer isso de verdade*.

Esse problema se manifesta com clareza em profissionais que supostamente deveriam colocar o interesse dos clientes à frente dos próprios (e que acreditam de verdade que fazem isso). Advogados, por exemplo, têm o dever de aconselhar: no entanto, quando remunerados "por resultado", costumam recomendar a seus clientes que façam um acordo rápido com a outra parte, ao passo que, quando remunerados por hora, são mais propensos a ir a julgamento. O mesmo vale para médicos, que acreditam que recomendam o tratamento mais apropriado para seus pacientes. No entanto, quando a renda depende do número de operações realizadas, é mais provável que eles recomendem a cirurgia do que um tratamento. Já os auditores das grandes empresas dos Estados Unidos chegam a conclusões muito diferentes quando o mesmo relatório apresentado está vinculado a uma empresa que é cliente ou não: claro que as contas da empresa "cliente" são consideradas com mais frequência em conformidade.

Os mesmos fenômenos podem ser verificados nas arbitragens dos diretores das empresas. Em um contexto de tomada de decisão estratégica, um executivo pode estar genuinamente convencido (e não *fingir* estar) de que sua divisão, direção, projeto etc. merecem uma alocação significativa de recursos. Além disso, mesmo sem incentivos financeiros diretos, os laços emocionais (com pessoas, marcas, lugares etc.) também podem pesar nas decisões.

Tais comportamentos não estão relacionados com uma otimização consciente, por um agente racional, de suas rendas. Salvo em caso de exceção, nada sugere que os auditores falsifiquem de propósito as contas para agradar os clientes. O problema é que são, na maioria das vezes, sinceros. Bazerman e Moore cunharam o termo "eticalidade limitada", por analogia com a racionalidade limitada, para descrever "os processos psicológicos que levam os indivíduos a comportamentos eticamente questionáveis, em conflito com seus próprios princípios". Outros autores se referem a esse comportamento como viés de autoconveniência para enfatizar o caráter involuntário.

Claro que os cínicos podem duvidar disso. Como podemos saber que pessoas cometem de boa-fé erros que "por acaso" favorecem os seus interesses? Como podemos saber que não estão mentindo com plena consciência? No mínimo, não lhes falta a mais básica honestidade intelectual?

A resposta está nos mecanismos do nosso julgamento. Ficamos convencidos com facilidade de posicionamentos que nos favoreçam porque nossos vieses sugerem interpretações convenientes da realidade para nós.

O primeiro entre eles é sem dúvida o viés de confirmação, descrito no capítulo 1. Nosso interesse — aliás, ligado à nossa experiência — sugere com muita frequência uma hipótese inicial que nos é favorável. A partir dessa sugestão, vamos utilizar de maneira inconsciente todo nosso julgamento crítico para refutar indícios que contradigam a hipótese e aceitar sem contestação aqueles que a confirmam. Como não temos conhecimento dessa distorção, estamos convencidos de que examinamos os fatos de modo imparcial.

Outro viés que afeta nosso julgamento moral envolve as mediações entre ação e omissão. Fazer vista grossa para um ato repreensível nos parece menos condenável do que cometê-lo, mesmo que sejamos beneficiados por isso. Um estudo recente aponta essa discrepância: a maioria das pessoas condena quando um laboratório farmacêutico aumenta consideravelmente o preço de um medicamento, mas acha aceitável que o laboratório venda a patente para outra empresa, mesmo que esta (para justificar o valor de compra) estabeleça o preço do medicamento ainda mais alto.

O mesmo mecanismo pode ser usado para imaginar como diversos participantes de uma decisão podem permitir que um entre eles cometa um erro estratégico, contanto que seja de seu interesse: eles não teriam errado, mas contribuir por omissão para o erro não é moralmente insuportável. Dessa maneira, é raríssimo ver um membro de diretoria se demitir para marcar o posicionamento contrário a uma decisão estratégica.

Poderíamos citar uma série de exemplos de vieses que afetam, sempre em benefício próprio, nossa interpretação da realidade. Sempre que surgir alguma ambiguidade no julgamento (aliás, não é essa a particularidade de uma decisão difícil?), construiremos um raciocínio seletivo o suficiente para ir ao encontro dos nossos interesses, mas ainda assim bastante plausível para que, aos olhos dos outros e aos nossos próprios, não estejamos distorcendo os fatos de propósito. Dan Ariely resume esse comportamento em uma frase memorável: "Trapaceamos dentro do limite em que podemos conservar aos nossos próprios olhos a imagem de alguém razoavelmente honesto".

Essa "sinceridade", essa boa-fé no viés de interesse foi confirmada por um experimento recente, em que os participantes deveriam julgar a qualidade de pinturas contemporâneas expostas em duas galerias de arte. Antes de começar, os participantes ficam sabendo que o experimento foi financiado por uma dessas galerias. O resultado aponta que eles claramente preferem os quadros (identificados como tal) da galeria que patrocinou o estudo. Embora o "interesse" em jogo seja ínfimo (afinal, trata-se apenas de um favor feito para o autor do experimento, não para quem participa), o julgamento dos participantes parece ser influenciado por uma forma de viés de interesse.

Seria um ato de educação ou até de hipocrisia? De modo algum. Para se certificar disso, os pesquisadores do estudo não mediram esforços: eles colocaram os participantes, no momento do julgamento estético, em um scanner de ressonância magnética. Dessa maneira, puderam constatar que as áreas do cérebro associadas ao prazer eram de fato mais ativas quando as pinturas da galeria "financiadora" eram apresentadas. A observação sugere que os participantes *realmente* apreciaram mais as pinturas dessa galeria.

PARA UM MAU DIAGNÓSTICO, O REMÉDIO ERRADO

Por que é indispensável entender que quem toma uma decisão baseada em seu próprio interesse age com honestidade, e que os *vieses de interesse* não são *cálculos premeditados*? Por uma razão essencial: entender mal o mecanismo dos vieses de interesse leva a julgar mal as pessoas e a tomar medidas erradas para evitar seus efeitos.

Em primeiro lugar, a maneira como olhamos alguém sujeito a um conflito de interesses muda de forma radical, quer consideremos a decisão consciente ou não. Se pensarmos que o advogado, o médico ou o auditor de nossos exemplos *mentem*, se consideramos que mudam suas decisões de propósito para maximizar seus lucros, naturalmente eles serão condenáveis. Como não nos imaginamos nem por um segundo capazes de tamanha torpeza, estamos convencidos de que no mesmo contexto seríamos capazes de resistir a essa tentação.

Um exemplo desse tipo de raciocínio foi apresentado em 2004 por Antonin Scalia, que até o seu falecimento em 2016 era um dos nove juízes da Suprema Corte dos Estados Unidos. Scalia deveria decidir se estava ou não impedido de julgar um processo envolvendo o vice-presidente Dick Cheney. O juiz tinha uma relação boa o suficiente com Cheney para, três semanas antes, ter ido caçar patos em sua propriedade. Scalia não se julgou impedido e escreveu nada menos do que 21 páginas para se justificar.

Como a maioria de nós, Scalia se imaginava capaz de desconsiderar laços de amizade ou de interesse em seus julgamentos, como escreveu: "Se é possível acreditar de modo racional que um juiz da Suprema Corte pode ser comprado com tanta facilidade, este país tem mais problemas do que eu imaginava".

De uma forma ou de outra, quem se encontra em um conflito de interesses muitas vezes expressa com revolta a mesma objeção: "Não estou à venda!". Muitos médicos se sentem ofendidos quando acreditamos que podem ser influenciados pelos modestos presentes dos representantes de laboratórios. Diversos pesquisadores acreditam com sinceridade que seus resultados científicos não são em nada influenciados pelos financiamentos de pesquisa.

"Em sua maioria, esses profissionais reconhecem, em tese, a existência de um conflito de interesses, mas se consideram individualmente capazes de abstraí--lo", registram Bazerman e Moore.

Porém, a compreensão do mecanismo dos vieses de interesse leva a uma leitura muito diferente. Se não somos capazes de abstrair nossos interesses, mesmo que façamos todos os esforços, os julgamentos enviesados são inevitáveis. Não podemos ter certeza de que Scalia (que votou, como a maioria da Corte, a favor de Cheney) teria dado um voto diferente para outro réu, mas podemos supor que sim. Propor que ele se considere impedido não é sugerir que ele possa se corromper por tão pouco, mas que seu julgamento está prejudicado. Ele não é o culpado hipotético, mas a vítima hipotética, de modo que deveria ser o primeiro a querer sair dessa situação.

Além disso, subestimar o poder dos vieses de interesse leva a uma prescrição ineficaz e até contraproducente para prevenir conflitos de interesse: o princípio de transparência. Por isso, medidas de *disclosure* [divulgação] foram impostas por diversos países a uma série de profissionais. Por exemplo, os analistas financeiros devem, em suas notas, revelar as posições que assumem sobre as ações que cobrem. Os médicos devem divulgar seus contratos com a indústria farmacêutica. Os parlamentares devem revelar suas fontes de renda. Os pesquisadores devem listar seus financiamentos.

Ainda assim, essas medidas de transparência têm dois gumes. Embora talvez possam dissuadir uma minoria mal-intencionada de mentir de forma deliberada em interesse próprio, não podem mudar o comportamento de quem é honesto e está convencido de que não é em nada influenciável.

Para piorar a situação, alguns estudos sugerem que esse tipo de *disclosure*, em vez de diminuir, aumenta a força dos conflitos de interesse: como "liberados" pela revelação de seu conflito de interesse, os participantes das pesquisas estavam menos atentos à necessidade de permanecer objetivos.

Como no caso dos vieses de grupo, estamos muito inclinados a enxergar os vieses de interesse como fraquezas morais, a considerá-los como intencionais. No entanto, sua nocividade é fruto de sua natureza inconsciente. Assim como o viés de grupo não é (ou nem sempre é) a covardia de alguém que por cálculo adere à opinião da maioria, o viés de interesse não é (ou nem sempre é) mentira, cálculo ou trapaça. Por isso, não basta ter consciência desses vieses para que os problemas por eles levantados desapareçam.

A ARMADILHA DO CONFLITO DE INTERESSE EM TRINTA SEGUNDOS

- Os "agentes" agem em interesse próprio, em detrimento dos dirigentes (**modelo principal-agente**).
  - ▶ *Diretores-acionistas, eleitos-eleitores etc.*
- Os **jogos políticos** nas organizações são tão evidentes que imaginamos que somos capazes de decifrar com facilidade as motivações individuais.
- Além desses efeitos supostamente conscientes e intencionais, somos influenciados **sem ter consciência** por nossos interesses.
  - ▶ *Advogados, médicos e auditores são influenciados por sua remuneração*
- Esses **vieses de autoconveniência** desencadeiam uma "**eticalidade limitada**" que afeta nosso julgamento ético.
  - ▶ *"A grande maioria das violações éticas acontece sem qualquer intenção consciente de faltar ao dever por parte dos autores" (Bazerman & Moore).*
  - ▶ *"Trapaceamos dentro do limite em que podemos conservar aos nossos próprios olhos a imagem de alguém razoavelmente honesto" (Ariely).*
- Por isso, é essencial **evitar as situações de conflito de interesses**, mesmo quando nos imaginamos acima de qualquer suspeita.
  - ▶ *O juiz Scalia: "Não estou à venda".*
- **Revelar os conflitos de interesse não é suficiente** para fazê-los desaparecer e pode até agravá-los.

Parte II

Decidir como decidir

10. Humano, demasiado humano
Os vieses cognitivos são a causa de todos os nossos males?

> *Encontramos o inimigo: somos nós.*
> Walt Kelly

A primeira parte deste livro abordou "armadilhas", erros cometidos com frequência pelas organizações. Sugerimos uma conexão entre essas armadilhas e uma série de vieses cognitivos, fontes de desvios entre a realidade de nossas escolhas e o ideal da decisão racional.

O objetivo desta segunda etapa é estabelecer as bases para um processo de tomada de decisão que considere a existência desses vieses. Porém, antes, recapitularemos os diferentes vieses encontrados nos exemplos já mencionados.

UMA CARTOGRAFIA PRÁTICA DOS VIESES

Categorizar os vieses pode ser um exercício bastante recreativo. Muitos autores já tentaram, cada um propondo sua própria classificação. Chip e Dan Heath reuniram as combinações de vieses, em *Gente que resolve: Como fazer as melhores escolhas em qualquer momento da sua vida*, em torno dos "quatro inimigos da tomada de decisões". Sydney Finkelstein, Jo Whitehead e Andrew Campbell identificam quatro categorias de vieses. Kahneman e Tversky, em seu artigo pioneiro de 1974, citam doze vieses. Bazerman e Moore também mencionam doze (diferentes dos anteriores). Outros preferem a exaustão: o autor suíço Rolf Dobelli lista nada menos que 99 vieses, incluindo de passagem um grande número de erros de raciocínio de todos os tipos, ao passo que a "lista de vieses cognitivos" da Wikipédia em francês passa de duzentos.*

Como podemos ver, a classificação dos vieses está longe de ser uma ciência exata. A taxonomia sugerida neste livro é deliberadamente simplificada, com três objetivos. O primeiro, facilitar a memorização e o reconhecimento dos problemas: o que fazer com uma lista de 99 vieses? O segundo, focar nos vieses que afetam nossas decisões estratégicas, deixando de lado fontes de erro conhecidas, mas menos relevantes em um contexto organizacional. O terceiro, tornar visíveis as interações entre os vieses, um ponto essencial que abordaremos em breve.

O diagrama a seguir resume essa taxonomia em cinco grandes "famílias", com uma lista não exaustiva de vieses em cada uma delas.**

A primeira, onde tudo começa, é a família dos *vieses de modelo mental*. O viés de confirmação é o principal da lista, mas também incluímos seus "primos", o *storytelling* ou viés de experiência. O erro de atribuição, o efeito de halo, o viés retrospectivo e o viés de sobrevivência seguem a mesma lógica: sugerem explicações simples demais para problemas complexos.

Os vieses de modelo mental são tão importantes porque estão na origem das hipóteses que pautam o início de qualquer raciocínio. Dedicamos os três primeiros capítulos a eles, e nenhuma das armadilhas mencionadas nos capítulos seguintes existiria sem eles. Por exemplo, por mais que o viés dominante na desastrosa ofensiva da Procter & Gamble contra a Clorox seja uma forma de excesso de confiança, é fácil imaginar que os defensores do plano, para reforçar a ideia, tenham usado diversas analogias com os sucessos da P&G em outros mercados aparentemente comparáveis. Sem essas comparações tranquilizadoras, mas enganosas, talvez o erro tivesse sido evitado.

---

* Poderíamos acrescentar a esse inventário as tipologias que classificam, em vez dos próprios vieses, os mecanismos de ação que eles oferecem sobre os comportamentos. As listas dos mecanismos desenvolvidas pelo Behavioral Insights Team britânico (ou "*nudge unit*"), e resumidas pelas siglas Mindspace e East, são particularmente relevantes.

** Encontraremos uma definição de cada viés, com a remissão ao respectivo capítulo, no Anexo 1.

CINCO FAMÍLIAS DE VIESES

VIESES DE MODELO MENTAL
- Viés de confirmação; storytelling
- Viés de experiência
- Erro de atribuição; viés do vencedor
- Viés retrospectivo
- Efeito de halo
- Viés de sobrevivência

VIESES DE INÉRCIA
- Viés de ancoragem
- Inércia na alocação de recursos
- Viés do status quo
- Escalada do comprometimento; viés dos *sunk costs*
- Aversão à perda
- Aversão exagerada ao risco
- Aversão à incerteza

VIESES DE AÇÃO
- Excesso de autoconfiança, absoluta e relativa
- Viés de planejamento; excesso de otimismo
- Excesso de precisão
- Subestimação dos concorrentes

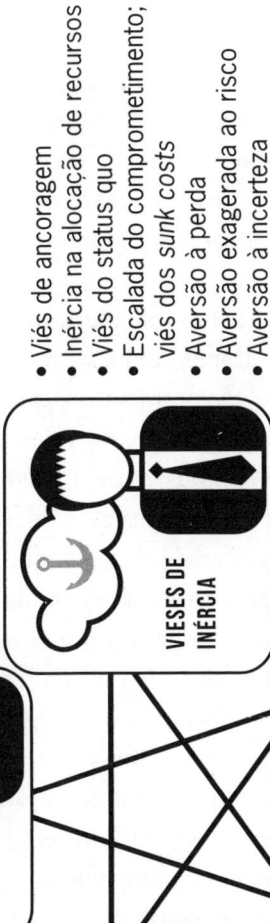

VIESES DE INTERESSE
- Viés de autoconveniência
- Viés do presente
- Julgamento diferencial ação-omissão

VIESES DE GRUPO
- *Groupthink*
- Polarização
- Efeitos cascata

As duas famílias de vieses seguintes atuam como forças opostas. A primeira é a dos *vieses de ação*: excesso de otimismo, confiança em nossas previsões e fé em nossa intuição, ou ainda a subestimação dos concorrentes. De modo geral, todos esses vieses nos incentivam a fazer o que não deveria ser feito. A outra família reúne os *vieses de inércia*, que nos dissuadem de agir quando deveríamos: viés de ancoragem, viés do status quo, aversão à perda ou à incerteza.

Ainda assim, a oposição entre os vieses de ação e de inércia não impede sua coexistência em uma única síndrome, como constatamos no caso das "previsões ousadas e das escolhas tímidas". Existem muitos outros exemplos dessa aliança paradoxal. Empresas que demoram a reagir a uma ameaça mortal por medo de se "canibalizar", como a Blockbuster ou a Polaroid, sem dúvida cedem a um viés de inércia, mas também a um excesso de otimismo, já que seus dirigentes se convencem, com muita facilidade, de que serão salvos pelos planos de retomada de suas atividades históricas. Além disso, cedem aos vieses dos modelos mentais: Antioco não teria tanta confiança se a sua experiência não lhe trouxesse uma série de lembranças de batalhas fáceis contra pequenos concorrentes aparentemente parecidos com a Netflix. Por esse tipo de combinação, é dificílimo destrinchar os vieses.

Por fim, as duas últimas famílias da tipologia são formadas pelos *vieses de grupo* e pelos *vieses de interesse*, encontrados em tudo. Em ambos os casos dos aviões-petroleiros, por exemplo, observamos que os tomadores de decisão estavam muito motivados pelo chamariz do lucro, e que o sigilo das deliberações tinha favorecido uma espécie de *groupthink* semelhante à do gabinete de Kennedy no episódio da baía dos Porcos. Pouquíssimos erros consideráveis são cometidos quando vão contra os interesses de quem decide, e raros não envolvem um grupo.

TRÊS ERROS FREQUENTES A RESPEITO DOS VIESES COGNITIVOS

Conhecer a existência dos vieses é essencial, e compartilhar uma linguagem para falar sobre eles é valioso. Em *Rápido e devagar: Duas formas de pensar*, Daniel Kahneman chega a fazer da tarefa um de seus principais objetivos pedagógicos: seu objetivo é "enriquecer o vocabulário das pessoas quando discutem escolhas dos outros". No entanto, devemos utilizar essas ferramentas com certa prudência para evitar conclusões precipitadas. Pelo menos três erros de diagnóstico são bastante comuns para merecer atenção.

Primeiro erro: *ver os vieses em tudo*. Nem todo erro tem relação com um viés, nem todo viés leva inevitavelmente a um erro. Em todos os campos, existem insucessos que não têm nenhuma ligação com vieses cognitivos. Algumas más escolhas não passam do fruto da incompetência ou da desatenção por parte de quem decide: um erro de raciocínio não revela necessariamente um viés de modelo mental ou de excesso de confiança. Da mesma forma, os jogos políticos intencionais dentro das organizações, e em particular as escolhas de diretores desonestos ou corruptos, são muito diferentes de vieses de interesse. Por mais tentador que seja para quem conhece os vieses cognitivos ver suas marcas em tudo (um efeito, talvez, do viés de confirmação), devemos ter cuidado para não cometer um erro de diagnóstico.

O segundo erro é uma variação do anterior: *atribuir em retrospecto um resultado indesejável a este ou àquele viés*. O exemplo mais claro desse equívoco é o uso excessivo do viés de excesso de confiança. Como Rosenzweig observou, os mesmos analistas que atribuem invariavelmente um insucesso ao excesso de confiança, e até à insolência dos diretores, correm para elogiar a liderança visionária de executivos para quem a sorte sorriu! Com certeza, essas análises são influenciadas pelo conhecimento do resultado: é raro que suas opiniões sejam tão claras quando as decisões são anunciadas. Em outras palavras, quando buscamos vieses que contribuíram para uma escolha do passado, tendemos a ser vítimas do viés retrospectivo.

Por sinal, devemos destacar como a abordagem adotada neste livro se diferencia dessa imputação retrospectiva. Ao apresentar os vieses cognitivos a partir de casos reais, podemos ter passado a impressão de que estamos caindo na mesma armadilha: quando apresentamos a história de Ron Johnson ou a da Snapple, já sabemos o fim. Logo, é legítimo perguntar por que as lições que tiramos — ou acreditamos tirar — desses exemplos não seriam também ditadas pelo viés retrospectivo. Teríamos a mesma linha de análise a respeito da posição da Procter & Gamble se o lançamento da Vibrant tivesse sido bem-sucedido? Não teríamos nesse caso elogiado a ousadia e o talento de seus diretores? Faríamos a mesma crítica a Polaroid ou a Blockbuster por sua inércia diante da mudança se as duas empresas ainda estivessem prosperando?

Podemos resumir a resposta a essa objeção em uma frase: não analisamos anedotas, e sim escolhemos exemplos. Em sua grande maioria, os casos citados nesta obra não são incomuns (exceto às vezes pela proporção), mas erros típicos, síndromes reconhecíveis com facilidade, representativos de tipos de decisões que costumamos encontrar e de escolhas feitas por muitos líderes nessas situações. Dessa maneira, embora o caso da Snapple possa saltar aos olhos, é relevante para nós, na medida em que uma vasta literatura científica confirma que as aquisições superfaturadas são um problema muito comum. O lançamento da Vibrant não é apenas a história da Procter & Gamble: os projetos que não antecipam a resposta dos concorrentes são uma realidade muito além desse exemplo. A relutância da General Motors em se desvencilhar de Saturn é representativa do comportamento de centenas de multinacionais que insistem em manter vivos negócios condenados a desaparecer.

Devemos sempre fazer essa distinção entre a anedota isolada e o exemplo representativo quando acreditamos detectar a presença de vieses em uma tomada de decisão. Vamos supor que um novo produto não tenha atingido seus objetivos. Seria um sintoma de excesso de otimismo na definição das metas ou um erro isolado cuja causa não tem relação com nenhum viés? Ou devemos nos limitar a concluir que o lançamento de novos produtos é uma atividade arriscada e de maneira inevitável leva a certo número de fracassos? A menos que possamos identificar um erro manifesto, não conseguiremos responder a essa pergunta com base em um caso isolado. A identificação do viés só pode ser estatística: analisando uma amostra de lançamentos de produtos, podemos descobrir se as previsões são otimistas demais de modo sistemático — ou não. Sem dados que permitam essa análise, abdicaremos de dar explicações gerais a um caso específico.

Por fim, o terceiro erro: buscar "o" viés que "explica" um erro. Quando caímos em uma das armadilhas listadas na primeira parte deste livro, nunca estaremos diante de um *único viés*. Como destacamos em nossa tipologia de cinco famílias, os vieses se reforçam entre si.

Dessa maneira, no insucesso de Ron Johnson à frente da JCPenney, constatamos sem dúvida o viés da experiência pessoal. Percebemos também o viés do vencedor, que desorientou o conselho administrativo da empresa, e sem dúvida um erro de atribuição, por parte de quem via a genialidade de Ron Johnson como a única causa do sucesso das Apple Stores. Além disso, podemos mencionar um considerável viés de otimismo: Johnson tinha investido nada menos do que 50 milhões de dólares do próprio bolso na empresa, um sinal concreto da sua confiança, para dizer o mínimo! De mais a mais, ao se desvencilhar dos céticos e se cercar de ex-colegas da Apple, ele também criou as condições para um poderoso viés de grupo dentro de sua equipe. Por fim, é impossível não ver no exemplo uma manifestação da escalada de compromisso: apesar dos resultados imediata e continuamente desastrosos, nem a equipe de gestão nem o conselho administrativo brecaram o desenvolvimento de sua estratégia de transformação radical.

A combinação de diferentes famílias de vieses também pode ser encontrada no exemplo da Snapple e, com mais frequência, no problema das aquisições superfaturadas. Os vieses de modelo mental ficam evidentes na analogia com a Gatorade, ao passo que os vieses de ação levam à superestima de sinergias. É muito provável que o preço pago seja o resultado de uma negociação "ancorada" no preço inicial pedido pelo vendedor: viés de inércia. Alguns membros da diretoria da Quaker ou de seu conselho administrativo provavelmente silenciaram suas dúvidas sob o efeito dos vieses de grupo. Para não mencionar os vieses de interesse, sempre presentes quando mandatários expandem seu império e consolidam sua reputação de conquistadores, ou quando os banqueiros consultados são remunerados com base na transação concluída. As fusões e aquisições são um verdadeiro campo minado de vieses!

Em poucas palavras, nem todos os erros são atribuíveis aos vieses cognitivos. Quando alguns erros parecem ser, devemos ter o cuidado de não tirar lições até verificarmos que não são casos isolados. Além disso, no momento da análise, é importante identificar todos os vieses que contribuíram para o erro, e não apenas o mais imediato.

A TEMPORADA DE CAÇA AOS VIESES ESTÁ ABERTA

Uma vez que identificamos a existência de vieses cognitivos, partindo do pressuposto de que não cometemos os três erros mencionados no diagnóstico, como podemos levá-los em conta em nossas decisões? Podemos evitar cair nas armadilhas que representam? Existem pelo menos duas abordagens que tentam responder a essa pergunta.

A primeira busca nos "reprogramar" para remover nossos vieses, mais ou menos como se não passássemos de um software que só precisa ser atualizado diante da recente descoberta. Desse modo, diversos estudos tentaram corrigir os vieses individuais pelo treinamento individual. Essa abordagem costuma ser conhecida como *debiasing*.

A ideia de combater de frente os vieses abrange sobretudo o *unconscious bias training* [treinamento contra o preconceito inconsciente], uma abordagem amplamente utilizada nos Estados Unidos para combater os vieses sexistas ou racistas. Seu princípio é mostrar, por meio de testes, que os indivíduos são sensíveis a esses vieses, e depois expô-los a diferentes imagens ou modelos para modificar suas associações inconscientes. Um número crescente de grandes empresas dos Estados Unidos vem impondo esse tipo de formação para "desenviesar" seus funcionários.

Podemos duvidar da eficácia do método. Mahzarin Banaji, pesquisadora de Harvard, autoridade na área e mencionada em muitas dessas formações, chegou a afirmar sem rodeios: "Quando eu ficar velha, vou olhar para trás e me perguntar por que não fiz nada para deter tudo isso, pois acredito que esses treinamentos não servem para nada". Abordaremos no próximo capítulo as razões práticas e teóricas que fazem com que esses esforços de "reprogramação" sejam quase sempre infrutíferos.

No oposto da reprogramação, que deseja apagar os vieses, a segunda abordagem consiste em explorá-los. O *nudge* (ou empurrãozinho), mencionado na introdução deste livro, procura utilizar sem receio os vieses dos consumidores ou dos cidadãos para levá-los, sem obrigá-los, a tomar decisões consideradas boas para eles. Em um cenário de transações privadas, a mesma capacidade de identificar os vieses dos outros pode ser usada para nossos próprios interesses: a partir do momento que sabemos a que vieses estão sujeitos nossos parceiros ou nossos concorrentes, devemos ser capazes de reconhecê-los para tirar proveito.

Esse princípio inspira sobretudo os "financistas comportamentais". O próprio Richard Thaler, o "pai" das finanças comportamentais, cofundou um hedge fund, Fuller Thaler, cuja estratégia é explorar as irregularidades dos mercados financeiros provocadas pelos vieses de investidores individuais. Na mesma linha, o "marketing comportamental" procura considerar os vieses dos consumidores para influenciá-los com mais eficiência.

Outro exemplo conhecido de exploração dos vieses vem do companheiro de estrada de Warren Buffet, Charlie Munger, que atribui seu sucesso espetacular à exploração hábil dos vieses de outros investidores. Munger está tão convencido das contribuições da economia comportamental que pergunta, com ironia: "Como é que pode existir outra economia além da comportamental? Se não é comportamental, que diabos poderia ser?".

Ainda assim, a exploração dos vieses dos outros, por mais lucrativa que às vezes possa ser, não soluciona o problema levantado por esta obra. Em todos os exemplos examinados, são os vieses dos *próprios tomadores de decisão* que os levam a escolhas erradas. Conhecer, ou até explorar, os vieses dos outros não teria ajudado em nada os diretores da Elf Aquitaine, da JCPenney ou da Polaroid.

Para evitar cair nas armadilhas dos vieses, devemos melhorar nossas *próprias* decisões considerando nossos *próprios* vieses, e não os dos outros. Além disso, devemos fazer isso no contexto de organizações que às vezes tendem a agravar esses vieses. Desse modo, em primeiro lugar, precisamos reconhecer que, sozinhos, nunca seremos tomadores de decisão "ótimos". Em segundo lugar, devemos colocar em prática métodos que permitam a nossas organizações atenuar nossas próprias deficiências. Para decidir melhor, devemos antes "decidir como decidir".

OS VIESES COGNITIVOS EM TRINTA SEGUNDOS

- Há muitas tipologias possíveis, a deste livro reúne os vieses em **cinco famílias**.
  - ▶ Os **vieses de modelo mental** (sobretudo o viés de confirmação) influenciam nossas hipóteses iniciais.
  - ▶ Os **vieses de ação** (excesso de confiança etc.) nos levam a começar o que não deveríamos, ao passo que os **vieses de inércia** (ancoragem, statu quo etc.) nos levam a pecar por omissão.
  - ▶ Os **vieses de grupo** e os **vieses de interesse** ampliam os erros.

- Ainda assim, **não devemos ver vieses em tudo**: não podemos esquecer fatores como a incompetência, a desatenção, a desonestidade...

- Em particular, é **perigoso "reconhecer" posteriormente** o efeito de um viés em um fracasso já confirmado (risco de viés retrospectivo).
  - ▶ Os exemplos só têm validade porque são representativos e ilustram erros recorrentes.

- Além disso, **os vieses se reforçam entre si**: nenhum erro grave é imputável a um único viés.
  - ▶ No revés de Ron Johnson ou nas aquisições malsucedidas, podemos supor a presença das cinco famílias de vieses.

- **Explorar os vieses** dos outros é possível e muitas vezes rentável, nas não nos ajuda a evitar os nossos próprios.

11. Admitir a derrota na batalha para ganhar a guerra

Podemos superar nossos próprios vieses?

> *Por que olhas o cisco no olho do teu irmão,*
> *e não apercebes a trave que há no teu?*
> Lucas 6,41

Depois de analisar as armadilhas em que muitas vezes caímos e compreender os vieses que nos levam a elas, poderíamos imaginar que estamos armados o suficiente. Não tiramos lições desses fracassos, erros que devemos apenas não repetir? Problema identificado, problema resolvido!

A propósito, muitos autores prometem ajudar os leitores a desenvolver uma autodisciplina para prevenir os próprios vieses. Alguns sugerem que "a melhor maneira de evitar as armadilhas é a conscientização: uma pessoa informada é uma pessoa prevenida". Outros prometem nos ensinar a identificar "bandeiras vermelhas" que indicam um risco de viés. Outro ainda explica sua metodologia infalível: "Para decisões importantes, sejam pessoais ou profissionais, tento ser o mais racional e razoável possível. Busco minha lista de erros e repasso um por um, como um piloto antes da decolagem". Como a lista em questão abrange quase cem erros a serem evitados, a metodologia parece de difícil aplicação no dia a dia.

Ainda mais difícil porque, na prática, a tarefa é impossível. Apesar do que dizem aqueles que prometem fórmulas para nos livrar dos vieses supérfluos, nunca conseguiremos isso, por várias razões.

TOMAR CONSCIÊNCIA DOS VIESES? AH, É?

O primeiro problema é que, como na passagem do cisco e da trave, vemos com facilidade os vieses dos outros, mas não a "trave" de nossos próprios vieses. Para ser mais exato, não estamos cientes dela.

Em tempo, devemos entender bem a diferença entre erro e viés. Todos sabemos o que é um deslize e costumamos ser capazes de não cometer o mesmo erro duas vezes. No entanto, um viés é um erro de que nunca tomamos consciência, nunca vivenciamos. Por exemplo, quando cedemos ao viés de confirmação, não temos consciência de que vamos tentar justificar em vez de tentar invalidar a nossa hipótese: nossa mente é mobilizada pela busca dos elementos racionais que, justamente, vão confirmá-la. Como podemos aprender a superar o obstáculo se em nenhum momento temos a sensação de hesitar?

O viés de excesso de confiança, particularmente fácil de medir, fornece uma ilustração flagrante desse problema. Lembremos o experimento em que mais de 90% dos participantes se incluíam entre os 50% melhores motoristas. Se você tiver a oportunidade, experimente fazer o mesmo teste diante de uma plateia. Quando o auditório responder levantando a mão, todos poderão constatar a superestima do grupo: a proporção de pessoas que se consideram acima da média é bem superior a 50%. Espere alguns minutos, deixe a plateia se recuperar do riso embaraçoso, que invariavelmente vai acontecer, e faça esta simples pergunta: "Quem nesta sala mudou de opinião nos últimos minutos a respeito de suas próprias habilidades ao volante? Quem agora pensa que não é um motorista tão bom quanto imaginava antes deste encontro?". Você poderá observar que ninguém ou quase ninguém levantará o braço! Todos constataram o erro coletivo, mas ninguém tirou nenhuma conclusão individual a partir dele. Cada pessoa pensou, sem hesitar: "Eu não me superestimo. Quem se superestima são os outros!".

Um pesquisador espirituoso levou o contrassenso a ponto de fazer a mesma pergunta ("Você dirige melhor do que a média?") a motoristas que foram hospitalizados depois de um acidente de carro e, na maioria dos casos, considerados responsáveis pela causa do acidente. Resultado: a mesma proporção insistiu em se julgar melhor do que a média, apesar do sinal evidente que deveria ter sido dado pela situação.

Esses exemplos mostram que a prescrição de "tomar cuidado com nossos vieses" não funciona. Mesmo quando temos consciência da existência dos vieses em geral, subestimamos seu efeito sobre nós em específico, o chamado *bias blind spot*, o "viés do ponto cego". Como observa Kahneman, "podemos ser cegos para as evidências e inconscientes de nossa própria cegueira".

A diferença entre erros "normais" e vieses cognitivos é, portanto, fundamental. A propósito, podemos nos perguntar se Daniel Kahneman teria recebido o prêmio Nobel de economia se tivesse apenas se limitado a redescobrir, 2 mil anos depois de Sêneca, que "errar é humano"...

CORRIGIR UM VIÉS, MAS QUAL?

Além da dificuldade de conscientização, existe outro problema: na vida real, ao contrário dos experimentos, os vieses não andam sozinhos. Como mostramos no capítulo anterior, em cada erro, diversos vieses se somam e se reforçam. Mesmo se pudéssemos corrigir um dos vieses, nada garantiria que tomaríamos decisões melhores.

Vamos supor que com o experimento você tenha aprendido que é particularmente propenso ao viés do excesso de confiança. Imaginemos que você tenha desenvolvido uma maneira simples de se lembrar disso a todo momento para poder prestar uma atenção especial. Que ideia carregada de humildade sadia!

Acontece que outros já tiveram essa ideia antes de você. Por exemplo, Bill Bernbach, uma lenda da publicidade e autor da campanha "*Think small*" de 1959 para o Fusca, da Volkswagen. Dizem que Bill Bernbach costumava guardar no bolso do casaco um pequeno cartão com as palavras: "*Maybe he's right*" [Talvez ele esteja certo]. Bernbach não sabia o que era um viés. Ainda assim, tinha uma consciência aguçada para saber que, como todo mundo, poderia estar errado. Considerado um gênio em seu setor, suscetível por isso a esmagar com sua autoestima quem discordasse, ele tinha consciência do perigo do excesso de confiança.

No entanto, ele poderia escapar de todos os vieses cognitivos? Ao levar mais em conta as intervenções dos colegas, não estaria conduzindo sua equipe para a armadilha do *groupthink*? Ao retirar de maneira discreta o cartão "*Maybe he's right*" durante uma reunião, não estaria sucumbindo ao viés do vencedor, ouvindo com mais atenção alguns colegas que outros? A propósito, seu lembrete sugere que sua humildade não ia a ponto de imaginar que pudesse ser refutado por uma mulher.

Em poucas palavras, por mais que às vezes Bernbach pudesse sem dúvida ter se flagrado em excesso de confiança, ele não conseguia identificar, muito menos deter, todos os outros vieses que atrapalhavam seu julgamento. Se ele tivesse escrito em seu cartão "*Maybe I'm wrong*" [Talvez eu esteja errado], ele teria se aproximado da realidade do problema. Mas o que fazer com um lembrete desses? Se tivesse se tornado mais preciso, o lembrete teria perdido sua utilidade. "*Maybe I'm wrong, but how?*" [Talvez eu esteja errado, mas como?].

CORRIGIR OS PRÓPRIOS VIESES. A QUE CUSTO?

Há uma terceira razão para não tentar remover nossos próprios vieses: mesmo que fosse possível, seria uma má ideia! Nossos vieses são a contrapartida de nossas heurísticas, atalhos intuitivos que são uma forma poderosa, rápida e eficiente de tomar a maioria de nossas decisões diárias, com base na nossa experiência e no nosso instinto. Além disso, na grande maioria das nossas decisões, nossas heurísticas dão excelentes resultados.

Quando reconhecemos situações, quando nos servimos de nossa experiência, usamos a heurística de decisão. Felizmente, as analogias que formamos com nossa experiência passada não são *sempre* enganosas. Ser otimista é, na maioria das vezes, uma vantagem a nosso favor. Quando tentamos manter a harmonia necessária dentro de um grupo, mesmo que signifique ceder a alguns vieses sociais, costumamos tomar a decisão certa. O mesmo vale quando defendemos com legitimidade nossas posições (com risco de viés de interesse), quando privilegiamos certa constância em vez de mudanças abruptas de rumo (com risco de viés de inércia), e assim por diante.

Em suma, embora nossas heurísticas possam nos desviar, também nos prestam um enorme serviço. Kahneman e Tversky disseram isso sem rodeios em seu artigo pioneiro de 1974: "*Em geral*, essas heurísticas são muito úteis, mas *algumas vezes* levam a erros graves e sistemáticos" (ênfase nossa). Abrir mão de ferramentas em geral indispensáveis para evitar insucessos algumas vezes problemáticos seria um péssimo negócio.

VIESES INDIVIDUAIS, DECISÕES ORGANIZACIONAIS

O caso parece, portanto, resolvido: não podemos escapar de nossos vieses. Conscientizar-se deles é impossível por definição, neutralizar seus efeitos é ainda mais difícil porque muitos vieses se somam e se reforçam, e querer abrir mão das heurísticas cujos vieses são a contrapartida faria mais mal do que bem.

Essa combinação de razões leva os especialistas no tema a conclusões bastante pessimistas, contrárias às promessas das obras citadas no início deste capítulo. Daniel Kahneman se declara "realmente pouco otimista quanto à capacidade dos indivíduos de se 'desenviesarem'". Dan Ariely, autor de best-sellers sobre a irracionalidade de nossas decisões, resiste à tentação de prometer "livros de receitas" e reconhece: "Sou tão mau tomador de decisões quanto qualquer um sobre quem escrevo". Além disso, se o conhecimento teórico dos vieses e a introspecção pessoal fossem suficientes para melhorar nossas decisões, com certeza estaríamos decidindo melhor. Quarenta anos depois das primeiras pesquisas de Kahneman e Tversky, deveríamos ver um progresso significativo na tomada de decisões, seja no mundo dos negócios ou em outras áreas. Sem dúvida, não é o que acontece.

Porém, a constatação suscita uma dificuldade lógica, na medida em que, embora os erros na tomada de decisões sejam muito comuns, por sorte não são universais. Pois bem, se estamos sempre enviesados e se os vieses provocam erros, por que não erramos *sempre*? Quais são os *outros* determinantes do erro? Veremos que a resposta a essa pergunta não resolve apenas uma dificuldade teórica, como também vai nos colocar no caminho de soluções para tomar decisões melhores.

A distinção essencial que deve ser feita é entre dois níveis de análise, o individual e o organizacional. Os vieses cognitivos que identificamos são, em sua maioria, individuais. Podemos pensar no excesso de confiança, na aversão à perda, no efeito de halo ou no viés de interesse: todos afetam o julgamento e as decisões individuais. Já os vieses de grupo afetam pequenos grupos, como uma diretoria reunida para tomar uma decisão.

Em contrapartida, os erros estratégicos que relatamos envolvem empresas, organizações. Em geral, são organizações que tendem a pagar preços superfaturados em suas aquisições, a não desinvestir cedo o bastante suas filiais deficitárias ou ainda a subavaliar o custo de seus grandes projetos.

Ora, imputar os erros das organizações aos indivíduos que as dirigem não é uma obviedade. Confundir esses dois níveis de análise é inclusive uma simplificação perigosa. As características dos indivíduos não se reproduzem da mesma maneira no nível da organização de que são membros. Todos entendemos que a capacidade de uma organização de fazer escolhas esclarecidas não resulta de maneira automática do QI médio de seus diretores, por exemplo, ou que uma empresa pode contratar muitos indivíduos empreendedores e criativos e ainda assim não trazer muitas inovações de sucesso para o mercado.

Pela mesma linha de raciocínio, devemos ter cautela quando imputamos erros de empresas ou de governos aos vieses individuais. Por mais que saibamos que pessoas cometem erros sistemáticos de julgamento, para explicar como tais erros são transmitidos a organizações, devemos nos voltar para os *mecanismos* pelos quais as escolhas individuais se traduzem em decisões organizacionais. Para evitar os erros nessas organizações, o mais importante é fazer com que esses mecanismos de tomada de decisão corrijam, em vez de tolerar ou ampliar, os vieses individuais.

Como vimos, os pesquisadores que estudam o *debiasing*, a redução dos vieses, confirmam essa análise. Alguns estudos recentes defendem a possibilidade de se tornar, por meio de um treinamento sistemático com ferramentas analíticas apropriadas, menos suscetível a alguns erros de raciocínio. No entanto, em sua maioria, pesquisadores concluíram que os efeitos do treinamento de vieses individuais são limitados e de curta duração. "Mudar quem toma decisões" é difícil, se não impossível. Em compensação, os métodos que focam em "mudar o ambiente" de quem decide, e não o seu raciocínio, costumam dar bons resultados. Essa é a noção do já mencionado "*nudge*", que vai colocar o indivíduo em um ambiente de tomada de decisão mais favorável, e é também a lógica que devemos aplicar para tomar decisões melhores em nossas organizações. Em vez de querer mudar quem toma decisões, precisamos mudar a maneira como as decisões são tomadas.

KENNEDY VERSUS KENNEDY

A primeira condição para realizar essa mudança é óbvia: se quisermos mudar o ambiente de tomada de decisão, de modo que a decisão seja da organização e não apenas da liderança, o líder não pode tomar a decisão sozinho. Nesse ponto reencontramos o *viés do ponto cego*: não estamos conscientes de nossos vieses, mas os outros os enxergam com muita clareza! Dessa maneira, podem nos ajudar a evitar suas armadilhas. Como Daniel Kahneman explicou nas primeiras linhas de seu livro, "é muito mais fácil, além de muito mais prazeroso, reconhecer e identificar os erros dos outros do que os próprios".

Logo, a arte de decidir terá necessariamente uma dimensão coletiva. Diante de uma escolha estratégica, um CEO sensato recorrerá à sua equipe, questionará especialistas, consultará o conselho administrativo e conversará com conselheiros: mesmo que tenha a decisão final, nunca vai tomá-la sozinho. Como indivíduo social, o tomador de decisões sensato entende que precisa dos outros para decidir. Ao reconhecer o perigo representado pelos próprios vieses, ele decidirá melhor. Ao aceitar a derrota na batalha individual, ele ganhará a guerra coletiva.

Ainda assim, embora necessário, o coletivo não é suficiente. Se grupos tomassem naturalmente boas decisões, nenhum dos erros descritos até o momento teria ocorrido. Quando se trata de tomar decisões, grupos são imprevisíveis, para o melhor e o pior.

Um exemplo histórico ilustra de maneira pungente os dois extremos da tomada de decisão coletiva. Vimos no capítulo 8 que a equipe de assessores do presidente Kennedy tomou uma decisão desastrosa durante a operação da baía dos Porcos. No entanto, um ano e meio depois, Kennedy conseguiu administrar outra crise internacional significativa, a dos mísseis cubanos, com tanto sangue-frio e tanta lucidez que ainda hoje o episódio é um caso exemplar para todos os cursos de diplomacia. A diferença entre uma decisão e outra não está na composição da equipe de assessores, que era basicamente a mesma, e sim na metodologia que Kennedy foi capaz de aplicar.

Cabe lembrar que Cuba, depois da ofensiva vergonhosamente abortada da baía dos Porcos, fortaleceu seus laços com a União Soviética. Em 14 de outubro de 1962, os Estados Unidos, que suspeitavam da instalação de mísseis nucleares soviéticos em Cuba, tiveram essa confirmação. Capazes de atingir inúmeras cidades do país, esses mísseis representavam uma ameaça inaceitável para os Estados Unidos.

John F. Kennedy reuniu sem demora um comitê de catorze pessoas, batizado de ExComm, para administrar a situação. Esse comitê buscou caminhos para sair da crise e também ajudou Kennedy na interlocução com o povo, com aliados e com o líder soviético, Nikita Khrushchev.

O que o presidente dos Estados Unidos fez? Em primeiro lugar, ao contrário da crise da baía dos Porcos, Kennedy recusou o leque fechado de opções propostas pelos líderes militares, que desde o primeiro dia consideraram inevitável planejar uma invasão a Cuba. Robert, seu irmão, sugeriu uma abordagem diferente: "Vamos pegar um bando de caras inteligentes, trancá-los em uma sala e não deixá-los sair até que encontrem alternativas". Assim, desde os primeiros dias da crise, o ExComm recusou a escolha binária proposta pelos militares entre não fazer nada e invadir Cuba. O comitê chegou a quatro alternativas intermediárias, incluindo a ideia decisiva de um bloqueio naval.

Em seguida, os membros do ExComm trabalharam juntos de verdade para analisar as diferentes alternativas. Como historiadores da crise registram, nos primeiros dias depois da descoberta dos mísseis, o ExComm se voltou para as alternativas "duras". Aos poucos, o grupo se afastou dessa opção para adotar a ideia do bloqueio. Trazida primeiro por Robert McNamara (secretário de Defesa), a proposta convenceu aos poucos o presidente.

Os debates foram acalorados e às vezes tomavam um rumo inesperado. Quando a alternativa de um ataque aéreo parecia se materializar, George Ball, subsecretário de Estado, refutou a hipótese ao fazer uma analogia contraintuitiva, comparando o raide planejado a Cuba com o ataque surpresa a Pearl Harbor, que atingiu os Estados Unidos vinte anos antes. Ao fazer essa comparação, ele obrigou os colegas a considerar as consequências do ponto de vista do adversário e da opinião pública internacional.

Durante a crise, a maioria dos membros do ExComm, a começar pelo influente Robert Kennedy, aceitou mudar de posicionamento, não apenas pela descoberta de fatos novos (através de contatos secretos com diplomatas soviéticos, por exemplo), como também pela mudança na análise sobre as chances de sucesso e as consequências das diferentes alternativas. Dois dos conselheiros mais próximos de John F. Kennedy foram encarregados do papel de "advogados do diabo", para revelar as fraquezas dos diferentes planos cogitados. Os debates contínuos e muitas vezes acalorados sobre cada um dos planos permitiram encontrar uma saída para a crise.

Se "o sucesso da gestão da crise dos mísseis cubanos foi um trabalho de equipe", isso ocorreu porque a equipe se comportou de maneira diferente daquela (muito semelhante em sua composição) que tinha decidido pelo desembarque na baía dos Porcos. O comitê evitou tomar uma decisão apressada, recusou a escolha binária e criou diversas alternativas. Incentivou a expressão de pontos de vista diferentes e contraditórios sobre as opções e as possíveis combinações. Aceitou que seus membros mudassem de ideia e buscou informações para testar as reações que as diferentes alternativas suscitariam.

Em poucas palavras, o ExComm adotou uma metodologia de trabalho favorável a uma tomada de decisão eficaz. John F. Kennedy entendeu que não basta se cercar de uma equipe de indivíduos brilhantes, essa equipe precisa de uma metodologia.

Os diretores de nossas empresas não precisam tomar decisões sobre possíveis operações nucleares. Felizmente! Ainda assim, no momento de se sentar em volta de uma mesa e tomar uma decisão estratégica, tirariam proveito se seguissem o exemplo de Kennedy: com quem é preciso se cercar para que a força coletiva possa elucidar a decisão? Que metodologia adotar para obter o máximo do coletivo? Fazer a escolha do coletivo e da metodologia é garantir uma decisão melhor.

De resto, é o que fazemos em certas circunstâncias: precisamente aquelas em que não é possível errar.

A IMPOSSIBILIDADE DE SUPERAR OS PRÓPRIOS VIESES EM TRINTA SEGUNDOS

- Tentar se **"desenviesar"** costuma não resultar em nada (apesar das promessas...). Isso acontece por diversas razões:
  - ▶ Os vieses **não são erros comuns: não basta se conscientizar** para corrigi-los.
    - ▶ *Nenhum participante se tornou menos confiante depois de passar por um teste que apontou o excesso de confiança coletivo.*
    - ▶ *Viés do ponto cego: "Podemos ser cegos para as evidências e inconscientes de nossa própria cegueira"* (Kahneman).
  - ▶ Não é fácil saber **contra qual viés lutar.**
  - ▶ **Não seria uma boa ideia eliminar nossos vieses**, mesmo se fosse possível, pois estão associados a heurísticas indispensáveis para nós.
- No entanto, **as organizações podem melhorar a tomada de decisão.**
  - ▶ *"Mudar o ambiente", e não "mudar quem toma decisões".*
- Para isso, precisamos **do coletivo**, para que uns possam corrigir os vieses dos outros.
- Precisamos ainda **da metodologia**, para que o coletivo não se torne *groupthink*.
  - ▶ *Em comparação com a baía dos Porcos, a metodologia de decisão fez a diferença na crise dos mísseis de Cuba.*

12. Quando errar não é permitido
O coletivo e a metodologia

> *Failure is not an option.* [Falhar não é uma opção.]
> Gene Kranz, diretor de voo da missão Apollo 13

Em uma tarde chuvosa, você percorre as ruas escorregadias de uma cidadezinha desconhecida. Sua reunião de negócios foi cancelada no último minuto, e você está condenado a esperar nessa cidadezinha desconhecida até a partida de seu trem. A chuva dobra de intensidade e você, com a pasta debaixo do braço, busca abrigo sob uma marquise. Dentro, ressoa uma campainha: seria uma escola? A resposta é não. Você está na entrada do palácio da Justiça, e a campainha que acabou de ouvir marca o início de uma audiência. Sem nada para fazer, você decide assistir: ao menos terá uma história para contar aos colegas.

Você toma um lugar na grande sala de audiências no começo de um julgamento. O tribunal está julgando um suposto ladrão que, surpreendido pela vítima, teria disparado sua arma. A vítima morreu logo após a chegada da ambulância. Definitivamente, a cidadezinha é sombria, mas apesar de tudo você encontrou uma maneira instrutiva de passar o tempo, se abrigando da chuva que continua batendo nas janelas antigas do tribunal.

De repente, a audiência toma um rumo surpreendente. Em vez do andamento habitual de um julgamento, a qual você estava acostumado por causa de suas longínquas aulas de direito e por sua predileção por séries policiais, o promotor, reconhecível pela toga vermelha, aproxima-se de um projetor e, de seu computador, começa a apresentar uma série de slides ao tribunal, demonstrando a culpa do réu. Perito em PowerPoint, inicia com um slide do local do crime, sugerindo que o álibi do réu não é consistente: ao contrário do que disse em seu depoimento, o réu teve tempo para chegar ao local entre a hora em que foi visto por uma testemunha e a do assassinato. Com serenidade, o promotor continua sua apresentação, desfilando os slides diante de uma plateia atenta: as fotos do local do crime, a arma utilizada, o laudo da perícia, as impressões digitais deixadas pelo réu, o trajeto de fuga do assassino no Google Maps etc. Ao final da apresentação, o promotor exibe um slide de resumo (em tópicos, é claro) e conclui a acusação: o homem sentado no banco dos réus deve ser considerado culpado e condenado à prisão perpétua, sem possibilidade de revisão da pena durante vinte anos.

Encolhido no fundo da sala de audiência, você esqueceu os contratempos da manhã e se funde a esse momento solene: você não sabia que a Justiça tinha se modernizado tanto! Você também está surpreso com a maneira surpreendente da acusação de apresentar os argumentos. Você imagina que a defesa vai proceder da mesma maneira para tentar inocentar o réu. Para seu crescente espanto, não é o caso. Em vez de passar a palavra à defesa, o juiz começa um diálogo com o promotor: "Vossa excelência poderia voltar ao terceiro slide e esclarecer um elemento do 'desdobramento' do crime, cujo alcance não compreendi bem?". O promotor esclarece a questão. "A arma do crime foi devidamente identificada pelos peritos em balística?", pergunta o juiz. "Sem dúvida", responde o promotor, com confiança. O juiz agradece os esclarecimentos do promotor e, sem mais cerimônia, declara a culpa do réu, mandando-o para a prisão por no mínimo os próximos vinte anos.

A JUSTIÇA E A JUSTEZA

Você desperta desse pesadelo em um sobressalto, no conforto da poltrona. O trem rasga a chuva, já distante da estranha cidadezinha. Ao se espreguiçar, você pensa que nenhum julgamento se desenvolve assim. Mesmo nas piores ditaduras, quando oponentes são processados, há um decoro de fachada para transmitir a ilusão de um julgamento justo. Até alguns grupos terroristas montam simulacros sinistros antes de executar os reféns.

Por que então não ficamos chocados quando nossas empresas tomam decisões estratégicas da mesma forma que o tribunal desse processo imaginário?

Sim, porque o andamento desse processo é semelhante à revisão de uma proposta de investimento, de um projeto de reorganização ou de um plano de lançamento de produto por parte da diretoria de uma empresa. Um gerente que estudou o projeto, e que não esconde que é a favor dele, defende a proposta diante de um diretor escolhido para se pronunciar. Os demais participantes podem contribuir com perguntas ou opiniões, mas não são obrigados e costumam se abster. No final da apresentação, quem decide faz sozinho as vezes de advogado e juiz: ele "sabatina" as recomendações apresentadas e, uma vez que formula sua convicção, decide de uma forma ou de outra.

Quem considera a comparação desconfortável pode objetar que se trata de uma simplificação. Decisões corporativas não são decisões judiciais! Não são tomadas "em nome do povo". Devem ser ágeis, diferente da conhecida lentidão da Justiça. As implicações não são necessariamente tão graves como as de nosso julgamento imaginário. Além disso, diretores em tese têm competência e estão ali para tomar decisões: não é normal confiar neles?

No entanto, se refletirmos bem, essas diferenças bem reais não servem de justificativa para a espantosa variante de metodologia ilustrada por nosso "pesadelo". O que é decidido em um tribunal em nome do povo é decidido em uma empresa em nome das partes interessadas: estas também teriam o direito de exigir certa qualidade na metodologia de decisão. O argumento da urgência faz pouco sentido: por mais que a urgência possa ser maior ou menor, tanto nas empresas como nos tribunais, se a Justiça é lenta não é por dar tempo à palavra da defesa. A importância das implicações também não é uma explicação satisfatória, pois a exigência de um processo justo não desaparece quando o delito é menor. Por fim, a competência de quem decide não muda em nada o caso: exigir que magistrados sigam regras processuais não sugere de modo algum que seu julgamento seja posto em dúvida.

Na verdade, essa diferença de abordagem entre escolhas estratégicas e decisões judiciais está ligada sobretudo à história. A maneira como o rei Luís IX fazia justiça sob um carvalho era semelhante ao nosso julgamento imaginário: os querelantes do século XIII apresentavam seu caso (claro que sem recorrer ao PowerPoint), e o rei, sábio e onisciente, decidia. Nossa Justiça não segue mais esse modelo porque seus limites logo se tornaram insuportáveis. Sem esperar que a psicologia comportamental provasse, os observadores da Justiça perceberam que um juiz, como qualquer ser humano, está sujeito às emoções e aos prejulgamentos, pode ter laços pessoais com uma das partes, pode ser influenciado por uma exposição enganosa dos fatos... Sejam lá quais forem suas qualidades pessoais, muitos fatores podem levá-lo a tomar uma má decisão, uma decisão injusta! Nossos sistemas judiciários democráticos evoluíram para minimizar esses riscos (sem aboli-los por completo). As regras de um processo justo servem como apoio.

Porém, no caso das organizações, essa evolução não aconteceu, ou aconteceu apenas de maneira parcial e pontual (por exemplo, na evolução das regras para a prevenção dos conflitos de interesse). Ao contrário dos cidadãos, que buscam justiça, os acionistas e os administradores de nossas empresas provavelmente não perceberam a importância da justeza das decisões. Nossa maneira de tomar decisões estratégicas permaneceu próxima à de Luís IX sob seu carvalho.

Devemos insistir outra vez em um ponto: fazer essa observação não é questionar o talento dos diretores, muito menos sua probidade. Como mostramos nos capítulos anteriores, estamos sujeitos a vieses de que não temos consciência, e que não podemos corrigir por conta própria, apesar de nossas qualidades ou de nossa integridade. Por certo, existem diretores bastante perspicazes para sucumbir com menos frequência do que outros aos vieses de modelo mental. Já outros serão bastante humildes e prudentes para não ceder a seus vieses de otimismo. Alguns terão a coragem de superar os vieses de inércia de sua organização ou demonstrarão independência mental suficiente para se libertar dos vieses de grupo. Por fim, alguns terão integridade suficiente para não ser afetados pelos vieses de interesse.

Eis uma bela lista de virtudes para um gestor! Porém, não podemos esperar que *todos* os nossos líderes sejam dotados de *todas* essas virtudes para escapar de *todos* os seus vieses em *todas* as suas decisões. Como na organização da Justiça, em matéria de gestão o valor individual não basta. Devemos adotar um sistema mais apropriado de tomada de decisão, em que o indivíduo se baseia no coletivo, e a virtude, na metodologia.

QUANDO ERRAR NÃO É PERMITIDO

É impressionante constatar como encontramos o coletivo e a metodologia não apenas na decisão judicial, mas em muitas situações em que errar não é permitido. Quando acreditamos, como os astronautas da Apollo 13, que "o fracasso não é uma opção", contamos sem dúvida com indivíduos talentosos — mas também com uma equipe e um sistema.

O astronauta francês Jean-François Clervoy, tripulante de três viagens espaciais, sabe o que é uma situação em que errar não é permitido. A conquista do espaço é uma atividade de alto risco: "Todos os riscos são calculados, e um astronauta sabe que a possibilidade de não voltar é uma entre cem ou duzentos". Catorze astronautas a bordo de naves dos Estados Unidos e quatro cosmonautas russos perderam a vida desde o início da conquista do espaço.

No entanto, nenhum desses acidentes ocorreu na fase orbital. O único que aconteceu fora da atmosfera foi aquele que custou a vida de três astronautas russos, em 1971, mas já na fase de pré-reentrada. Todos os demais foram durante as fases de decolagem e de reentrada na atmosfera, por razões não relacionadas ao comportamento dos astronautas, que, a propósito, conseguiram lidar com diversas crises graves, sendo a da Apollo 13 apenas a mais conhecida. Entre os incidentes que os cosmonautas conseguiram controlar estão espirais descontroladas, uma cápsula atingida por um raio, módulos que não se separaram, vazamentos de gás tóxico, um incêndio a bordo e inúmeras panes no motor.

Como essas panes consideráveis, em um ambiente incrivelmente hostil, não resultaram em um balanço ainda mais trágico? Em primeiro lugar, porque o próprio equipamento foi projetado para reduzir os riscos. "Assim que a nave é projetada, nós nos prevenimos de todas as falhas muito prováveis ou muito catastróficas", explica Jean-François Clervoy. Em segundo, porque os astronautas são treinados para tomar as decisões corretas nas situações mais complexas e mais inesperadas: "Passamos 70% do tempo do treinamento, feito em simuladores de alta fidelidade, praticando para enfrentar todas as situações possíveis, com instrutores que cogitam combinações de todos os tipos de panes, umas mais complexas que outras, para tentar nos pegar de surpresa".

Em terceiro lugar, e mais importante ainda, os exploradores do espaço confiam em uma metodologia rigorosamente codificada. Como Jean-François Clervoy conta: "Existem três situações extremas: incêndio, perda de estanqueidade e exposição a produtos tóxicos. Para essas emergências existem procedimentos básicos em todas as embarcações terrestres e espaciais. Diante de uma situação dessas, ou de qualquer outro incidente no espaço, há uma checklist seguida à risca. No ônibus espacial, essa documentação, na época em papel, pesava dezenas de quilos! Improvisar estava fora de cogitação".

Como sabemos, o posto de astronauta é preenchido pela elite de homens e mulheres, selecionados entre milhares de candidatos. Depois de passar por um extenso treinamento em condições extremas, adquirem, nas palavras de Clervoy, "um conhecimento perfeito da nave, que não deixa brecha para o desconhecido". Ainda assim, diante de uma pane, vão recorrer antes de tudo a uma metodologia. Uma bela lição de humildade para nós, que adoraríamos poder ter confiança total em nossa inspiração!

Resolvida a questão da metodologia, vamos à da equipe. Jean-François Clervoy conta que, mesmo que cada astronauta esteja perfeitamente treinado, é importantíssimo que todos dividam suas dúvidas e que os tripulantes possam conversar entre si de maneira aberta. Todos devem admitir seus erros ou suas hesitações. Já passou o tempo em que a Nasa privilegiava uma cultura de "cowboys orgulhosos", retratada em *Os eleitos*, em que o erro era considerado vergonhoso e devia ser escondido. Hoje os astronautas são incentivados a contar erros que possam ter cometido e ficam agradecidos. São indagados para que lições possam ser tiradas para o treinamento das tripulações seguintes ou para a melhoria das checklists. A metodologia, e não a improvisação, e o coletivo, mais que o indivíduo, permitem aos astronautas tomar as decisões corretas.

Não apenas no espaço o erro não é permitido. Vamos nos aproximar do solo e olhar para os aviões e seus pilotos, que também tiveram sua cota de desastres "evitáveis".

Uma dessas catástrofes teve consequências que marcaram a história da aviação civil. Em 1978, o voo 173 da United Airlines passou por uma falha no trem de pouso, nas proximidades de Portland. O comandante iniciou o procedimento de espera, sobrevoando o aeroporto para encontrar a origem do problema e resolvê-lo. Trinta minutos depois, o avião caiu a cerca de dez quilômetros do aeroporto, provocando a morte de oito passageiros e de dois membros da tripulação.

Teria ocorrido um pouso de emergência malsucedido? De maneira nenhuma. O avião estava apenas sem combustível. Com foco total no problema do trem de pouso, o comandante descuidou a verificação do medidor de combustível. A análise da caixa-preta mostraria que o comandante ignorou os reiterados alertas do copiloto e do engenheiro de voo a respeito do nível de combustível da aeronave. Mais importante ainda, revelaria que o copiloto e o engenheiro não se atreveram a fazer esses alertas de maneira clara e assertiva o suficiente ao seu superior.

Esse tipo de erro humano está na origem de um número considerável de acidentes aéreos. O ponto em comum é que ocorrem quando o comandante, e não o copiloto, está no controle do manche. Autoconfiante, sem ser questionado por uma tripulação condescendente demais, o comandante leva a aeronave ao desastre com a máxima serenidade.

Ao menos a queda do voo 173 serviu, desde o final dos anos 1970, para a conscientização e o desenvolvimento do *crew resource management* (CRM). Desenvolvido pelas autoridades da aviação civil dos Estados Unidos e pela Nasa, esse conjunto de técnicas busca melhorar a comunicação entre os membros da tripulação e oferecer ferramentas para que possam lidar juntos com imprevistos. Como o CRM reduz a incidência de erros humanos? A resposta está em duas palavras: metodologia e coletivo. As técnicas do CRM foram mais tarde adaptadas e adotadas por profissões como bombeiros, controladores de tráfego aéreo e algumas equipes médicas.

Além disso, o CRM é apenas um aspecto da "metodologia" institucionalizada na aviação civil, cujo componente mais elementar continua sendo a checklist. Também nesse caso, como no episódio da decisão do tribunal, a metodologia é indispensável.

Para se convencer disso, basta você se imaginar sentado no conforto de uma poltrona de um avião pronto para decolar, enquanto o piloto faz o seguinte anúncio no microfone: "Senhoras e senhores, já estamos atrasados e todos queremos chegar pontualmente ao destino. Por isso, decidi não perder tempo conferindo a checklist antes da decolagem. Não se preocupem, conheço esta aeronave como a palma da minha mão. Afivelar cintos!". Aposto que você não ficaria tranquilo.

Quando somos *beneficiários* de um sistema de tomada de decisão, damos grande importância a que envolva um mínimo de metodologia e coletivo. Já quando somos *nós que decidimos*, não nos comprometemos de maneira sistemática com essa disciplina.

Outro exemplo marcante desse paradoxo é fornecido por Atul Gawande em seu notável *Checklist: Como fazer as coisas benfeitas*. Professor de medicina de Harvard, Gawande liderou o desenvolvimento de uma checklist pré-operatória "universal" para a Organização Mundial de Saúde. Também nesse caso, trata-se de uma ferramenta que introduz uma dose de metodologia e de trabalho coletivo em um ambiente de alto risco. Entre outras recomendações, a checklist pede que os cirurgiões verifiquem a identidade do paciente, confiram se estão realizando a operação correta ou garantam que são capazes de chamar os outros membros da equipe médica pelo nome. Essas verificações simples têm um efeito significativo: reduzem em um terço as complicações e pela metade a mortalidade pós-operatória. Como observou Gawande, se um medicamento pudesse apresentar resultados semelhantes, seria prescrito em larga escala em um piscar de olhos.

No entanto, a introdução da checklist não é fácil. Mesmo depois de ter testado e verificado os benefícios, mais de 20% dos cirurgiões se recusam a adotá-la: longa demais, não tão útil... Gawande observou que isso reflete um estado de espírito: não sou um cirurgião experiente e cada operação não é única? Por que eu deveria seguir de modo subserviente uma lista padronizada de etapas?

Gawande teve então a ideia de perguntar aos mesmos cirurgiões se gostariam que a checklist fosse utilizada caso não fossem o médico, mas o paciente. O resultado: 93% exigiriam a lista!

A FÁBRICA DE TOMADA DE DECISÃO, DO RUDIMENTAR À "QUALIDADE TOTAL"

Em áreas como justiça, espaço, aviação, cirurgia, o coletivo e a metodologia melhoram nossas decisões. E quanto a organizações "comuns" como nossas empresas, universidades e administrações?

Felizmente, há muito tempo elas também integraram em suas técnicas o desejo de recorrer ao coletivo e à metodologia. O exemplo mais difundido diz respeito às abordagens de "qualidade total", que visam reduzir de maneira sistemática o desperdício melhorando a qualidade dos produtos concluídos. Encontramos metodologias como os "cinco por ques" da Toyota, que, ao perguntar "por que" cinco vezes em vez de uma, tornam possível ir além das explicações superficiais e chegar às "raízes" das causas de um problema de qualidade. Encontramos também o coletivo: todos os procedimentos de gestão de qualidade se respaldam no envolvimento ativo e colegiado dos gerentes e operadores na descoberta de problemas e na busca de soluções.

Mobilizar a inteligência de uma equipe e dotá-la de uma metodologia de trabalho não são, portanto, ideias que nossas empresas desconhecem. Ainda assim, de modo curioso, nossas organizações não costumam aplicar à "fabricação" de suas decisões estratégicas o mesmo rigor que aplicam à fabricação de seus produtos. A propósito, independentemente do que produza, qualquer organização pode ser vista como uma "fábrica de tomada de decisão", embora essa fábrica continue operando de maneira muito mais rudimentar do que uma fábrica real. De modo paradoxal, notamos muito mais metodologias formalizadas para enquadrar decisões corriqueiras do que para tomar decisões estratégicas: quase todas as empresas têm normas e padrões sobre como comprar material de escritório, mas pouquíssimas têm um método predefinido para decidir comprar e se fundir com a concorrente!

O formalismo da governança é uma exceção à regra, ao menos em tese: certos limites de investimento ou tipos de decisão exigem a aprovação do conselho administrativo ou do conselho supervisor. Porém, ainda que indispensável, esse formalismo não é suficiente para melhorar a qualidade da decisão. Exceto em casos específicos, o diretor não inicia um processo de questionamento nem de diálogo concreto com essa autoridade de supervisão. Via de regra, submete recomendações já "estagnadas", que sabe que terão o aval de seu conselho. Além disso, como vimos, mesmo um conselheiro tão combativo como Warren Buffett quase nunca rejeita uma proposta.

Para continuar a analogia com a fábrica, poderíamos dizer que a governança desempenha um papel indispensável no controle de qualidade, pois verifica que o "produto", a decisão submetida ao conselho administrativo, está em conformidade com certas normas. No entanto, não é o controle de qualidade que fabrica bons produtos, e sim o processo de fabricação! Na mesma linha, uma governança eficaz pode incentivar os gerentes a implementarem uma boa "fábrica de tomada de decisão", mas não basta, por si só, para preparar uma recomendação de qualidade.

Por sinal, a presença de uma supervisão não é a principal razão para o desenvolvimento de sistemas melhores de tomada de decisão na Justiça ou no setor aeroespacial. Não é por medo do Conselho Superior da Magistratura que os juízes respeitam os direitos da defesa, tampouco é por receio do Centro de Controle da base de Houston que os astronautas da Nasa aplicam sua checklist. Fazem isso porque procuram tomar as melhores decisões possíveis e acreditam, com sinceridade, que seguir metodologias é a melhor maneira de realizar um julgamento imparcial ou de trazer a tripulação de volta à Terra em segurança.

Pois bem, quando se trata de decisões estratégicas, estamos convencidos disso? As analogias com a Justiça, a exploração espacial ou a medicina não poderiam ser enganosas, como tantas analogias sedutoras já mencionadas no livro? Quando pensamos em decisões estratégicas, como sabemos que o coletivo e a metodologia oferecem melhores resultados do que qualquer outra abordagem?

O COLETIVO E A METODOLOGIA EM TRINTA SEGUNDOS

- Fazemos questão do **devido processo legal**, pois sabemos que a virtude individual dos juízes não basta para evitar as más decisões. Por isso, **o coletivo e a metodologia** são também necessários.

- Mesmo assim, **as organizações não costumam aplicar esses princípios** a suas decisões estratégicas: fariam menos questão da justeza de suas escolhas do que as pessoas fazem da Justiça?

- Em geral, as organizações só aplicam as regras da boa tomada de decisão **quando errar não é permitido**.
  - ▶ *Astronautas são treinados para aplicar regras, não a seguir seus instintos.*
  - ▶ *Pilotos são encorajados a usar o coletivo (crew resource management).*
  - ▶ *Cirurgiões podem reduzir a incidência de complicações utilizando checklists.*

- Utilizar o coletivo e a metodologia equivale a introduzir **a "qualidade total" na "fábrica de tomada de decisões"**.

13. Uma boa decisão é uma decisão bem tomada

O polvo Paul é um bom tomador de decisões?

> *Não podemos garantir o sucesso, mas podemos fazer melhor: podemos merecê-lo.*
> Joseph Addison

Em 2010, enquanto os jogadores disputavam a Copa do Mundo na África do Sul, a atenção do público e dos comentaristas esportivos se voltou para um exemplar muito particular de *Octopus vulgaris*, que vivia placidamente em um aquário em Oberhausen, na Alemanha. O polvo Paul, como era chamado, parecia dotado de um extraordinário dom de adivinhação e demonstrava, diante das câmeras do mundo inteiro, sua capacidade de "prever" os resultados de cada jogo da seleção alemã no torneio.

Para isso, seu feliz proprietário colocava duas caixas que exibiam a bandeira de cada seleção, e o polvo Paul "escolhia" se alimentar com o que havia em uma delas. Em cada oportunidade, Paul acertava o futuro vencedor: ele previu que a Alemanha bateria a Austrália, Gana, Inglaterra e Argentina, mas também que sua seleção perderia para a Sérvia na fase de grupos e para a Espanha, nas semifinais. Ele também previu o resultado do terceiro lugar, quando a seleção alemã derrotou o Uruguai. Por fim, o povo Paul ganhou fama mundial ao adivinhar que a Espanha triunfaria sobre a Holanda na final, prevendo de maneira correta o resultado de oito sobre oito jogos.

Como era de se esperar, a maioria dos especialistas e dos comentaristas não demonstrou a mesma capacidade de profecia do polvo Paul. Uma pergunta ficou então no ar: se você tivesse uma casa de apostas ou fosse diretor de uma empresa de apostas on-line, também não deveria começar a criar um reservatório de polvos videntes?

Pelo menos um homem respondeu que sim a essa pergunta: um empresário de apostas on-line russo, Oleg Jouravski, foi a Oberhausen e ofereceu ao proprietário do polvo Paul a soma, em tese extravagante, de 100 mil euros. Diante da negativa do proprietário em vender o animal, o empresário triplicou sua oferta, mais uma vez sem sucesso.

ACASO E TALENTO

Por certo, já entendemos que a história do polvo Paul serve no capítulo como uma demonstração pelo absurdo. Qual é a probabilidade de que o resultado do polvo Paul revelasse apenas acaso? A probabilidade de adivinhar oito vezes consecutivas o vencedor, como a de ganhar oito vezes seguidas em um cara ou coroa, é de 0,4%: improvável, sem dúvida, mas não impossível.* Acontece que, em vista da popularidade mundial da Copa do Mundo, centenas, talvez milhares de animais foram treinados para tentar prever o resultado dos jogos. Uma simples busca na internet é suficiente para encontrar vacas, hamsters, tartarugas e até elefantes tentando a mesma façanha. Se ouvimos pouco sobre isso, é mais uma vez um caso de viés de sobrevivência. Por que teríamos ouvido falar da galinha chinesa ou do ganso esloveno que apostaram oito vezes consecutivas no perdedor? No entanto, seus resultados teriam sido estatisticamente tão improváveis quanto os do polvo Paul. Seja como for, é obviamente o acaso que fez de Paul um "tomador de decisão" tão brilhante.

A sorte não costuma ser, como no caso de Paul, o único fator que determina o resultado. Ainda assim, qual é o seu peso real? Talvez o exemplo mais estudado seja o dos gerentes de fundos, cuja performance é medida, analisada e comparada ano após ano. Apesar da corriqueira advertência de

---

* Foram excluídos os empates, o que é uma ligeira simplificação em relação aos três jogos que compõem a fase de grupo.

que "os desempenhos passados não prejudicam os desempenhos futuros", os investidores os esquadrinham para escolher os fundos a que confiarão suas economias. Mesmo porque, apesar de todas as teorias sobre eficiência do mercado, quando a performance de um CEO supera seus índices de referência diversos anos seguidos, como não concluir que isso se deve à sua qualidade de escolhas, a seu talento? Quando o sucesso se repete durante um longo período de tempo, como não pensar que estamos lidando com um CEO excepcional?

No início dos anos 2000, era essa a reputação alcançada por Bill Miller, o gestor do principal fundo da Legg Mason, que conseguiu superar a performance de seu índice de referência, o S&P 500, por quinze anos consecutivos. Miller foi eleito "o maior gestor dos anos 1990" por uma revista especializada, e "o gestor da década" por outra. Um boletim informativo publicado por um banco concorrente observou com respeito que, "durante quarenta anos, nenhum outro fundo bateu o mercado por doze anos seguidos" (nem, sobretudo, por quinze). A probabilidade de que uma série dessas tivesse relação com a sorte parecia astronomicamente baixa.

No entanto, se analisarmos com atenção, podemos aplicar a mesma linha de raciocínio ao desempenho do polvo Paul e ao de Miller. A probabilidade de *um gestor em particular* — Miller — bater o mercado por *exatos quinze anos consecutivos* — de 1991 a 2005 — é de fato infinitesimal. Porém, essa não é a pergunta certa! Há milhares de gerentes, e dezenas de períodos de quinze anos consecutivos em que esse resultado poderia ter sido observado. Partindo do pressuposto de que os mercados sejam perfeitamente eficientes e de que o trabalho dos gestores não passe de um vasto jogo de azar, qual seria a probabilidade de observarmos esse resultado ao menos *uma* vez, para *um* gestor, em *um* período de quinze anos? Cerca de 75%, de acordo com o cálculo do físico Leonard Mlodinow. O suficiente para relativizar o caráter excepcional do fato... e parte do talento de Miller para alcançar tal proeza.

Para quem acredita que a análise é impiedosa e que negamos a Bill Miller a glória que seu sucesso merece, vamos acrescentar um elemento revelador. Para os quinze anos da "série vitoriosa", quando Miller bateu o mercado, houve *mais de trinta períodos de doze meses consecutivos* em que sua performance foi *inferior* à do mercado. Em outras palavras, se a medida de seu desempenho fosse de fevereiro a janeiro, ou de setembro a agosto, e não de janeiro a dezembro, seu resultado excelente desapareceria. Como bom jogador, o próprio Miller reconheceu: "Foi um acidente do calendário [...]. Tivemos sorte. Talvez não seja 100% sorte, mas uns 95%". Por mais que o gestor seja "o" sobrevivente, ele não esquece o que deve ao viés de mesmo nome.

Além da sorte, dois outros tipos de fatores entram em cena. O primeiro é o nível de risco assumido. No exemplo de investimento de risco no capítulo 6, assumir um risco com conhecimento de causa pode ser a escolha racional quando a pergunta é feita, e mesmo assim resultar em perda. Por outro lado, temos de concordar que, se um gestor apostasse toda a tesouraria de sua empresa no cassino e ganhasse, nem por isso teria tomado uma "boa decisão". Por fim, o resultado de uma decisão depende, é claro, da qualidade da execução, uma vez que a decisão foi tomada. Desnecessário dizer que a eficácia da implementação pesa muito no resultado final — mais do que as próprias decisões, defendem alguns.

A qualidade da decisão é, portanto, uma combinação de sorte, nível de risco assumido e talento na execução: muitos fatores entrelaçados para que possamos distingui-los. Logo, com exceção dos casos retumbantes de sucesso ou de fracasso (como alguns relatados neste livro), é perigosíssimo concluir que o bom ou o mau resultado podem ser explicados pela boa ou pela má decisão inicial. Jacob Bernoulli, um dos pais da teoria da probabilidade, escreveu em 1681: "Não devemos julgar as ações humanas por seus resultados".

Nunca desistiremos, no entanto, de julgar as decisões por seus resultados. Trata-se até de um dos dogmas corporativos mais consolidados: "O que vale é o resultado!". Como vimos, o viés retrospectivo nos leva a considerar os gestores como responsáveis por um fracasso, mesmo quando o revés era imprevisível. Em contrapartida, por um equívoco de atribuição, conferimos a eles o sucesso, mesmo quando o triunfo está muito relacionado às circunstâncias. Ao julgar as decisões e quem as toma apenas pelos resultados, não percebemos que estamos cometendo o mesmo erro do empresário russo ao oferecer 300 mil euros para "contratar" o polvo Paul.

Como saber então se uma maneira de decidir oferece melhores resultados que outra? Acima de tudo, como saber se o uso do coletivo e da metodologia vão melhorar nossas performances?

Além disso, conhecemos contraexemplos. Há autocratas que não podem nem ouvir falar em coletivo, e intuitivos assumidos a quem a mera menção da palavra "método" dá calafrios. E eles costumam ser bem-sucedidos! Para usar nosso exemplo favorito, a ideia que temos de Steve Jobs — com ou sem razão — é a de um líder carismático que nunca se preocupou com metodologia ou coletivo, e mesmo assim atingiu um sucesso inegável. Em poucas palavras, como saber se a maneira como tomamos decisões afeta sua qualidade, quando essa qualidade é quase impossível de ser medida?

MIL E UMA DECISÕES DE INVESTIMENTO

Só existe uma maneira de responder a essa pergunta: pela análise de um grande número de decisões. Alguns exemplos ou contraexemplos dispersos não significam nada, pois a tomada de riscos, a execução e o acaso podem ser decisivos em seu resultado. No entanto, em uma amostra bastante grande de decisões, tais fatores se neutralizam, de modo que o valor agregado da metodologia de decisão, se existir, deverá aparecer.

Trata-se do que aponta um estudo sobre 1048 decisões de investimento, sobretudo relacionadas a escolhas estratégicas (fusões e aquisições, grandes mudanças organizacionais, introdução de produtos ou novos serviços etc.). Para cada uma dessas decisões, o participante respondeu dezessete perguntas, feitas em ordem aleatória, sobre como a decisão tinha sido tomada.

Das dezessete questões, oito eram sobre as ferramentas analíticas utilizadas, por exemplo: "Você construiu um modelo financeiro detalhado?"; "Você realizou análises de sensibilidade dos principais parâmetros desse modelo?". As outras nove estavam voltadas ao processo de decisão e, em específico, à presença do coletivo e da metodologia, por exemplo: "Você discutiu formalmente as incertezas em torno da decisão?"; "Você realizou uma reunião para a tomada dessa decisão e, durante o encontro, alguém sugeriu *não* realizar o investimento?".

A conclusão do estudo é surpreendente. Os fatores de "processo" explicavam 53% da variação do retorno sobre o investimento (e outras variáveis de sucesso medidas). Já os elementos de análise explicavam apenas 8% dos resultados. Os 39% restantes se deviam a variáveis relacionadas ao setor ou à sociedade, não específicas do investimento em questão e alheias ao controle de quem decide.

Em suma, se você se concentrar nos fatores de uma decisão de investimento que podem ser influenciados, o processo conta seis vezes mais do que os elementos analíticos. A maneira de tomar a decisão, o "como", pesa seis vezes mais do que o conteúdo, o "quê"!

ANALISAR MENOS, DEBATER MAIS!

Para avaliar a que ponto esses resultados são contraintuitivos, repense na sua última decisão de investimento ou imagine a próxima. Se a sua empresa funciona como a maioria das grandes organizações, você deve poder dispor de uma série de cálculos: estimativas de custos e vendas, valor atualizado dos fluxos de caixa, taxa interna de retorno, *payback* etc. Você pode contar com equipes de profissionais que revisam essas análises usando métodos rigorosos e normativos. Se feitas com a merecida atenção, sua organização dedica um tempo significativo a essas análises.

No entanto, quanto tempo você passou *discutindo* essas análises e as hipóteses por trás delas? Além disso, você se perguntou sobre o processo de decisão, que poderia ser um espaço para esse debate, começando com a definição, por exemplo, de que reunião deveria ser realizada, com quais participantes, em que etapa do desenvolvimento do relatório? Na maioria das vezes, essas questões são pouco discutidas. Quem decide, ou então um comitê deliberativo, recebe e passa em revista as análises que justificam o investimento, logo se pronunciando a favor ou contra.

Em outras palavras, dedicamos a maior parte dos esforços às variáveis analíticas e pouquíssimo ao processo, embora seja determinante. Focados nos aspectos racionais, quantificáveis e objetivos do projeto no momento de tomar decisões, simplesmente não percebemos o peso do "como" e a importância que carrega para nos precaver contra nossos vieses.

Mesmo porque, quais são os principais elementos do processo que fazem a diferença? Quais são as práticas dos 1048 tomadores de decisão mais fortemente associadas ao sucesso de seus investimentos? São aquelas que ajudam com mais eficiência a combater os vieses, que põem em ação o coletivo e a metodologia. Em especial, quatro perguntas separam as melhores decisões das não tão boas.

Primeira pergunta: *você discutiu abertamente riscos e incertezas* associados ao projeto de investimento? Podemos ver como essa precaução pode nos proteger contra o viés de excesso de confiança. Como vimos, trata-se de um debate raro porque é difícil: ninguém quer fazer o papel de Cassandra.

Segunda pergunta: *o debate que antecede a decisão permitiu pontos de vista divergentes aos dos gestores da mais alta hierarquia?* Também, nesse caso, apenas a minoria responde sim. Apesar disso, observamos como essa prática pode ajudar no combate aos vieses de grupo e à tendência, consciente ou inconsciente, de alinhar opiniões às do "líder".

Terceira pergunta: *você procurou informações que contestassem a tese de investimento*, e não apenas dados que lhe permitissem construir uma lista de argumentos para recomendá-la? Aqui é possível reconhecer uma medida direta para combater o viés de confirmação, que naturalmente nos leva a examinar os relatórios de investimento em uma direção favorável.

Quarta e última pergunta: *você tem critérios de investimento predefinidos* antes de tomar sua decisão? Com esse cuidado, procuramos evitar o viés do *storytelling*. Vimos que somos capazes de justificar muitas decisões com base em uma boa história, construída a partir dos dados disponíveis. Na falta de regras claras e predefinidas, a escolha seletiva desses dados deixa a porta aberta à intuição, com todos os riscos que ela implica: "Com certeza, esse investimento não satisfaz a nenhum dos critérios financeiros, mas deve ser feito por razões estratégicas". Ou pelo contrário: "Esse investimento parece bom no papel, mas acredito que não deve ser feito".

Os próximos capítulos vão detalhar as técnicas para organizar e estimular esse debate. No entanto, a principal lição desse estudo sobre decisões de investimento é, no fundo, muito simples: se você tem uma hora antes de tomar sua próxima decisão estratégica, não utilize esse tempo analisando demais, procurando informações adicionais, rodando o modelo financeiro mais uma vez. Em vez disso, use esses minutos para melhorar a qualidade do debate. Analise menos para discutir melhor!

O PROCESSO CONTRA A ANÁLISE?

Indo além da pergunta provocativa, falta tentar explicar por que aparentemente a análise desempenha um papel tão modesto na qualidade da tomada de decisões. Devemos entender com isso que um bom processo de tomada de decisão pode levar por si só a uma boa decisão, até mesmo que uma discussão qualquer pode levar, na ausência de uma análise factual, a uma boa decisão de investimento? Claro que a realidade tem mais matizes.

Antes de mais nada, quase todos costumamos ser capazes de fazer boas análises. No caso específico de uma decisão de investimento, em geral fazemos o mesmo: análise do retorno sobre o investimento ou do valor presente líquido, cálculo da taxa interna de retorno etc. Todos utilizam as mesmas ferramentas, ainda mais desde que foram integradas a nossos softwares de trabalho. A qualidade técnica das análises não é mais um diferencial entre as boas e as más decisões: é um pré-requisito, um bilhete de entrada.

As informações, os dados por trás dessas análises podem às vezes fazer a diferença entre uma boa e uma má decisão. No entanto, para isso, não podem estar em domínio público, algo que no caso das decisões de investimento é relativamente raro: os "fatos", os dados, costumam ser coletados da mesma maneira padronizada, quer se trate de um objetivo de vendas, de uma previsão de custos ou de um cronograma para a realização. Além do sempre possível lampejo de um analista particularmente dotado, a rotina de estudo de um investimento tem poucas chances de fornecer dados originais.

Como aumentar as chances para que isso aconteça? Como produzir análises que façam a diferença? Por uma metodologia apropriada. Para retomar um dos quatro elementos mais associados à qualidade das decisões, ir em busca de informações que refutem a tese de investimento não é uma prática "padrão", mas a marca de um bom processo de tomada de decisão.

Por fim e o mais importante, mesmo a melhor análise é inútil fora de um processo de discussão. Esse problema fica evidente quando realizamos a "autópsia" de uma má decisão. Vamos tomar de exemplo um fundo de investimento que reexamina um investimento decepcionante, para entender como houve o aval por parte da equipe encarregada do estudo do relatório e depois do comitê de investimento. Ao exumar as sucessivas versões do relatório de aquisição, um fenômeno curioso é constatado. Já na primeira apresentação, surgem três questões-chave: a competência de certos membros da equipe administrativa, a baixa demanda por uma das linhas de produtos e a solidez de uma das patentes. Na segunda apresentação, dois desses problemas desapareceram como por encanto, e o terceiro foi mencionado apenas de passagem. Na apresentação final, antes da decisão de investimento, os três problemas identificados no início do processo evaporaram, sem que nenhuma explicação específica justificasse como tinham sido tratados. Claro que, a cada nova apresentação, o tom geral se torna mais otimista à medida que o relatório se aproxima da conclusão.

Depois que o investimento foi aprovado, o que descobrimos ao ler o primeiro relatório da equipe pós-aquisição, com foco nas questões mais urgentes a serem abordadas? No topo da lista de prioridades estão as mesmas três perguntas do primeiro relatório de pré-aquisição. As questões não tinham desaparecido nem tinham sido resolvidas. De resto, uma delas acabaria explicando a maior parte do fracasso da aquisição. Porém, a dinâmica da discussão, o desejo geral de realizar o projeto e, sem dúvida, o *groupthink* fizeram com que esses problemas embaraçosos fossem "varridos para debaixo do tapete". Por mais que a análise estivesse presente no relatório (e certa), com a falta de um bom processo de tomada de decisão, não serviu para nada.

Não se trata, portanto, de contrapor processo e análise. Se em nossa análise estatística a metodologia parece ser muito mais diferenciadora do que os cálculos, nem por isso podemos concluir que estes não têm utilidade! Ainda assim, se tivermos que escolher um ângulo de ataque, devemos começar com o processo. Levemos o raciocínio ao extremo: na ausência de qualquer dado, um bom debate teria ao menos a virtude de identificar que faltam... análises, garantindo que fossem rapidamente realizadas. Mas o contrário não é verdade: já vimos uma planilha Excel convocar uma reunião?

DO PROCESSO À ARQUITETURA DA DECISÃO

Precisamos ainda abordar uma questão de vocabulário que é mais importante do que parece, pois é fonte de diversos mal-entendidos. O termo "processo" divide opiniões, para dizer o mínimo. Muitos diretores, sobretudo na França, são alérgicos à palavra. Alguns opõem o termo ao "conteúdo", ao julgamento, ao que é a própria essência da decisão. Outros o associam à rotina burocrática, aos formulários cheios de campos a marcar, ao fardo administrativo. Outros ainda o veem como o espectro da análise paralisante, do debate improdutivo que termina com um consenso indolente, sem coragem ou visão.

Essas reações merecem um momento da nossa atenção. Em primeiro lugar, vimos quais são as principais características de um bom processo de tomada de decisão. Por um lado, o coletivo, claro, mas no sentido oposto da busca do consenso ou da "democracia": trata-se do debate do contraditório, do confronto de pontos de vista. Por outro, a metodologia, mas que não consiste em impor análises corriqueiras, que como vimos não acrescentam muita coisa. No fundo, estamos falando de boas reuniões, bem administradas, lideradas por gestores de mente aberta, capazes de recuar e demonstrar discernimento. Nada disso parece um bicho de sete cabeças.

Em segundo lugar, se a palavra "processo" nos irrita, podemos escolher outra! Quem não se convenceu da análise do termo pode empregar "boas práticas" de tomada de decisões. Alguns diretores que adotam essas práticas as descrevem como seu estilo de gestão, seu sistema pessoal de tomada de decisões. Algumas empresas que sistematizaram essas práticas falam de governança interna, outras, de "rituais", outras ainda, de "*playbook*".

O termo escolhido para o restante do livro é *arquitetura da decisão*. Richard Thaler e Cass Sunstein destacam o papel crucial dos "arquitetos da escolha", aqueles que projetam, de maneira deliberada ou não, a maneira como as escolhas são apresentadas aos consumidores ou aos cidadãos. Na mesma linha, a CEO que estabelece o processo decisório de sua empresa atua como a "arquiteta da decisão". Ao introduzir elementos coletivos e metodológicos para lutar contra os vieses, a CEO permite que aqueles que "habitam" essa arquitetura — a começar por ela — cheguem com mais frequência à melhor decisão.

A escolha do termo "arquitetura" também sugere associações úteis. Primeiro, falar de arquitetura já sugere que não se trata de uma ciência, e sim de uma arte. A arte de decidir não tem qualquer relação com as tentativas de reduzir a decisão a uma análise puramente quantitativa. Diante de decisões estratégicas em que não conhecemos os "desconhecidos desconhecidos", para citar a espirituosa, mas justa fórmula de Donald Rumsfeld, o julgamento humano continua insubstituível.

Falar de arquitetura também sugere que não chamamos um arquiteto para construir um galpão de ferramentas. Estamos falando de decisões que afetam o futuro de uma organização. Algumas são por natureza acontecimentos únicos, como uma diversificação ou fusão, enquanto outras se repetem, mas no conjunto vão influenciar o futuro — por exemplo, as decisões de pesquisa e desenvolvimento em um grupo farmacêutico ou as decisões de investimento em um grupo de mineração. Porém, ninguém está sugerindo a aplicação dos princípios da arquitetura de decisão para a escolha do tapete dos escritórios.

Por fim, a própria ideia de arquitetura sugere que o projeto seja elaborado antes do início das obras, que a decisão preceda a implementação. Essa sequência, em geral desejável, nem sempre é respeitada — por exemplo, nas situações de crise: ainda que possam ser usados alguns dos princípios que mencionamos, são necessárias outras técnicas de decisão.

A terceira parte deste livro, que aborda a arquitetura das decisões, está organizada em volta de três grandes princípios, três "pilares". O primeiro é o *diálogo*, verdadeiro debate de pontos de vista entre pessoas que desejam se ouvir e não apenas se convencer, condição essencial para tirar proveito do coletivo. O segundo é a *descentralização*, que vai fornecer conteúdo para que esse diálogo não se resuma a um conflito de opiniões preconcebidas, e para que se baseie em fatos e análises originais. O terceiro e último é a *dinâmica* de decisão na organização, que deve contribuir para o diálogo e a descentralização — na qual, como vimos em alguns exemplos, muitas organizações tendem a asfixiá-los.

Sem dúvida, esses princípios gerais não são suficientes. Para erguer seu edifício, para estabelecer seus pilares, o construtor precisa de tijolos. Esses elementos básicos são ferramentas, técnicas, hábitos, que tornam os princípios uma realidade. Cada tijolo serve como uma contramedida, um antídoto para nossos vieses. Em sua grande maioria, trata-se de técnicas coletivas e organizacionais, e não individuais. Mesmo porque, como vimos, embora os vieses sejam individuais, os remédios para combatê-los só podem ser coletivos.

As páginas seguintes fornecem uma série de exemplos (resumidos no Anexo 2) oriundos de observações e conversas com diretores de empresas de todos os tamanhos, empreendedores, investidores e gestores do setor público. Essa lista não é completa nem definitiva e visa fornecer uma fonte de ideias e inspiração. Cabe a cada liderança e a cada organização escolher suas ferramentas, adaptar as apresentadas nesta obra e inventar novas. Cada arquiteto deve erguer o seu próprio edifício.

O QUE É UMA BOA DECISÃO EM TRINTA SEGUNDOS

- O sucesso decorre **das boas decisões, mas também da sorte** (e da tomada de risco).
  - ▶ *O polvo Paul bateu todos os prognósticos... por sorte.*
- O **viés de sobrevivência** nos leva a esquecer isso com frequência.
  - ▶ *Bill Miller bateu todos os recordes... por uma coincidência de calendário.*
  - ▶ *"Não devemos julgar as ações humanas por seus resultados" (Bernoulli).*
- Por isso, via de regra, não podemos julgar a qualidade de uma decisão isolada, mas **podemos julgar uma metodologia de decisão** aplicada a um grande número de casos.
- Um bom **processo de decisão faz diferença**: uma boa decisão é uma decisão bem tomada.
  - ▶ *Um estudo sobre 1048 decisões de investimento mostrou que o processo conta seis vezes mais do que as análises.*
  - ▶ *Decidir como decidir pode ser mais determinante que os fatos e os números.*
- Logo, um bom diretor é antes de tudo um **arquiteto da decisão**, que busca introduzir o coletivo e a metodologia nas decisões de sua organização.

Parte III

A arquitetura da decisão

14. Diálogo
Debater pontos de vista

Já que estamos todos de acordo, proponho adiar a discussão para um próximo encontro, para que tenhamos tempo de desenvolver nossas divergências e, talvez, compreender melhor os prós e os contras dessa decisão.
Alfred P. Sloan

Estamos na cidade de Mountain View, no coração do Vale do Silício, no início dos anos 2000. Um novo dia começa no Google. Imaginamos os "googlers" deixando seus carros no estacionamento e se instalando confortavelmente em suas salas, prontos para conquistar o mundo. Longe disso. O estacionamento está na verdade sediando uma acirrada partida de hóquei em patins, e os jogadores não poupam esforços, para dizer o mínimo: os tacos se enroscam, gritos ecoam pela quadra, vários jogadores caem, esgotados, ou são empurrados sem piedade pelos adversários. Os jogadores mais agressivos são aplaudidos pela pequena multidão. Quando Larry Page e Sergey Brin, os fundadores do Google, estão em ação "ninguém alivia com eles: vamos com tudo", conta um dos colegas. Quando a partida termina, os funcionários empapados de suor vão para suas salas, menos aqueles que precisam passar antes na enfermaria.

Estranha maneira de começar o dia, um observador poderia pensar: com certeza os donos do Google querem canalizar a agressividade de sua trupe. No entanto, uma vez dentro da sede, embora os patins e os tacos tenham sido guardados, a "partida" não perde nada de sua intensidade. Nas reuniões, os "googlers" se interpelam sem parar e não levam em conta a suscetibilidade dos colegas. Não é raro ouvir que uma sugestão é "tola" ou "ingênua", para não mencionar outros insultos.

Ninguém está sugerindo tornar esse estilo de gestão uma daquelas "boas práticas", de que devemos desconfiar por princípio, como vimos. Em uma organização povoada por jovens profissionais seguros de si e constantemente pressionados a imaginar ideias que mudam o mundo, não causa surpresa que os choques de pontos de vista e de ego também sejam brutais, e perfeitamente aceitos como parte da cultura da casa.

De qualquer maneira, esse exemplo extremo ilustra um princípio: não existem boas decisões sem um mínimo de confronto de ideias, o que sempre gera certo nível de desconforto. Para a maioria das empresas, porém, o desconforto é grande demais, e o confronto não ocorre. Nesse caso, o que se impõe é saber estimular o conflito... sem o uso de tacos de hóquei. O primeiro princípio de uma boa decisão é organizar um confronto de ideias que não seja um choque entre as pessoas, articular um diálogo autêntico em torno da decisão a ser tomada.

DIÁLOGO NÃO SE IMPROVISA

Vamos deixar Mountain View e pensar em uma reunião de tomada de decisão "comum", uma das que talvez você possa ter participado nos últimos dias, como uma reunião do comitê diretivo para decidir sobre um investimento. Com o que se parece um encontro desses? Basicamente, com o julgamento mencionado no capítulo 12. Um gerente apresenta sua proposta, apoiado por uma apresentação em PowerPoint. Com frequência, alguns presentes vão defender a proposta: é costume em muitas empresas "pré-vender" o projeto a alguns participantes para garantir o aval ou ao menos a neutralidade. Às vezes, a diretora propõe uma votação formal, que levará a um rápido consenso. Todos perceberão para que lado a diretora está inclinada e tomarão cuidado para não expressar quaisquer dúvidas: já é tarde demais para isso. Uma vez aprovado o projeto, o proponente triunfante se reunirá com sua equipe, que perguntará como foi a reunião. A resposta provável: "Excelente! Nem sequer teve discussão".

Assim, em muitas organizações, uma reunião de tomada de decisão que "correu bem" é um encontro *sem debate*. O desconforto provocado pelo confronto de ideias é tão grande que se evita qualquer discussão real. Muitas vezes, eventuais divergências são resolvidas antes da reunião, que só serve para confirmar uma decisão já tomada. Naturalmente, esse comportamento alimenta os vieses mencionados na primeira parte deste livro: *groupthink*, viés de confirmação seguindo a "história" contada pelo apresentador, viés de excesso de confiança quando ninguém refuta um projeto otimista demais, viés de inércia se a proposta se afasta muito pouco do status quo... A reunião de tomada de decisão é o caldeirão em que todos os vieses fervem, o lugar geométrico de sua expressão.

Paradoxo interessante: não acontece dessa maneira em todas as reuniões. Por exemplo, você chegou a participar nos últimos tempos de um seminário de criatividade? Como regra geral, antes de tudo, você será lembrado das "regras do jogo" do brainstorming: nada de crítica nem de autocensura, não existe "ideia ruim", obrigação de construir em cima das sugestões dos outros antes da triagem das ideias etc. No fim das contas, pouco importa que essas metodologias costumem ser ineficazes: a criatividade nos parece uma atividade misteriosa demais para estarmos satisfeitos com o modo "normal" das reuniões. Trata-se de um grande contraste com a reunião de tomada de decisão clássica, que não segue nenhum ritual específico e que acreditamos ser passível de improvisos sem técnicas nem ferramentas específicas.

Uma vez mais, a explicação para esse paradoxo está na natureza "invisível" dos vieses: quando estamos reunidos para produzir ideias criativas e não temos nenhuma, experimentamos no mesmo momento a sensação de fracasso. Por isso, aceitamos com alívio as técnicas de incitação que vão nos ajudar a evitar esse obstáculo. Em contrapartida, para decidir, podemos ser vítimas do *groupthink* ou de outros vieses, mas nunca nos daremos conta. Dessa maneira, ficamos satisfeitos com uma reunião conduzida de modo ad hoc, rudimentar e improvisado.

Porém, diálogo não se improvisa. Não é fácil tolerar, e menos ainda incentivar, a expressão de diferentes pontos de vista. Não é fácil tornar claro o confronto de ideias sem enfrentar as pessoas, o que alguns especialistas chamam de *conflito cognitivo* sem *conflito afetivo*. Nem sempre é fácil para executivos com pontos de vista categóricos dialogar, ou seja, falar e ouvir, sem transformar a discussão em um palco de batalha ou sem adotar o estilo dos debates de televisão. Porém, existem técnicas para criar as condições para o diálogo, para estabelecer as regras e para estimulá-lo.

AS CONDIÇÕES DO DIÁLOGO

Diversidade. A primeira condição para um diálogo bem-sucedido é quase tautológica: reunir certa diversidade de pontos de vista.

O que de modo geral entendemos por "diversidade", isto é, a diversidade dos *perfis*, contribui de maneira natural para um bom diálogo. Ainda assim, não basta reunir pessoas de diferentes idades, gêneros, nacionalidades ou etnias. Homens e mulheres com a mesma formação, a mesma experiência, os mesmos sucessos e fracassos provavelmente estarão sujeitos aos mesmos vieses de experiência, acreditarão nas mesmas histórias. Alguns estudos recentes sobre a solução de problemas de grupo sugerem que a "diversidade cognitiva" — em outras palavras, a variedade das preferências quanto ao processamento de informações — está associada à eficácia desses grupos, ao passo que a diversidade demográfica não necessariamente. O que conta é a diversidade das competências e das perspectivas, não apenas a do estado civil.

Um exemplo dessa diversidade real nos é fornecido pelo presidente de um banco, que desejava se rodear em seu conselho administrativo por especialistas em gestão de risco, juristas, macroeconomistas e peritos sobre os principais países e setores de investimento do banco.* A diversidade das competências sem dúvida é útil para o conteúdo das contribuições, mas também por seu aporte à discussão. Todos vão considerar uma decisão pelo prisma de sua própria experiência, de sua própria sensibilidade, contemplando-a de uma maneira um pouco diferente dos demais. Podemos imaginar a riqueza e o proveito desse

---

* Todos os exemplos utilizados neste e nos próximos capítulos são reais. No entanto, para a maioria, mantivemos o anonimato. Essa escolha protege sobretudo a confidencialidade das conversas, quando esses diretores tiveram a gentileza de dividir suas metodologias, seus erros e as lições tiradas. A intenção também é evitar a armadilha das "boas práticas", que foi denunciada neste livro. Por não conhecer os nomes das organizações em questão, poderemos nos perguntar com mais facilidade se uma técnica pode ser aplicada à nossa própria situação, e não se o "modelo" citado como exemplo é "admirável" o suficiente.

tipo de diálogo, que aparentemente faltou nos conselhos administrativos de alguns bancos antes da crise financeira de 2008.

Tempo. A segunda condição do diálogo é quase tão óbvia quanto a primeira, mas negligenciada com mais frequência: dar tempo um ao outro. O diálogo leva mais tempo do que a obtenção de um acordo de fachada.

Por isso, o presidente do banco que acabamos de mencionar pede aos membros do conselho administrativo que realizem, em geral, reuniões de dois dias e que dediquem um total de 25 dias por ano à sua comissão. Claro que se trata de um caso específico, mas que ilustra a importância do tempo passado juntos para criar as condições de um verdadeiro diálogo entre personalidades de diferentes origens. A diversidade e a necessidade de tempo estão intrinsecamente ligadas: quanto mais as pessoas tiverem o mesmo ponto de vista, mais rápido concordarão entre si, mesmo que todas estejam erradas juntas! Já quanto mais diversas forem as pessoas, mais tempo precisarão para se descobrir e aprender a se escutar.

Ordem do dia. A terceira condição do diálogo se materializa na ordem do dia da reunião de tomada de decisão. Em muitas empresas, persiste um mito obstinado de que toda discussão deve levar a uma decisão, toda reunião deve resultar em uma "lista das decisões" e de "próximos passos". A contrapartida desse ponto de vista é que uma reunião que termina sem uma decisão é um fracasso. Por extensão, um assunto nem sequer deveria estar na ordem do dia se não pudesse ser decidido de modo definitivo.

No entanto, há um tempo para discutir e um tempo para decidir. Muitas vezes é a confusão entre essas duas etapas necessárias que suscita o problema. Uma condição essencial do diálogo é, portanto, diferenciar os momentos de decisão e aqueles dedicados aos preparativos para uma decisão futura. No papel, essa distinção pode ser refletida na ordem do dia por tópicos marcados "para decisão" e outros identificados "para discussão", o que levará a naturezas de debate muito diferentes.

Para determinar se devemos classificar um tópico da ordem do dia no campo de discussão ou de decisão, precisamos considerar a maturidade do tema. Um diretor se refere a tópicos *decision ready* e aos que ainda não são: uma maneira de fazer todos entenderem que não adianta se apressar para decidir quando a decisão não foi moldada pela análise nem amadurecida pela discussão.

AS REGRAS DO DIÁLOGO

Uma vez reunido um grupo diverso o bastante, por um tempo suficiente e com uma ordem do dia bem estruturada, podemos ter certeza de que o melhor diálogo vai surgir? Não. Um bom diálogo também exige regras do jogo.

Vamos esclarecer um mal-entendido: não se trata das "regras de gestão de reunião" que cobrem as paredes de muitas salas de conferência. "Compartilhar as pautas com pelo menos um dia de antecedência", "Começar a reunião na hora marcada" e "Limpar a sala antes de sair" são princípios excelentes... que não têm nenhuma relação com o nosso assunto.

As regras de uma boa reunião para a tomada de decisões consistem em evitar comportamentos que atrapalham o diálogo, criam um clima de *groupthink* e desestimulam o confronto de ideias. Estabelecer as regras do diálogo é aceitar este paradoxo: para dialogar bem, devemos saber proibir.

Proibir o PowerPoint? Acima de tudo, proibir tudo que engesse o debate e dê sono aos participantes. E por que não, correndo o risco de ser iconoclasta, proibir as apresentações em PowerPoint? O todo-poderoso PowerPoint tem uma maneira bem própria de "matar" o diálogo, organizando a apresentação em sentido linear a partir de um único ponto de vista. Mesmo generais do Exército dos Estados Unidos admitiram que o "PowerPoint nos torna estúpidos".

O problema do PowerPoint não está relacionado ao programa em si, mas ao uso feito na maioria das vezes. Por mais que o PowerPoint possa servir para apresentar fatos, argumentos, raciocínios e até para lançar as bases de uma discussão proveitosa, a realidade é que costuma ser usado para mascarar a falta de rigor de um raciocínio ou até para distrair a plateia com subterfúgios visuais.

A onipresença do PowerPoint é tão grande que poucos diretores têm coragem de banir o software. Ainda assim, quem fez isso não se arrepende. "Eu proibi essas apresentações que nos impediam de discutir", conta um diretor de empresa familiar, visivelmente feliz com a mudança no tom dos debates.

A Amazon, por sua vez, adotou outra técnica: em vez de apresentações em PowerPoint, exige um memorando de seis páginas, redigido com clareza, que todos os participantes devem ler no início da reunião, em silêncio monástico. Ao contrário da apresentação, o memorando obriga o redator a esclarecer seu pensamento, a articular um raciocínio coerente. Já o leitor descobre esse raciocínio em seu próprio ritmo, exercitando sua mente crítica.

O mesmo princípio pode ser adaptado à atividade de um conselho administrativo: ao menos uma empresa, a Netflix, optou por fazer dessa maneira. Em vez dos *board books*, compilações espessas de apresentações em PowerPoint que são padrão em muitos conselhos, os diretores da Netflix recebem um memorando antes de cada reunião, ao qual podem acrescentar (de modo on-line) perguntas e comentários. Com cerca de trinta páginas, os memorandos contêm links para dados adicionais de apoio. Os diretores podem, assim, dedicar o tempo do conselho a uma discussão real, sem necessidade de ouvir apresentações ou de fazer perguntas de esclarecimento.

Essa prática só não é mais difundida porque exige muito mais do que parece. Passar de uma apresentação para um memorando vai muito além de usar a folha de papel na vertical e não na horizontal: requer a dedicação de um tempo adicional considerável. Os memorandos da Netflix debatidos em seu conselho administrativo são revisados por seus noventa dirigentes principais. Na Amazon, o CEO Jeff Bezos adverte os colaboradores quanto aos memorandos descuidados: "Algumas pessoas acreditam que dá para escrever um bom memorando em um ou dois dias, às vezes em poucas horas, quando leva uma semana ou até mais!".

Argumentos proibidos. Banir o uso de certos argumentos pelos participantes da reunião é outra medida proveitosa. Recorrer a uma espécie de censura pode parecer uma maneira bastante paradoxal de suscitar o diálogo. No entanto, alguns argumentos são tão falaciosos e tão poderosos que devem ser proibidos, assim como o protocolo judicial proíbe o uso de provas inadmissíveis ou de argumentos que influenciariam de modo indevido os jurados.

Trata-se sobretudo de certas comparações que, assim que são feitas, conduzem os presentes à armadilha do *storytelling*. Um capitalista de risco relata como proibiu suas tropas, durante a revisão do relatório de um possível investimento, de se comparar a empresas de grande sucesso no passado. Dizer "é o futuro Uber" ou "é o próximo Criteo", mesmo que na sequência se enumere as diferenças entre o caso atual e o sucesso antigo, é enviesar de maneira irremediável o debate. A força da analogia triunfa sobre qualquer raciocínio que venha em seguida.

Conclusões precipitadas. Terceira proibição a ser feita em prol do diálogo: a das conclusões precipitadas.

Um exemplo de tática para evitar decisões precipitadas em grupo é fornecido pelo mesmo capitalista de risco. Quando ele e seus colegas se reúnem para ouvir os fundadores das start-ups em que cogitam investir, é proibido reagir no ato. O fundador faz sua apresentação diante de todos os investidores do fundo, que agradecem e se despedem até o dia seguinte para analisar e decidir "de cabeça fria". Essa é uma proibição que parece infringir todos os princípios de produtividade das reuniões. Porém, quando você decide "no calor do momento", observa o investidor, "a análise se torna um concurso de eloquência sobre as primeiras impressões." Desse modo, há grande risco de que as reações mais animadas, que não são necessariamente as melhores, ganhem apoio. Ao se abster de uma decisão muito rápida, tomamos uma decisão melhor.

Opiniões categóricas. O mesmo princípio se aplica tanto para as pessoas quanto para o comitê como um todo. Outro famoso capitalista de risco, preocupado em não engessar pontos de vista, dissuade os participantes de seu comitê de investimento de expressar opiniões categóricas se declarando de saída a favor ou contra um investimento. "Peço a cada um para fazer um *balance sheet*, seu balanço. Quero saber o que cada um gosta e não gosta nessa oportunidade." Prática contraintuitiva como poucas, esse diretor exige de seus gerentes, em vez de uma recomendação clara, uma resposta evasiva: "Talvez sim, talvez não!".

Quando lidamos com decisões complicadas e sutis, como costumam ser decisões estratégicas, temos que aceitar que são complicadas e sutis. Incentivar os participantes a estampar uma impressão de 100% de confiança equivale a empurrar as pessoas à ladeira do excesso de confiança, e o grupo, à do *groupthink*. Mais vale reconhecer a incerteza e incentivar sua verbalização. E mais vale admitir que os posicionamentos flexíveis não são sinal de indecisão ou de incompetência, e sim de lucidez. O momento de fazer a escolha chegará, trazendo consigo as técnicas para efetivar a decisão. Porém, decidir muito cedo é com frequência infringir o famoso princípio atribuído a Einstein: "Faça as coisas o mais simples que puder, porém não as simplifique demais".

AS FERRAMENTAS DO DIÁLOGO

Uma vez iniciada a reunião e estabelecidas as regras, devemos estimular o debate. Para isso, cada diretor escolherá suas técnicas e suas ferramentas, de acordo com seu próprio estilo e com a cultura de sua empresa. Os próximos exemplos ilustram o leque de possibilidades.

Advogado do diabo. A mais conhecida e a mais antiga das técnicas de confronto de ideias ainda conta com seguidores. Um dos diretores que aceitou dar um depoimento para este livro declarou que costuma usar este recurso: "Sempre que todos dizem que uma ideia é boa, acende o sinal amarelo que me diz que estou sendo enrolado. Então nomeio alguém para fazer o papel do advogado do diabo e me explicar por que a proposta em cima da mesa é na verdade uma má ideia".

A eficácia da ferramenta depende, é claro, de quem desempenha o papel. Como dar ao "diabo" um advogado motivado o suficiente? Nosso diretor afirma que pela personalidade do escolhido. "Tenho o cuidado de escolher um desmancha-prazeres, alguém que vai entrar no jogo pelo temperamento." É como no filme *Caindo no ridículo*, de Patrice Leconte, que conta como o abade da corte do rei, depois de uma proeza oratória em que "provou a existência de Deus", declara ao público: "Eu também poderia demonstrar o contrário, quando agradar à sua majestade".

Essa comparação mostra bem a dificuldade do exercício. Em primeiro lugar, porque precisamos ter na equipe alguém capaz de gostar de expressar o contrário do próprio pensamento. Perfis como esse são raros (e teríamos a tentação de acrescentar: ainda bem...). Em segundo porque, como o abade do filme, enviado à Bastilha logo depois dessa tirada, o advogado do diabo arrisca tudo: se encarnar o papel de corpo e alma usando suas habilidades oratórias contra seus próprios aliados, estes logicamente vão sentir rancor. Kennedy estava ciente disso e, durante a crise dos mísseis cubanos, atribuía a dois conselheiros, em vez de a apenas um, esse papel ingrato.

Na prática, portanto, a técnica do advogado do diabo é difícil de ser implementada. Há um grande risco de que os "advogados" se limitem a defender sem convicção o cliente diabólico, e até que o debate não passe de uma farsa. Alguns autores chegam a desaconselhar o uso desse recurso, alegando que apenas uma divergência *genuína*, e não fabricada, tornaria possível gerar um verdadeiro debate.

O desafio consiste então em suscitar essa divergência autêntica sem focar o debate na pessoa encarregada de interpretar o papel. O objetivo é que a escolha entre duas propostas não se torne a escolha entre duas pessoas. Diversas técnicas podem ser utilizadas para conseguir isso.

Propostas diversas. Uma dessas técnicas, por mais poderosa que seja, é pouquíssimo utilizada: basta exigir do "encarregado de projeto" que nunca apresente uma única proposta, e sim diversas. A técnica possibilita escapar da escolha binária "a favor ou contra" de uma única proposta.

O diretor financeiro de uma grande empresa industrial observa que ninguém tem o direito de lhe apresentar uma proposta de investimento sem ao menos ter, ao mesmo tempo, uma segunda. A técnica não apenas estimulará o debate criando opções adicionais, como também vai contribuir para a análise do problema de inércia na alocação de recursos mencionado no capítulo 5, pois o diretor financeiro poderá aprovar ambas as propostas de uma mesma divisão e rejeitar todas as demais de outra unidade. Se ele tivesse recebido apenas uma proposta de cada unidade, teria ficado mais tentado a aprovar as duas.

Uma variante desse método, a técnica das *vanishing options* [opções que desapareçam] consiste em questionar o que faríamos se, por uma razão ou outra, a única opção considerada se tornasse impossível. Também nesse caso o exercício possibilita muitas vezes criar ideias inesperadas.

O simples fato de se ter opções múltiplas melhora a qualidade das decisões. Chip e Dan Heath, que fazem desse preceito o primeiro ponto de sua metodologia para melhorar nossas decisões, citam um estudo que aponta que apenas 29% das decisões empresariais seriam de escolhas entre várias opções, e 71% seriam decisões de "sim ou não" em uma proposta única. Apesar disso, a taxa de insucesso seria muito menor no caso das opções múltiplas (32% contra 52%).

Ainda assim, oferecer várias alternativas nem sempre é possível. Quanto mais importante, incomum e única em seu domínio for a decisão, mais difícil será apresentá-la como uma opção entre outras. Como suscitar o debate quando de maneira objetiva há apenas uma proposta a ser considerada?

Histórias alternativas. Uma técnica, complexa mas repleta de lições, torna possível a resposta a esse problema. Consiste em pedir que a mesma pessoa, durante o encontro, apresente duas histórias, dois "cenários" para a proposta em questão, mas que levem a conclusões diferentes.

Para ilustrar o funcionamento da técnica, vamos retomar o exemplo do capítulo 1, em que o diretor comercial, ao receber uma ligação de um de seus vendedores, concluiu depressa demais que uma guerra de preços estava prestes a começar. Se ele tivesse lançado mão da técnica das histórias alternativas, poderia ter construído a partir dos mesmos fatos o seguinte raciocínio: "Esse vendedor encontrou dificuldades pontuais com um ou dois clientes grandes, o que explica sua desmoralização temporária. Suas dificuldades têm menos a ver com o posicionamento de preços dos nossos produtos do que com a maneira como ele os apresenta, já que o preço não deveria ser nosso principal argumento de venda. Devemos pensar como podemos reforçar o treinamento e a motivação dos vendedores, mas não baixar nossos preços".

Como notamos a partir desse exemplo, podemos explorar o viés do *storytelling* para contar duas histórias igualmente críveis. A segunda história contribuiu para que sejamos impelidos à busca de outras informações, outras confirmações além daquela da versão de que "devemos baixar os preços". Por exemplo, para corroborar a segunda história, deveríamos realizar uma análise objetiva da competitividade de nossa oferta, incluindo, mas não se limitando, ao preço. Essa é uma análise útil, mas que não cogitamos de maneira espontânea antes da formulação da história alternativa. As histórias alternativas têm a força de combater o mal com o mal, o *storytelling* com o *storytelling*.

Um fundo de *private equity* adotou essa técnica, pedindo que o sócio que apresentasse um relatório construísse, a partir da mesma base de fatos da história "positiva", uma história alternativa explicando por que o fundo poderia rejeitar a proposta. O exercício não é fácil e pode parecer artificial à primeira vista. Ainda assim, tem a virtude de conscientizar todos os participantes da incerteza inerente à decisão. Reconhecer que uma escolha de investimento é um assunto que permite divergências por parte de pessoas razoáveis já é criar um clima de diálogo. Acima de tudo, apresentar duas histórias minimiza e despersonaliza eventuais desentendimentos. Em vez de fazer a crítica direta a uma história positiva, o que representa um ataque implícito à pessoa que a apresentou, os participantes podem verbalizar suas dúvidas ao concordar com alguns argumentos da história alternativa, o que facilita imediatamente o diálogo.

Pre-mortem. Outra técnica eficaz para estimular o debate em uma equipe gestora, e em particular para lutar contra a combinação dos vieses de excesso de confiança e de grupo, é a do *pre-mortem*. Criada por Gary Klein, o especialista das decisões "intuitivas" mencionadas no capítulo 3, a *pre-mortem* se intercala pouco antes da decisão final, quando pode haver o receio de que algumas objeções ou preocupações ainda não foram sinalizadas. A técnica consiste em se projetar de maneira coletiva em um futuro de fracasso do projeto e em fazer a autópsia do porquê, o "post-mortem" (por isso o nome "pre-mortem", que sugere uma "autópsia antecipada").

O mediador anuncia: "Cinco anos se passaram e este projeto foi um desastre completo. Quais são as razões para um resultado tão catastrófico?". Em silêncio, os participantes devem escrever uma série de razões possíveis e compartilhá-las em seguida com o grupo, de preferência de maneira anônima.

Podemos nos perguntar por que não nos limitamos à tradicional discussão sobre os riscos e as incertezas que o projeto enfrenta. A diferença na formulação pode parecer tênue, mas é significativa. Cabe recordar o viés retrospectivo: somos muito melhores em explicar o que já aconteceu do que em imaginar o que poderia acontecer! A *pre-mortem* explora esse viés com habilidade, nos projetando para o futuro para que possamos olhar para trás e pedindo que expliquemos o que "já aconteceu" em um passado que ainda não aconteceu. Em um espirituoso oximoro, Klein chama o processo de *prospective hindsight*, que poderíamos traduzir como "retrospectiva antecipada".

Os resultados costumam ser instrutivos. Se todos os participantes estão preocupados pelas mesmas razões, talvez essas preocupações não tenham sido exploradas o bastante. Além disso, mesmo que elas façam parte da incerteza residual inerente a todo projeto de risco, é útil identificar os pontos críticos de atenção para o sucesso do projeto.

De qualquer maneira, o caso mais interessante é aquele em que aparecem assuntos que não foram tratados. Como confidenciou Smithburg, o CEO da Quaker, alguns anos depois do fracasso da aquisição da Snapple: "Estávamos todos muito entusiasmados, mas deveríamos ter tido pelo menos algumas pessoas para argumentar contra a aquisição". Exatamente o que a técnica do *pre-mortem* teria possibilitado.

Comitê ad hoc. Ainda mais radical do que pedir ao comitê diretivo para imaginar o pior cenário: substituí-lo! Trata-se de um dos tabus de muitas organizações, em que o conselho administrativo deve decidir sobre tudo. Porém, a melhor maneira de evitar o *groupthink* e outros jogos políticos pode ser variar a formação do grupo de acordo com as decisões.

Um diretor entrevistado para este livro conta como adaptou uma técnica desenvolvida pela GE Capital, chamada de "Six Amigos", para rever projetos de investimento. "Reunimos em uma sala seis pessoas escolhidas quase ao acaso entre as diferentes funções da empresa, que não conhecem o relatório e o descobrem ao mesmo tempo que nós. Em seguida, pedimos que façam as perguntas certas e desafiem o projeto, usando suas habilidades individuais, cada uma em sua própria função."

E funciona! Quando recebem esse papel inesperado, os colaboradores encarnam o personagem. Eles estarão muito menos sujeitos aos jogos políticos, ao "toma lá dá cá" que reina entre os membros de uma equipe constituída, aos vieses de interesse de um comitê diretivo que se reúne com regularidade e no qual quem critica um dia pode ser criticado no outro. Além disso, cada uma dessas pessoas tem a oportunidade de demonstrar suas habilidades exercendo seu julgamento fora de sua área de competência, na presença do CEO ou de um dos outros diretores da empresa: uma boa oportunidade para detectar talentos — e motivá-los a estudar o relatório com toda a atenção! Uma maneira, em todo caso, de estimular o diálogo, mudando os participantes.

Engavetar o memorando. Por fim, precisamos abordar situações em que todas essas técnicas de diálogo são de difícil implementação, pois o sigilo absoluto em volta da decisão limita o diálogo a um grupo minúsculo. Trata-se do caso, por exemplo, de um projeto de aquisição muito grande, decisão importante como poucas. Pois bem, quanto menor é o número de pessoas, menor é o coletivo, e mais os vieses entram em ação. Como organizar o diálogo em um panorama desses? A resposta consiste em articular um diálogo entre quem dá a palavra final... e ele mesmo! Mas ele mesmo em um momento diferente.

Um dos desafios a enfrentar nas aquisições é o entusiasmo coletivo, o "clima do negócio fechado", que afeta aqueles que vão tomar a decisão e suas equipes. A amarga observação de Smithburg mencionada há pouco, assim como o exemplo do fundo cujos problemas não resolvidos desapareciam um a um em sucessivos relatórios, ilustram esse fenômeno. Quando equipes trabalham dia e noite, quando as negociações exigem respostas rápidas, pode ser difícil manter a cabeça fria.

Dessa maneira, a técnica de "engavetar o memorando" consiste em escrever com clareza, algumas semanas antes da data planejada para a transação, as razões que justificariam uma recusa. Uma lista simples de questões que devem ser consideradas *deal breakers* se não forem resolvidas. Esse memorando, aprovado pelo CEO, será engavetado até o dia da decisão.

Quando chega a hora, o CEO está em condições de dialogar sobre a decisão a ser tomada com um interlocutor à sua altura: ele próprio. Para ser mais exato, ele próprio algumas semanas antes, quando estava menos sujeito a alguns de seus vieses do momento. Essa questão foi tratada de maneira adequada? Se não foi, era na época desnecessária? Afinal de contas, quem vai tomar a decisão tinha escrito esse ponto na mesma lista há não muito tempo... Uma tempestade sob um crânio que não substitui o verdadeiro diálogo, mas que pode ajudar o executivo, em um momento crítico, a tomar o distanciamento necessário.

DIÁLOGO OU CONSENSO?

Não podemos finalizar este capítulo sem responder a três objeções legítimas levantadas por essas sugestões para articular o diálogo.

A primeira é o receio de um debate sem fim, que atrasa e até impede a decisão. Como algumas organizações sofrem com esse problema, é tentador encurtar ou mesmo eliminar o debate, para enfim passar à prática. Contudo, essa tentação é perigosa para a qualidade da decisão. Nesse caso, é preferível enquadrar o debate usando ferramentas que o "precipitam", no sentido químico, e chegar a uma decisão clara, mas informada. É o que o antigo CEO do Google, Eric Schmidt, chama de "*discord plus deadline*": organizar a "discórdia", o confronto, o diálogo, mas também estabelecer com antecedência o momento do fim do debate, do ato de decidir e de sua implementação. Como Schmidt observa, "o nome para apenas discórdia, sem um *deadline*, é universidade".

A segunda é o medo da síntese conciliadora, do "consenso indolente" que surgiria de um diálogo em torno de uma decisão estratégica. Vamos dissipar o possível mal-entendido: não se trata de democracia! No final do diálogo, quem decide é quem tem que decidir. Ele vai tomar sua decisão depois de ter escutado os participantes, mas sem qualquer obrigação de adotar o ponto de vista da maioria. Como explica um diretor já mencionado, articular o diálogo "não é nada confortável, é muito menos confortável do que chegar a um consenso amistoso". Nesse sentido, liderar uma equipe pelo diálogo requer verdadeira coragem diretiva: a coragem de estar pronto para ir contra a opinião expressa por uma parte da equipe quando o momento chegar. Não é o diálogo que cria o risco de um consenso indolente, e sim o tomador de decisão indolente.

A terceira objeção é fruto do receio da anterior. Qual será a motivação de quem expressou posicionamentos contrários à decisão final, mas deve participar em seguida da implementação do projeto? Não terá empenho em aplicar a decisão a que se opôs? A experiência sugere, e a pesquisa confirma, que ocorre o oposto. A presença de um *fair process*, de um método justo de decisão, mobiliza os participantes. Quando todos têm a oportunidade de expressar seu ponto de vista e serem ouvidos, quando a decisão final e suas consequências são explicadas, a motivação não só não diminui como cresce.

Com uma condição, é claro: que a regra do jogo seja clara, o diálogo, respeitoso, e a escuta, sincera. Nada mais desmotivante do que uma consulta de opinião fingida para criar um "consenso" artificial. Os gestores que fingem ouvir para confirmar decisões já tomadas costumam se refugiar no cinismo.

Articular o diálogo não é fácil, sobretudo para organizações que não estão acostumadas a isso. Porém, o diálogo é a única maneira de lutar contra a maioria de nossos vieses, a começar pelos de modelo mental, na medida em que o diálogo permite apresentar histórias diferentes. Em seguida, contra os vieses de ação, pois dá voz aos céticos, e também contra os vieses de inércia, porque o confronto de pontos de vista nos obriga a desafiar o status quo. Por fim, contra os vieses de grupo, claro, contanto que as precauções necessárias sejam adotadas. Por essas razões, o diálogo é o primeiro pilar da arquitetura de decisão.

O DIÁLOGO EM TRINTA SEGUNDOS

- Muitas organizações ainda acreditam que uma boa reunião é uma reunião sem debate. No entanto, o debate **é essencial para combater os vieses** (de grupo, mas não só).

- **As condições prévias**: diversidade; tempo suficiente; ordem do dia adaptada.
  ▶ *"Para discussão" ou "para decisão"?*

- **As regras**: é permitido proibir (algumas ferramentas de apresentação; algumas analogias; decisões precipitadas).
  ▶ *A Amazon baniu o uso do PowerPoint.*
  ▶ *O capitalista de risco incentiva as respostas evasivas.*

- **As ferramentas**: mais do que escolher um advogado do diabo (dificílimo), ampliar o leque de opções ou de interpretações ou deslocar o debate (*pre-mortem*; comitê ad hoc; engavetar o memorando).
  ▶ *A técnica do pre-mortem: "Cinco anos se passaram e esse projeto foi um fracasso. Por quê?".*
  ▶ *Six Amigos: mudar a diretoria durante a tomada de uma decisão?*

- **Não temer a falta do consenso**: a decisão cabe ao diretor.
  ▶ *"Discord plus deadline"* (Eric Schmidt).
  ▶ *O diálogo não desmotiva quem foi voto vencido, pelo contrário.*

15. Descentralização
Ver os fatos por outro ângulo

> *In God we trust. All others, bring data.* [Confiamos em Deus. Para todos os outros, tragam dados.]
> William E. Deming

Quando eclodiu a crise das *subprimes* em 2007-8, a maioria dos grandes bancos foi surpreendida. Todos os seus modelos, todas as suas análises, todas as avaliações das agências de classificação sugeriam que esses créditos não eram arriscados. Bancos e outros investidores perderam somas estratosféricas, provocando uma crise financeira sem precedentes.

Com exceção, é claro, daqueles que viram a crise chegar. Entre eles, um tal de Michael Burry. Muito cedo, o problema saltou aos seus olhos: se o mercado imobiliário recuar, os mutuários, insolventes, não vão cumprir sua parte, e a bolha estourará. Como ele escreveu: "Ninguém em Washington parecia interessado em como eu cheguei à conclusão de que a bolha estouraria e provocaria sérios estragos às grandes instituições financeiras". Quando sua previsão se confirmou em 2007, o fundo de Burry embolsou 750 milhões de dólares. Tomar posições que vão contra a opinião geral, ser o que os financistas chamam de *contrarian*, pode às vezes se revelar lucrativo.

Mas, afinal, quem é Michael Burry? Um famoso estrategista de um grande banco? Um *trader* de uma corretora de Wall Street? Longe disso. Diplomado em medicina, Burry deixou de atender para se dedicar em tempo integral a seu hobby, a especulação na Bolsa. Começou criando um pequeno fundo com suas economias e um pequeno empréstimo da família e de amigos. Burry é um outsider e uma personalidade bastante peculiar: antissocial, portador da síndrome de Asperger (uma forma moderada de autismo), conheceu sua esposa escrevendo um anúncio nos classificados em que se apresentava como "solteiro, zarolho e muito endividado". Dá para imaginar com facilidade por que Burry não trabalha na Goldman Sachs.

O VALOR DAS IDEIAS DIVERGENTES

Ideias "divergentes" como as de Burry não têm preço. Porém, as ideias não surgem do nada. Sabemos que, em diversos bancos, pessoas ergueram a voz para expressar preocupação com a bolha das *subprimes*, mas não foram ouvidas. Teria sido por que não demonstraram a mesma perseverança de Burry? Teria sido por que foram dissuadidas pelo ambiente de levar suas ideias adiante? No fundo, não faz diferença. As organizações raramente sabem como acolher pessoas capazes de ideias divergentes, como tolerar a manifestação de um pensamento rebelde e como integrar os resultados de uns e de outros em suas decisões estratégicas.

Sem dúvida, trata-se de uma evidência problemática. Como vimos no capítulo anterior, o diálogo é indispensável para o surgimento das boas decisões. Porém, se esse diálogo ocorrer entre pessoas com as mesmas ideias, há o risco de que não passe de perda de tempo. Como fazer para que as ideias divergentes apareçam? Como incentivar maneiras diferentes de ver uma situação ou uma oportunidade, apesar dos vieses de grupo e dos de confirmação que conduzem à unanimidade? Como se obrigar a ver as coisas por outro ângulo? Tudo isso está em jogo na descentralização.

Uma analogia com o mundo da fotografia pode servir para ilustrar a ideia de descentralização. Muitos executivos insistem, e com razão, na importância de saber dominar o "zoom": ao passar da teleobjetiva para a grande-angular, ao saber focar no detalhe ou abrir o plano, eles têm um julgamento melhor do que se estivessem apenas em uma dessas distâncias. Ainda assim, por mais útil que seja o zoom, a ferramenta de descentralização é outro tipo de lente:

a *tilt and shift*, ou a lente de "inclinação e descentramento". Conhecidíssima pelos entusiastas da fotografia arquitetônica, essa notável ferramenta permite a alteração artificial da perspectiva. A imagem não é apenas vista de perto ou de longe, é diferente: a distância não mudou nem os fatos observados, mas sim o ponto de vista.

Diversos métodos nos permitem fazer com que pontos de vista descentralizados apareçam. Essas opiniões são essenciais para limitar os efeitos dos nossos vieses, como também para simplesmente multiplicar as pistas. Para tomar boas decisões, não basta perseguir os erros: também precisamos de boas ideias!

CULTIVAR AS DIFERENÇAS

Buscar o desafio significa, antes de tudo, cultivar as diferenças, cultivar os desafiadores. É uma questão de temperamento e de curiosidade natural, mas também de metodologia.

Interlocutores anônimos, pessoas do contra... Algumas lideranças políticas, preocupadas em não perder a conexão com a sociedade civil, mantêm uma rede de "interlocutores anônimos" capazes de oferecer ideias "inusitadas". Na mesma linha, muitos diretores se cercam, dentro de suas organizações, de conselheiros especiais, de responsáveis pela inovação e até de "caixas de sugestões" ou de pessoas "do contra", que desempenham a mesma função: trazer ideias "fora da curva".

Um gerente confidenciou que tem em sua diretoria o que chama de um "especialista do caos", que, por sua personalidade e seu temperamento, tem uma tendência natural a pensar de maneira não convencional. Claro que essa pessoa tem também uma posição no organograma, já que "do contra" não é a descrição de um cargo. De todo modo, a atribuição do papel se deve em parte à capacidade desse quadro de trazer pontos de vista descentralizados a todos os assuntos revisados pelo conselho deliberativo.

No entanto, para que possamos ouvi-los, devemos ter confiança suficiente em quem expressa esses pontos de vista: os "do contra" não são excêntricos. Outro executivo, com histórico de erguer diversas empresas em dificuldade, conta com seus "leais", que o seguiram em todos os desafios e cuja aptidão intelectual é tão apreciada quanto a lealdade. "Corro o risco de acreditar que sou infalível e não dar ouvidos a ninguém. Como chego a empresas onde não conheço ninguém e todos pensam igual, preciso me cercar de pessoas livres, que vão falar quando eu estiver errado", explicou.

Redes informais. Além disso, muitos diretores garantem o acesso a pontos de vista divergentes por redes informais. Eles mantêm, ou criam, laços com pessoas cuja hierarquia não lhes permitiria — ou não lhes permitiria mais — alcançar e que ajudam no esclarecimento de suas decisões mais importantes por comunicações não filtradas. Um diretor que passou vinte anos na mesma empresa revelou que contava com uma rede de conselheiros que eram colegas em cada etapa de sua carreira: homens e mulheres com quem criou e manteve laços de amizade, e que continuavam conversando com ele com certa franqueza, agora que era CEO.

BUSCANDO O DESAFIO

No entanto, muitas vezes não bastam as opiniões disponíveis internamente, divergentes ou não, sobretudo em assuntos novos ou incomuns. O bom reflexo da descentralização é buscar pontos de vista diferentes, fora da organização.

Especialistas. A fonte mais fácil consiste em buscar especialistas externos. Porém, devemos tomar certas precauções para evitar que a condição de especialista não se torne álibi para a inação.

Vamos tomar como exemplo uma aquisição que levanta uma questão tributária complexa. A advogada consultada vai estudar a situação a fundo, destacar os riscos enfrentados pela adquirente e calcular o custo potencial caso esses riscos se tornem realidade. Sua tarefa é chamar a atenção para os riscos, não julgar se os riscos se justificam. Além disso, ela tem interesse de proteger a própria reputação, garantindo que não possa ser responsabilizada por nada mais tarde. As pessoas que a consultam, também especialistas em questões tributárias, dentro do departamento jurídico, por sua vez ligado ao departamento financeiro, dividem a mesma perspectiva. Quando depois de uma série de desvios a opinião da especialista para na mesa do CEO, é um elemento a mais em uma decisão complexa, dificílima de ser ponderada.

Em situações dessa natureza, uma forma interessante de proceder é sugerida por um dos diretores entrevistados para este livro. Cabe ao CEO eliminar os níveis hierárquicos entre a especialista e ele em um encontro pessoal, para tirá-la da defensiva. Em essência, o diretor utiliza as seguintes palavras: "Li seu relatório e entendo que você deve me alertar sobre os riscos, mas preciso decidir se vale a pena correr o risco, se ele se justifica. Entre nós, em off, eu gostaria de saber se você correria o risco, se fosse o seu dinheiro". A questão leva a profissional a se descentralizar, a mudar do ponto de vista da especialista que lista perigos para o de uma diretora que assume riscos calculados.

Consultores. Assim como especialistas que se manifestam sobre um aspecto técnico, conselheiros externos também podem trazer uma perspectiva diferente, fonte útil de descentralização. (Alguém talvez possa imaginar que o autor, que há muito tempo faz parte desses consultores, não escapa de seus próprios vieses ao dar essa sugestão...) A dificuldade é usar esses conselhos para favorecer a descentralização e não, como às vezes acontece, para contribuir para *groupthink* e até legitimá-lo. Desse modo, devemos antes de tudo escolher consultores independentes cuja remuneração não afete o julgamento, mas devemos também fazer perguntas que não enviesem suas recomendações.

O diretor de uma companhia adotou o princípio de nunca recorrer a uma empresa de consultoria para um projeto de aquisição que já tenha sido identificado. Mesmo sabendo que a consultoria fará todos os esforços para dar um posicionamento independente, ele tem a sensação de que a dinâmica da discussão, a convicção das equipes e a sua própria, claro, poderão influenciar o parecer. Por isso, ele prefere pedir aos consultores, antes de qualquer operação, um ponto de vista sobre a evolução do setor e todas as estratégias possíveis para a sua sociedade. Trata-se de um trabalho desconfortável para os consultores: em vez de responder a uma pergunta específica, eles precisam considerar todas as opções. Além de menos focado, o trabalho também é mais demorado e, portanto, mais caro. Ainda assim, quando a recomendação dos consultores corrobora a hipótese do diretor, ele sabe que essa convergência é fruto de uma opinião isenta o máximo possível de vieses. Por outro lado, quando os consultores fazem uma recomendação diferente, essa opinião divergente é de grande valor para seu cliente.

"*Desafiantes externos.*" Variante dos especialistas e dos consultores externos, o método "desafiante" também tem seus seguidores. A técnica requer certa dose de prática, pois pode ser bastante surpreendente à primeira vista.

Uma grande empresa do ramo farmacêutico adotou essa metodologia em seu processo de planejamento estratégico. Nas duas ou três questões estratégicas mais importantes do ano, a empresa identifica um "desafiante" externo, que ficará encarregado de rever o planejamento estratégico de determinada divisão e de fornecer um parecer crítico. O desafiante certo, de competência incontestável, pode ser um médico formador de opinião na especialidade abordada, um ex-diretor da "casa" que se aposentou ou até mesmo o dono de uma start-up que costuma colaborar com a empresa. Embora seja bem remunerado pelo trabalho, como seria pela participação em um conselho administrativo, o desafiante em geral não aceita a missão pelo dinheiro (que costuma doar a uma instituição de caridade). Aceita, isso sim, pois também será desafiado, tendo a oportunidade de mergulhar em um problema complexo e apresentar suas conclusões ao conselho administrativo de uma das líderes de seu setor.

No final do processo, a proposta da divisão terá evoluído em certos pontos, com a incorporação das sugestões do desafiante. Em outros, a diretoria e o desafiante não estarão de acordo. Pelo menos o conselho administrativo terá tido a oportunidade de ouvir dois lados diferentes, um "centralizado" e outro descentralizado.

"*Equipes vermelhas.*" Um método mais radical ainda de buscar o desafio consiste em dar para uma equipe a missão de emitir não uma opinião independente, e sim intencionalmente negativa. A "equipe azul", encarregada de apresentar uma proposta, será contestada pela "equipe vermelha", cujo objetivo é "matar" a proposta, defender a tese contrária. A equipe vermelha é uma espécie de advogado do diabo que não se limitaria a seus talentos retóricos e teria se cercado de um grupo de detetives. A vantagem do método é permitir a quem toma a decisão formar sua própria opinião depois de ouvir dois pontos de vista bem documentados, mas divergentes. Quem tiver a palavra final estará na condição do juiz que ouviu a defesa e a acusação, que construíram seus argumentos como acharam melhor.

Com certeza, a duplicação do trabalho analítico requer um esforço à altura, justificado apenas por objetivos importantes. Além disso, a articulação do confronto gera inevitavelmente tensões (mesmo que, como às vezes acontece, a equipe vermelha seja terceirizada). Não causa surpresa que essa técnica tenha sido desenvolvida pela CIA: o papel da equipe vermelha é se colocar no lugar do adversário para antecipar sua reação. Quando a equipe vermelha é utilizada dessa maneira, às vezes chamamos de *war gaming*.

Warren Buffett, sempre ele, recomenda uma variação dessa técnica para estudar os projetos de aquisições, sobretudo quando são realizados na forma de troca de ações (o que torna a avaliação ainda mais complexa). De acordo com o oráculo de Omaha, "quando o conselho administrativo ouve as propostas de um banco de investimento, a meu ver existe apenas uma maneira de ter uma discussão racional e equilibrada: o conselho administrativo deveria contratar um segundo banco e pedir que explicasse por que a aquisição é uma má ideia — e só pagar o segundo banco se o negócio não fosse concluído". A principal virtude da técnica é combater os vieses de interesse. Buffett resume tudo com sua franqueza habitual: "Não pergunte ao cabeleireiro se você precisa de um corte de cabelo".

"*Sabedoria das multidões*." Por fim, existe uma maneira de buscar o desafio, que pouquíssimas organizações recorrem: consultar suas tropas de maneira sistemática. Em 1907, o estatístico Francis Galton destacou a "sabedoria das multidões", fenômeno paradoxal que faz com que a estimativa média de um grupo seja mais exata do que a estimativa individual da maioria das pessoas que o compõem: como os erros individuais não são correlacionados, eles se anulam. A vox populi pode então ser notavelmente lúcida.

Podemos usar essa técnica, por exemplo, para obter previsões confiáveis quando estamos para lançar um produto: os vendedores estão na melhor posição para formular previsões de vendas. No entanto, o risco é que essa previsão "objetiva", em particular se for pessimista, seja autorrealizável: como cada vendedor saberá que a maioria dos colegas não acredita no produto, será que o lançamento ainda terá alguma chance de sucesso?

Além das previsões numéricas, uma quantidade crescente de empresas tem usado softwares para envolver um grande número de colaboradores na geração e na avaliação de ideias estratégicas. O princípio é o mesmo: buscar fatos "descentralizados" que sejam o mais perto possível da realidade.

USAR OS VIESES CONTRA OS VIESES

Há muitas outras metodologias para criar pontos de vista descentralizados. Três são dignos de nota por sua eficácia no combate a alguns dos vieses mais resistentes e têm em comum "tratar o mal com o mal", combater os vieses usando os mesmos vieses.

Contra a ancoragem, reancoragem. Vimos no capítulo 5 como é difícil superar a inércia na alocação dos recursos, um efeito do viés de ancoragem que nos leva a realocar nossos recursos de maneira tímida e tardia demais. A ancoragem é uma força tão poderosa que não podemos ignorá-la. Sua definição é autoexplicativa: vimos que, durante a elaboração de um orçamento, por exemplo, quando pensamos que estamos ajustando os números, na verdade não estamos fazendo ajustes o bastante. Se quisermos ser capazes de ajustar o suficiente, precisaremos de outra âncora, que nos levará na direção oposta: a reancoragem.

Diversas grandes empresas adotaram métodos de reancoragem para insuflar as discussões orçamentárias. Embora haja modalidades diferentes, o princípio é sempre o mesmo e se baseia em um modelo intencionalmente bem simples do que seria uma alocação "mecânica" do orçamento. O modelo pode utilizar uma série de critérios de atratividade estratégica: tamanho do mercado, crescimento, lucratividade etc. Em contrapartida, não leva em consideração o histórico. Com base nesses critérios, insuficientes mas apropriados, o modelo irá propor uma alocação de recursos "base zero", ou seja, que não leve em conta as alocações passadas.

Sem dúvida, a utilidade do modelo não é tomar a decisão de alocação, mas permitir mudar o espírito da discussão. Vimos que uma das fontes de inércia é a ancoragem com base no histórico: se o orçamento de marketing do ano passado foi cem, tendemos a conduzir a discussão em torno desse número, talvez entre noventa e 110. De repente, o modelo propõe um orçamento de apenas quarenta! Claro que ninguém está sugerindo a adoção do número e talvez existam excelentes razões, não consideradas pelo modelo, para manter um orçamento de cem, ou até de aumentá-lo. Agora, quais são essas razões? Temos que ao menos fazer essa pergunta, que de outra forma não teria sido levantada. Logo, o debate "ancorado" por dois números em vez de um terá um tom muito diferente.

Cabe notar que, em tese, nem *todas* as alocações propostas pelo modelo devem ser radicalmente diferentes do histórico, pelo menos quando a alocação atual de recursos for coerente com a estratégia (também refletida nos critérios utilizados pelo modelo) e quando o modelo estiver calibrado de maneira certa. Nesse caso, não há necessidade de passar horas em uma discussão que só mudará de leve a alocação de recursos. Melhor dedicar mais tempo às poucas divisões em que o resultado entre o histórico e o modelo é radicalmente diferente. A redistribuição do tempo de gestão sobre o orçamento é um benefício secundário da reancoragem.

Contra o viés de confirmação, analogias estruturadas. Assim como o viés de ancoragem pode ser combatido pela reancoragem, o viés de confirmação, que nos leva de modo inconsciente ao uso de analogias perigosas, pode ser combatido pela prática das analogias estruturadas. A técnica consiste em buscar analogias que nos obriguem à descentralização da primeira comparação que nos ocorre, em geral por experiência pessoal ou casos memoráveis.

Podemos citar um experimento militar como exemplo. Kalev Sepp, analista estratégico do Comando do Exército dos Estados Unidos no Iraque, logo percebeu que a analogia com a Guerra do Vietnã servia de modelo mental para todos os oficiais in loco. No fundo, pensou Kalev Sepp, o Vietnã é uma analogia interessante, mas não existem outras? Que outros exemplos de *counter-insurgency* (ou "guerra contrassubversiva") poderiam servir de inspiração para as Forças Armadas dos Estados Unidos tirar lições do que funciona e do que não funciona? Em poucos dias, o militar conseguiu estabelecer uma nova lista de quase vinte analogias, cada uma se provando no mínimo tão relevante quanto a do Vietnã. O benefício das analogias múltiplas é que abrem a mente, forçam a descentralização da analogia "dominante", a primeira que vem à mente.

Contra o status quo, a rotina. Assim como o viés de ancoragem freia a realocação de recursos, o viés do status quo, como vimos, leva as empresas a não questionar suas escolhas, mantendo, por exemplo, por tempo demais negócios que deveriam ser abandonados. Em cenários como esse também é possível "tratar o mal com o mal": para tanto, devemos fazer com que o questionamento do status quo se torne a escolha padrão, que a discussão da rotina se torne rotina.

Como fazer isso? Um grupo empresarial diversificado optou por passar, de modo sistemático e anual, todas as suas atividades pelo crivo de uma revisão de portfólio. Os diretores se fazem uma pergunta simples: se não fôssemos donos deste negócio, faríamos sua aquisição? Essa lógica é bem diferente da sessão de estratégia "clássica". Em geral, revisamos o desempenho do negócio e procuramos explorar as margens de crescimento. No entanto, partimos do princípio, não formulado porque evidente, de que o negócio está no portfólio do nosso grupo. A revisão anual do portfólio inverte o ônus da prova: cada unidade deve propor planos que criem valor suficiente para justificar a presença no grupo. Caso não seja possível, a questão da cessão é imediatamente levantada.

Outra empresa aplica o mesmo princípio na área de recursos humanos. O proprietário explica que o processo de avaliação visa "recontratar" os colaboradores a cada ano, por meio da seguinte pergunta: se não tivéssemos esse quadro em nossa empresa, em vista do desempenho e do potencial de progresso observado, faríamos sua contratação?

Claro que esses dois exemplos são específicos. Nem todas as empresas aprovariam a lógica puramente financeira que serve de inspiração para o grupo diversificado, e menos ainda a filosofia de gestão de recursos humanos do segundo exemplo. Ainda assim, o princípio ilustrado por essas abordagens é válido em muitas áreas: se quisermos questionar o status quo, precisamos criar rotinas para isso. Apenas um novo status quo pode superar o status quo.

DEIXAR QUE OS FATOS FALEM POR SI

Embora seja importante "descentralizar", também é importante não perder de vista o essencial. De tanto ouvir pontos de vista diferentes, incentivar desafiantes externos, produzir análises "antivieses", não corremos o risco de perder o rumo das verdadeiras prioridades? Não nos arriscamos a sucumbir ao viés do vencedor ao ouvir nossas visitas secretas, a ceder ao canto das sereias do *storytelling* quando adotamos pontos de vista divergentes? Afinal, como decidir quem está certo?

Sem sombra de dúvida, a resposta deve vir dos fatos e das análises. Como disse Daniel Moynihan, senador dos Estados Unidos: "Você tem direito a sua própria opinião, mas não aos seus próprios fatos". A questão é como deixar que os fatos falem por si. Na medida em que o assunto é amplo e vai além do alcance deste livro, vamos nos limitar a referir cinco técnicas analíticas relativamente simples, que combatem com eficácia certos vieses e costumam ser pouco utilizadas.

Padronizar as referências. A primeira dessas técnicas nos leva outra vez ao princípio da checklist: nesse caso, trata-se de uma lista de critérios de decisão a serem considerados. A codificação desses critérios em formatos padronizados que evitem rodeios é uma boa maneira de trazer a discussão, depois de toda a "descentralização" necessária, de volta ao campo pertinente.

Quando se trata de decisões importantes, muitas vezes ficamos chocados com o princípio da lista. Tendemos a pensar que nossas decisões são únicas, que não poderiam ser reduzidas a uma lista de critérios predeterminados, uma checklist banal. Com perspicácia, Atul Gawande já observou: "Temos a impressão de que estamos acima disso. Seguir uma checklist vai contra nossas crenças profundas sobre como os melhores, em quem nos espelhamos, lidam com situações difíceis e complexas".

Essa objeção tem fundamento: se existisse uma lista única de critérios que servissem para qualquer decisão, não haveria necessidade de ter quem decide. Porém, existem categorias para a maioria das decisões. A cada uma delas, a cada um desses tipos de decisões, podemos associar uma série de critérios. Desse modo, uma sociedade farmacêutica sabe definir os critérios para o avanço ou não de um projeto de P&D em cada etapa de desenvolvimento, e um fundo de capital de risco conhece os quesitos básicos de qualquer dossiê de investimento.

Esses critérios de decisão formalizados e compartilhados fornecem uma referência indispensável para a decisão. Sem dúvida, é possível não segui-los, pois todas as regras têm exceções. No entanto, mesmo nessa situação, os critérios foram úteis, pois a sua discussão permitiu saber por que optamos por abrir uma exceção.

Mais do que como uma lista de verificação, os critérios de decisão costumam ser usados em formatos de apresentação a quem deve tomar a decisão. Um CEO destaca que, ao exigir a apresentação de dossiês de investimento padronizados até nos mínimos detalhes, limita o risco de que o proponente selecione argumentos favoráveis a seu *storytelling*. Padronizar a apresentação dos fatos não leva, portanto, à esterilização do debate, muito pelo contrário. A economia do tempo e do esforço pela assimilação mais rápida dos dados básicos pode ser utilizada para a mudança de perspectiva necessária, para incentivar o diálogo sobre diferentes pontos de vista.

Definir os critérios de decisão ex ante. A mesma lógica pode ser aplicada às decisões "únicas", como uma reorganização significativa ou uma megafusão, que não se encaixam bem com uma checklist ou com um formato de apresentação predefinido. Como vimos, devemos evitar o risco de que os critérios de decisão sejam escolhidos para legitimar as conclusões a que a intuição e o *storytelling* conduziram quem decide.

Existe um antídoto para esse perigo, embora difícil de implementar: definir com clareza os "fundamentos", os critérios da tomada de decisão *muito antes* do momento de sacramentá-la.

Um CEO relata como o presidente (e principal acionista) da empresa se opôs, no último instante, a uma aquisição importante no exterior, embora todos os elementos de análise econômica lhe parecessem interessantes. Desde o início, o presidente tinha estabelecido uma série de critérios de decisão, entre eles um que deveria responder à seguinte pergunta: tenho confiança de que minha equipe será capaz de trabalhar em parceria com a diretoria da empresa em questão para recuperar o negócio? De maneira intencional, o presidente não tinha indicado a seu CEO que a fase de negociação seria uma oportunidade para que ele se decidisse a respeito dessa questão crucial, observando as interações entre a diretoria da empresa-alvo e a sua. Logo, podemos entender a surpresa e frustração do CEO quando o presidente vetou o negócio no último minuto, por uma razão "tirada da cartola"! Ainda assim, observando à distância, o mesmo CEO reconhece que o posicionamento de seu presidente foi justo, e que a aquisição teria sido um grande erro. Ao se guiar por seus critérios predefinidos, o presidente manteve o distanciamento necessário em relação à dinâmica das negociações. Ele se manteve descentralizado.

Submeter as hipóteses a um "teste de esforço". Além das referências comuns, a qualidade e a profundidade das análises quantitativas desempenham, com certeza, um papel fundamental no momento de decidir. Quando se trata de projetos de investimento, por exemplo, a maioria das grandes empresas sabe quais ferramentas de análise financeira utilizar. No entanto, o grau de sofisticação das ferramentas e a atenção que cada empresa dedica a esses recursos varia muito. As melhores identificam as variáveis que podem mudar a resposta, estudam em detalhes essas variáveis e suas possíveis correlações, e sobretudo passam tempo suficiente, não apenas nos escritórios que preparam os dossiês como também no comitê deliberativo, explorando as hipóteses de cálculo utilizadas.

Aprofundar a análise é particularmente importante quando elaboramos, e costuma ser a situação, um *worst case scenario*, o pior cenário possível, para validar a resistência do projeto a imprevistos. Não basta prever um *worst case*: devemos também nos certificar de que ele seja bastante diferente do caso de base, tanto em relação às variáveis mais evidentes quanto àquelas não necessariamente pensadas.

Um executivo conta como adquiriu uma empresa em dificuldade em um mercado em rápido declínio. Sabendo que a aposta era alta, ele desenvolveu uma série de cenários mais ou menos pessimistas. Seu modelo previa, na pior das hipóteses, uma queda de 40% de receita depois da aquisição. Poderíamos pensar que se tratava de um *worst case* bastante pessimista. No entanto, o que provou ser decisivo foi outra variável: o tempo necessário para obter o sinal verde das agências reguladoras. O estudo de aquisição não tinha testado a suscetibilidade desse prazo, que acabou sendo muito maior do que o previsto. Em um contexto de queda de receita — exatamente na velocidade prevista pelo *worst case* —, o tempo perdido não podia mais ser recuperado. A aquisição resultou em grandes perdas.

Adotar a "visão externa". Vimos no capítulo 4 que o "viés de planejamento" e, de modo mais geral, as previsões excessivamente otimistas são fonte frequente de erros. Para evitá-los, existe uma técnica de valor comprovado: a "visão externa".

Para entendê-la, vamos começar considerando a forma usual de prever o prazo e o orçamento de um projeto. Costumamos listar todas as etapas e todos os custos, somar tudo e, claro, acrescentar uma margem de prudência. Essa é a visão interna, que parte do nosso projeto e do que sabemos. Se, por exemplo, estimamos o orçamento necessário para a organização das Olimpíadas de Paris 2024, analisaremos os planos em detalhes e concluiremos, como fez o ministro do Esporte em 2016: "Não existe nenhum motivo para uma explosão nos custos".

Em contrapartida, a visão externa considera esse projeto como um entre outros casos similares, com elementos estatísticos disponíveis. Ela consiste então em elaborar uma lista de projetos comparáveis, chamada *classe de referência*, e comparar o prazo e o orçamento exigidos para a conclusão dos projetos dessa classe. Em nosso exemplo, a classe de referência mais natural é a das Olimpíadas passadas. Dois pesquisadores da universidade de Oxford compilaram os seguintes dados: de 1960 a 2012, *todos* os Jogos Olímpicos excederam seu orçamento. O desvio em relação ao orçamento inicial é em média de 324% (179% "apenas" quando consideramos a inflação).

As discrepâncias entre as visões de dentro e de fora nem sempre são tão impressionantes, mas o resultado costuma ser o mesmo: a visão externa, "descentralizada", revela-se mais confiável do que a visão interna. Paradoxalmente, ao ignorar elementos específicos do projeto, ao utilizar menos informação, a precisão obtida é maior, porque há menos influência dos vieses de confirmação e de otimismo. Assim, o Ministério dos Transportes britânico sistematizou o uso de uma forma de visão externa, o *reference class forecasting*, em suas previsões orçamentárias para obras ferroviárias.

Atualizar as próprias crenças. "Quando os fatos mudam, mudo de opinião. E você, o que faz?" Essa resposta atribuída a Keynes, censurado por um de seus interlocutores por mudar de opinião, resume um problema fundamental: todos que decidem descobrem, no decorrer de suas reflexões, fatos novos. Devemos levá-los em conta, é claro, mas até que ponto? Quando devemos considerar que uma nova informação basta para nos fazer reconsiderar nossa posição? Ninguém precisa mudar completamente de opinião a cada nova informação, mas tampouco é preciso ser teimoso como uma mula.

Por sorte, existe uma ferramenta para orientar o julgamento nessas situações, desde que não vejamos problema em formulá-la em termos de probabilidades: o teorema de Bayes sobre probabilidades condicionais. Sem apresentá-lo em sua forma algébrica, podemos ilustrar sua aplicação em um caso simples. Vamos supor que você trabalhe em um fundo de investimento e, depois de avaliar com cuidado uma oportunidade, conclui que não é atrativa. Você descobre que um de seus colegas chegou à conclusão oposta e recomenda o investimento. Você deveria mudar de ideia?

A intuição sugere dois fatores que determinam a resposta. Em primeiro lugar, qual é a força de sua convicção inicial, a *probabilidade anterior* de que você esteja certo? Se você tivesse 99% de certeza de que o investimento era ruim, você mudaria de ideia de modo menos espontâneo do que se tivesse apenas 60% de convicção.

Em segundo, qual é a credibilidade de seu colega? Com certeza a resposta mudará se você considerar o posicionamento dele, em geral, medíocre ou quase infalível.*

A vantagem do teorema de Bayes é permitir que quem decide quantifique essas intuições e teste seus efeitos sobre a *probabilidade posterior*, um novo nível de confiança em sua resposta, considerando os fatos novos, ponderados em seu peso certo. Retomando nosso exemplo, vamos supor que o nível inicial

---

* Para ser mais específico, você deverá levar em conta sua propensão a se enganar em um sentido mais do que em outro. Por exemplo, se o seu colega for muito prudente, você julgará que ele raramente recomenda um mau investimento, mas que costuma deixar passar um bom negócio. Ao fazer isso, você estimará a frequência de seus "falsos positivos" e de seus "falsos negativos", respectivamente. Para simplificar, partimos do princípio neste exemplo que sua confiança é a mesma nos dois casos.

de confiança em seu julgamento é alto: você acha que existe apenas 33% de chance de que seja um bom negócio. Porém, vamos supor também que você tem um grande respeito por seu colega: você acredita que o julgamento dele é confiável em 80% das vezes. O teorema de Bayes sugere que você deveria mudar radicalmente de ideia: a probabilidade posterior é de 67%. Em outras palavras, com base nas informações consideradas, existem agora duas em três chances de que o negócio seja bom. Se você considera esse nível de confiança suficiente para investir, deve mudar de ideia.

No entanto, esse resultado depende, claro, dos números escolhidos. No mesmo exemplo, se a confiança em seu colega fosse de "apenas" 70%, a probabilidade posterior de que o negócio fosse bom não passaria de cerca de 50%: mais do que seus 33% iniciais, mas ainda não o suficiente para mudar de ideia e investir. A força de sua convicção inicial também conta muito: por exemplo, se você estimasse em 20% (e não em 33%) a probabilidade de que o negócio fosse bom, a opinião de seu colega (confiável em 80% das vezes) o levaria outra vez a apenas 50% de probabilidade posterior.

É claro que esse exemplo é uma simplificação, e, em uma situação como essa, seria mais interessante aplicar os princípios de diálogo do capítulo anterior para entender as razões da divergência! O que o exemplo ilustra é o princípio da *atualização das crenças*: o crédito dado a uma informação nova depende, por um lado, da confiança que tínhamos em nosso julgamento anterior e, por outro, do valor de previsão da nova informação.

Aprender a atualizar as próprias crenças usando a lógica bayesiana exige prática, mas pode ser valioso em situações de grande incerteza. O psicólogo Philip Tetlock, já mencionado no capítulo 3, lidera há vários anos um projeto para melhorar as capacidades de previsão político-militar dos serviços de inteligência dos Estados Unidos. Ele identificou particularmente "superprevisores", meros amadores cujo julgamento, no entanto, era mais confiável em média do que o dos melhores analistas profissionais. Um dos segredos dessas pessoas é a capacidade de atualizar as próprias crenças de maneira "bayesiana", evitando tanto a super-reação quanto a sub-reação.

CULTIVAR A HUMILDADE

Por fim, existe uma maneira essencial de não ser levado longe demais pela descentralização: manter a humildade necessária diante das decisões difíceis. Sem dúvida, é mais fácil falar do que fazer. Ainda assim, podemos mover a humildade do terreno da virtude para o campo da técnica.

Um exemplo engraçado da implementação desse princípio pode ser tirado de uma empresa de capital de risco. A Bessemer Venture Partners, uma das mais antigas *venture capitalists* dos Estados Unidos, publica um "antiportfólio" em seu site, listando todos os *deals* que a sociedade teve a oportunidade de fazer, mas deixou passar. Encontramos nesse "antiportfólio" alguns ótimos negócios. Apple? Um executivo da Bessemer considerou "escandalosamente caro". eBay? "Selos, moedas, histórias em quadrinhos, que piada! Nem vale a pena perder tempo pensando nisso." PayPal, Intel e Google também figuram na lista.

O exercício, imitado desde então por outros fundos, parece uma autoflagelação pública, mas serve para lembrar de que as decisões de investimento são complexas e difíceis. Acima de tudo, serve para lembrar que — no capital de risco, de todo modo — nada é pior do que ter cautela excessiva. Por certo, muitas empresas em que a Bessemer se recusou a investir acabaram se provando maus negócios. Ainda assim, os "falsos negativos" são erros que custam muito mais. Como observa outro capitalista de risco entrevistado para este livro: "Quando você investe um e se engana, você perde um. Agora, quando você se engana no dossiê cujo valor é multiplicado por cem, você perde 99 vezes mais". O "antiportfólio" é mais uma maneira de lembrar esse fundamento do negócio de capital de risco. Cabe a cada um encontrar a técnica que lhe permitirá, em sua área, cultivar também a humildade necessária.

Os fatos, nada além dos fatos... Mas precisamos saber olhar para eles. Esse é o ponto da descentralização, o segundo pilar da arquitetura decisão.

A DESCENTRALIZAÇÃO EM TRINTA SEGUNDOS

- Descentralizar é ver **os fatos por outro ângulo** para limitar os vieses (sobretudo de modelo mental).

- Algumas **personalidades divergentes** fazem isso com naturalidade, mas raramente dentro das organizações.
  - ▶ Michael Burry viu a chegada da crise das subprimes.

- O **desafio** pode ser proposto por especialistas, consultores ou outras fontes:
  - ▶ Os "desafiantes" nos planos estratégicos.
  - ▶ As "equipes vermelhas" nas questões mais espinhosas.
  - ▶ A "sabedoria das multidões" quando a opinião coletiva é pertinente.

- Podemos nos descentralizar utilizando **um viés contra o outro**.
  - ▶ A reancoragem contra os efeitos da ancoragem nas discussões orçamentárias.
  - ▶ As analogias estruturadas contra o viés de confirmação: no Iraque, não se referir apenas à Guerra do Vietnã.
  - ▶ A rotina do questionamento contra o status quo: revisão sistemática de portfólio.

- Podemos também lançar mão de **técnicas analíticas avançadas**: referências padronizadas; checklists de critérios de decisão definidos ex ante; teste de esforço das hipóteses; visão externa; atualização das crenças.

- Em todas essas situações convém **cultivar a humildade** diante dos fatos.
  - ▶ O antiportfólio da Bessemer Venture Partners, que deixou passar ótimos investimentos.

16. Dinâmica
Favorecer a agilidade na decisão

Se você não conseguir de primeira, insista, insista outra vez. Depois, deixe para lá. De nada adianta se obstinar como um idiota.
W. C. Fields

Entre as técnicas de diálogo e descentralização mencionadas nos capítulos anteriores, o leitor terá sem dúvida encontrado algumas que parecem inaplicáveis em seu ambiente profissional. Cada organização tem sua história, suas metodologias, seus hábitos.

Para ser mais específico: cada organização tem suas *rotinas* e sua *cultura*. As rotinas são todas as práticas — hierarquias, comitês, calendários etc. — que respondem à pergunta: *quem* decide, *o que* e *quando*? Existem rotinas, por exemplo, para elaborar planos de marketing, assumir compromissos orçamentários ou aprovar investimentos. Muitas vezes essas rotinas levam os pontos de vista descentralizados para o "bom caminho" de um pensamento único e asfixiam mais do que incentivam o diálogo. Já a cultura é o conjunto de crenças, valores e comportamentos que estão tão distribuídos dentro da organização a ponto de se tornarem normas. Vimos como a cultura da Polaroid tornava difícil sua descentralização para perceber a realidade da mudança tecnológica.

Enquanto forem paralisados pelas rotinas e pela cultura da empresa, o diálogo e a descentralização permanecerão belas promessas. Por isso, a arquitetura da decisão se baseia em um terceiro pilar, que evita o colapso dos dois primeiros: a *dinâmica* da decisão.

As ferramentas que contribuem para uma dinâmica de decisão ágil se espelham muito nas metodologias dos empreendedores. As grandes empresas ou as organizações públicas muitas vezes vão se beneficiar ao se inspirar nessas ferramentas, moldando-as ao seu tamanho e às suas restrições.

INFORMALIDADE E FORMALISMO

Ao longo deste livro, vimos dois inimigos da decisão certa. Por um lado, os jogos e os cálculos políticos que esterilizam o diálogo. Por outro, os posicionamentos intransigentes que impedem qualquer descentralização.

É impressionante constatar como diversas grandes empresas agravam esses problemas pela insistência em reuniões formais, inflexíveis e até solenes para a tomada de decisões. A rigidez, a tensão e o próprio medo muitas vezes são as emoções que imperam nesses encontros. Desnecessário dizer que essa atmosfera não é apropriada para o estabelecimento de um diálogo franco, e muito menos para a expressão de pontos de vista divergentes.

Esses males estão muito mais disseminados nas grandes empresas e grandes administrações do que nas pequenas. Dessa maneira, é útil se inspirar no universo das pequenas e médias empresas (PMEs), das start-ups ou dos fundos de investimento para encontrar técnicas que possibilitem cultivar certa informalidade.

Atmosfera amigável. Às vezes, as soluções são tão simples que parecem óbvias. O primeiro aspecto cultivado pela maioria das pequenas empresas, e às vezes por algumas grandes, é o bom relacionamento pessoal entre os membros da equipe administrativa. O dono de uma start-up explica isso da seguinte maneira: "Em todas as minhas empresas, sempre trouxe amigos, inclusive os mais próximos. Alguns costumam dizer que perdi o juízo, mas poder contar com pessoas que não entram em jogo político, porque nos conhecemos há trinta anos, não tem preço".

Claro que não estamos sugerindo que diretores contratem em massa seus amigos! Ainda assim, podemos procurar estabelecer, dentro de uma diretoria ou de um conselho administrativo, um clima de discussão amistosa. Como diz o presidente de um conselho administrativo: "Estou tentando criar a atmosfera de um grupo de amigos que discutem entre si. Pode parecer estranho dizer isso assim, mas é importantíssimo criar esse ambiente. Não pode haver liberdade de expressão em um grupo em que as pessoas se detestam". Detalhes podem contribuir para isso: como observa o diretor que adota o "Six Amigos", mencionado no capítulo anterior, "o próprio fato de ser chamado de Six Amigos em vez de Comitê A ou B contribui para uma atmosfera informal". Não existe diálogo possível sem certo clima de informalidade, que por si só requer que os participantes se sintam à vontade juntos.

Cultura do speak up. Outro problema de que as grandes empresas reclamam com mais frequência do que as pequenas é a falta de *speak up*, de liberdade de expressão para divergências, dúvidas, preocupações. Claro que todos os diretores querem incentivar isso, mas a tarefa é mais difícil do que parece. Os vieses de grupo e de interesse estão prontos para desmotivar os corajosos, em particular quando seus líderes inspiram respeito ou mesmo medo.

Como analisa o presidente de uma das empresas do CAC 40, uma forma segura de promover uma cultura de *speak up* é "incentivar e promover pessoas que se atrevem a contestar. Não só porque teremos pessoas que falam, mas porque os outros percebem que os da politicagem não têm futuro". Outro diretor, tomando as rédeas de uma sociedade cuja cultura ele achava muito deferente, não hesitou em oferecer a alguns de seus executivos os serviços de um *coach*, que focava no tema. "Quero que vocês trabalhem para aprender a falar na minha cara 'você cometeu um erro'. De maneira educada, é claro, mas com transparência e sem hesitação."

Esses dois diretores dividem a mesma convicção, que um terceiro formula de maneira diferente: "Espero ter razão com mais frequência do que a média, mas posso estar enganado, e muitas vezes de fato estou. É essencial que minhas equipes apontem meus erros". E, para isso, elas precisam falar: *speak up!*

Incentivos compatíveis. Com certeza, seria ingênuo confiar nas boas relações pessoais e nos estímulos para expressar pontos de vista divergentes se os sistemas formais de incentivos forem contrários a isso. Como resume um dos presidentes já citados: "É a fonte de todas as soluções. Enquanto não estabelecermos um sistema de remuneração em que as pessoas trabalhem para o interesse do grupo, elas otimizam suas bonificações pessoais".

Todos esses elementos pintam por fim um quadro bastante simples e atraente: o de um "bando de amigos" que não têm medo de falar abertamente, ainda mais porque seus interesses estão alinhados. Quem não preferiria essa atmosfera ao clima fechado e até tenso de muitos conselhos diretivos?

Poderíamos ver nessa sugestão uma contradição com o formalismo já discutido sobre os debates, no momento da definição das condições e das regras para um diálogo efetivo. No entanto, a contradição é apenas aparente. De modo paradoxal, é a própria informalidade que torna o formalismo tolerável. Vamos tomar como exemplo o princípio dos "argumentos proibidos" ou o exercício das "histórias alternativas": fica muito mais fácil adotar esse tipo de ferramenta quando nos sentimos confortáveis, relaxados, rodeados de indivíduos amistosos. Por outro lado, como você reagiria se um chefe autoritário, em uma atmosfera tensa, ainda por cima o proibisse de usar certas comparações ou lhe mandasse defender um ponto de vista diferente do que você acabou de expressar? Você provavelmente se recusaria a participar do jogo. Na verdade, é preciso muita informalidade nas relações pessoais para organizar um diálogo estruturado.

TOMADA DE RISCO E PRUDÊNCIA

Constatamos no capítulo 6 que as grandes empresas não costumam assumir riscos suficientes e que seus diretores às vezes incitam seus executivos a se comportar como empreendedores, como donos de PMEs. Embora o exemplo das pequenas empresas seja bem escolhido, a lição aprendida deve ser relativizada: muitos empreendedores argumentam com naturalidade que assumem o mínimo de riscos possível e, de qualquer forma, riscos extremamente calculados. Por sinal, na contramão dos estereótipos, muitas pesquisas apontam que os empreendedores não têm predileção particularmente alta pelo risco.

Na verdade, se o objetivo é buscar inspiração nas pequenas empresas, não devemos imitar tanto a predileção pelo risco, mas a agilidade demonstrada ao administrá-lo. Essa agilidade diante do risco se manifesta em ao menos quatro ideias que podem inspirar as grandes empresas.

Aprendizagem gratuita. A primeira dessas ideias é resumida pelo fundador de uma pequena marca de luxo: "Quando você está começando algo novo e coloca a primeira aposta na mesa, você quer ver, mas sem pagar para ver".

Uma das escolhas estratégicas ilustra esse princípio. No contexto em questão, o fundador planejava desenvolver lojas da própria marca, algo que alguns de seus concorrentes, em especial grandes grupos, fazem em larga escala. Porém, havia inúmeras questões levantadas pelo novo *business model*: "Qual seria o conceito apropriado de loja?"; "Qual seria a média de aluguel aceitável?"; "Quais seriam os locais certos?"; "Qual seria a reação dos seus varejistas atuais?". Essas perguntas podem ser analisadas no papel, e ele conhecia as respostas dos concorrentes, mas para sua própria marca não haveria resposta até que ele "tateasse o terreno".

Nosso empreendedor estava convencido de que, antes de começar, precisava aprender tudo sobre a administração de pontos de venda de varejo. Grandes grupos, na mesma situação, tiveram o mesmo raciocínio e decidiram abrir algumas lojas "piloto" para aperfeiçoar antes de implementar a estratégia em larga escala. Como jogava com o próprio dinheiro, o fundador pensou de maneira diferente: precisava experimentar, mas não queria pagar para aprender. Sem saber o que esperar das receitas, o compromisso de alugar, instalar e administrar lojas durante vários anos (sabemos como funciona a duração dos contratos de aluguel) representava um risco muito significativo, que ele devia, portanto, neutralizar.

Para isso, buscou com calma parceiros dispostos a dividir o risco. Em um dos casos, encontrou um locador que aceitou um aluguel totalmente variável. Em outro, um dos varejistas propôs abrir uma loja de marca única com seu próprio letreiro e assumir os riscos, uma vez que poderia modificá-la sem dificuldade, se o negócio não desse certo. Seguindo essas fórmulas diferentes, o empreendedor aperfeiçoou seu novo modelo, sem nunca arriscar mais do que a razão. Ao agir assim, reconheceu que o processo levaria mais tempo do que em grandes grupos. No entanto, ele estaria muito mais apto a fazer ajustes à medida que fosse tirando lições de suas experiências.

Testes reais. Por trás da lógica de aprendizagem gradual se esconde outra forma de agilidade, também praticada raríssimas vezes: a disciplina de realizar experimentos de verdade, testes em escala real.

Sem dúvida, durante o lançamento de uma iniciativa estratégica significativa, é usual realizar testes, ou "pilotos". Porém, a intercambialidade dos dois termos costuma revelar a confusão de objetivos. Um teste serve para aperfeiçoar um projeto e decidir se deve ou não ser lançado. Um piloto visa demonstrar a eficácia de um projeto para mobilizar a empresa antes de sua implantação. São coisas bem diferentes.

Vamos pensar em um varejista que está prestes a lançar um novo formato de loja para renovar um complexo em decadência. O novo formato estará sujeito a um "piloto". Em que ele consiste? Antes de mais nada, escolheremos com cuidado as lojas piloto, que vão receber toda a atenção do *top management* e a alocação de recursos adicionais. Em seguida, compararemos os resultados (vendas, lucros, satisfação dos clientes) com os das lojas "controle" que, durante o mesmo período, teremos negligenciado quase por completo. Naturalmente, o resultado será conclusivo, permitindo também modificar, na mesma esteira, alguns aspectos do novo conceito antes de implementá-lo em larga escala.

Nesse exemplo, como em muitos "testes", não estamos tanto buscando testar o novo conceito, e sim demonstrar seu sucesso. Não se trata de decidir, mas de começar a implementar uma decisão já tomada. Como consequência lógica, ao fim do piloto, a aplicação do novo formato no conjunto das lojas surtirá muito menos efeito do que o esperado, se é que surtirá algum, porque é impossível distinguir se o sucesso do piloto é resultado do novo conceito ou da atenção dada ao próprio teste. Esse é o "efeito Hawthorne", conhecido desde os anos 1930, uma espécie de versão gerencial do efeito placebo.

Podemos constatar com facilidade por que essa dinâmica de decisão se impõe em grandes grupos. A equipe que desenvolveu o novo conceito tem todo o interesse em seu "sucesso". A equipe que administra o piloto não quer assumir a responsabilidade por uma experiência que "fracassou". A diretoria provavelmente já sinalizou aos acionistas a confiança no novo formato de loja e não tem um "plano B" em caso de revés do piloto. Quando todos querem que um "teste" seja bem-sucedido, eles farão com que isso aconteça.

Vamos comparar essa experiência de "teste falso" com uma experiência real. Os testes "A/B" praticados pela maioria das empresas de internet também avaliam o efeito de uma mudança planejada, por exemplo, no design de seus sites. Para isso, comparam os resultados entre um grupo de clientes "B", expostos a essas mudanças, e um grupo "A", não expostos. No entanto, esses dois grupos são selecionados de maneira aleatória e nenhuma outra ação interfere na medição, o que equivale a um "estudo randomizado controlado" na ciência. Na mesma linha, as *nudge units* testam com rigor suas propostas de intervenção sobre os comportamentos, de modo a quantificar o impacto delas.

Outra maneira de fazer experimentos reais, quando o estudo randomizado não é possível, consiste em adotar uma mentalidade de experimentação permanente. O varejista em questão poderia, por exemplo, desenvolver diversos formatos diferentes e testá-los em paralelo, alocando tantos recursos para cada teste. A leitura dos resultados não seria tão imediata, mas ao menos criaria uma simulação válida, em vez de um medo paralisante de insucesso. Ele poderia testar, não um formato em seu conjunto, mas cada um de seus elementos, para medir seus efeitos de forma separada. Poderia até evoluir seu conceito de maneira permanente e contínua, incorporando as lições dos testes anteriores, como as start-ups cujas práticas Eric Ries descreve em *A start-up enxuta*.

Em poucas palavras, os diretores devem parar de raciocinar como gestores, cujo objetivo é convencer sua empresa a seguir adiante, e se comportar como empreendedores, que sequenciam suas decisões para realizar experiências reais e gerenciar a tomada de riscos calculada. Um esforço que requer uma estruturação radicalmente diferente do processo de decisão.

Comprometimentos progressivos. Aprender a baixo custo, testar de maneira sistemática: não se trataria de uma maneira de limitar as apostas, de evitar comprometimentos, de pensar "pequeno"? Uma grande empresa não deveria fazer o contrário, usar a vantagem estratégica de seu tamanho para fazer apostas ousadas que outros não seriam capazes?

Pode ser. Ainda assim, também nesse caso, com agilidade. Uma terceira forma de ser ágil, que as grandes empresas podem adotar à maneira das pequenas, é preferir comprometimentos progressivos em lugar das grandes apostas.

Não existe contradição entre a agilidade e o tamanho das apostas, pelo contrário. Vamos tomar de exemplo os "unicórnios", start-ups que se tornaram grandes e tiveram bilhões em captação de recursos. Cada etapa é uma grande aposta, tanto para a empresa como para os financiadores que investem nesses níveis estratosféricos. No entanto, no passado, diversas rodadas sucessivas de captação de recursos levaram a apostas crescentes, permitindo alcançar objetivos de desenvolvimento predefinidos. Quando visualizamos apenas uma rodada de captação de recursos, o auge do processo, enxergamos uma "grande aposta", mas ela foi precedida por uma quantidade de comprometimentos progressivos que a tornaram possível.

Cabe ressaltar outra vez que, para a dinâmica das grandes organizações, uma abordagem desse gênero é menos natural do que para as pequenas empresas. Diante de uma decisão de investimento, a resposta esperada de um grande grupo é "sim" ou "não". Raramente será algo como: "Diga que você pode atingir com 10% desse valor objetivos intermediários e vamos avaliar juntos daqui a um mês se você atingiu". No entanto, seria uma excelente maneira de tornar a decisão mais ágil.

As empresas que puseram em prática esse tipo de comprometimento progressivo precisaram superar obstáculos relacionados às suas rotinas e à sua cultura. Em primeiro lugar, tiveram que sair da lógica dos orçamentos anuais ou que manter uma "vaquinha" de uso gradual, no decorrer do ano, para o financiamento desses projetos. Também precisaram criar ocasiões para rever o avanço do projeto e conceder o tempo do *top management* para discussões cujas apostas, em cada etapa, parecem mínimas em comparação com as habituais.

Ainda assim, a principal dificuldade costuma ser cultural. O questionamento constante é difícil para os proponentes internos de um projeto, à imagem dos donos de start-up na busca eterna de financiamento. Em geral, os proponentes não têm os mesmos perfis nem as mesmas expectativas de lucro dos empreendedores. Também é difícil para os diretores aprender a "se desligar" de um projeto que não atinge seus objetivos intermediários. Os comprometimentos progressivos, embora contribuam para aumentar a agilidade, são uma ferramenta difícil de usar.

Direito ao insucesso. A última condição da tomada de risco é a mais importante: criar um verdadeiro "direito ao insucesso".

Um esclarecimento fundamental deve ser feito: embora possa haver confusão entre uma expressão e outra, o *direito ao insucesso* não tem qualquer relação com o *direito ao erro*. Como vimos, existem insucessos sem erros. Um CEO relata como promoveu, para surpresa geral, o diretor de um negócio que teve grandes perdas: "Era uma decisão pessoal comprar o negócio, ele aceitou o desafio e se saiu tão bem quanto possível. O mercado entrou em colapso, e ele não teve nada a ver com a situação. Ele não perdeu o mérito, pelo contrário".

O exemplo mostra como o direito ao *insucesso* deve ser aceito, como simples questão de justiça e de lógica, nem mais nem menos porque o insucesso não implica erro. Já o direito ao *erro* é discricionário: é uma questão de indulgência, de dar a quem cometeu um erro uma segunda chance... mas talvez não uma terceira.

Acontece que o medo do insucesso paralisa muitos executivos. O que enviesa o "teste" no caso do grupo varejista é o medo que os diretores responsáveis têm de serem associados a um fiasco. A perspectiva de ter que aceitar o fracasso é, ainda, o que leva as grandes empresas a hesitar no momento de fazer pequenas apostas em uma série de investimentos em vez de uma "grande aposta": encontramos nesse exemplo a aversão às perdas. Pois bem, é muito difícil realizar um processo de aprendizagem genuíno, conduzir uma experiência real, se a possibilidade de fracasso não for admitida. Não somos muito ágeis quando estamos paralisados.

Muitas lideranças têm consciência desse problema e sabem da importância crucial dos sinais que enviam, pessoalmente, para lutar contra o medo do fracasso. Como explica uma delas: "Discursos como 'quero que todos nesta sala assumam riscos' não servem para nada. É quando as pessoas correm risco e fracassam que enviamos as verdadeiras mensagens. Na primeira oportunidade que um gerente tentou algo respeitável, mas fracassou, se soubermos valorizá-lo, todos se lembrarão disso". O mesmo CEO chega a ir mais longe e revela: "Se a ideia é fazer as pessoas acreditarem que têm direito ao insucesso, devemos mostrar nossos próprios fracassos".

Esse diretor-executivo não hesita, nas convenções anuais de seus executivos, em dividir abertamente as decisões que tomou e que não produziram os resultados esperados, em se apresentar como um mero e falível mortal. Algo simples, sem dúvida, mas tão raro...

VISÃO E FLEXIBILIDADE

O dono de uma PME descreve da seguinte maneira a sua estratégia: "Em um grupo familiar diversificado como o meu, o que dita a maioria das decisões é a janela de oportunidade. Procurar ter uma estratégia prévia seria perigosíssimo. Não posso me privar da minha liberdade de movimento, nem abdicar de uma ou outra oportunidade em nome de uma suposta visão estratégica".

A recusa em falar sobre "estratégia" pode parecer paradoxal: se existe uma função que todos, em particular na França, concordam que um mandante tem é a de definir a estratégia! No entanto, sob diversas formas, esse ponto de vista é compartilhado por muitos tomadores de decisão esclarecidos, inclusive em grupos enormes. O que precisamos guardar é a flexibilidade tanto no discurso como nas opiniões apresentadas.

A estratégia do franco-atirador texano. A piada é conhecida: em vez de apontar para um alvo, o franco-atirador texano começa disparando ao acaso contra a porta do celeiro, depois se aproxima com uma lata de tinta e um pincel e desenha um alvo em volta da maior concentração de furos de bala que encontra. Uma maneira segura de acertar no alvo!

Essa história, que costumamos apresentar como um erro de raciocínio (o que está certo em muitos contextos), também ilustra o valor da flexibilidade. O proprietário de uma grande empresa cotada na Bolsa poderia ter se inspirado na anedota para desenvolver sua filosofia: "Quando as pessoas comentam: 'Que visionária a sua estratégia!', eu respondo: 'Vou desapontá-lo, mas não tenho estratégia'. Tenho apenas excelentes decisões de criação de valor para o acionista. Tomadas uma após a outra, essas decisões acabam formando um todo coerente".

Que perigo esse diretor quer evitar? "Os maiores erros que vi são cometidos por executivos que decidem projetar um jardim francês e, a qualquer preço, compram ou vendem o que precisam para ter logo o jardim de seus sonhos." Em outras palavras, esses executivos começam narrando — tanto para seus acionistas como para sua diretoria — uma bela história de criação de valor. Dessa maneira se fecham em um *storytelling* que eles mesmos criaram e que os conduz depressa a más decisões.

O diretor mencionado antes, pelo contrário, escolhe contar a história só depois do fato, uma vez realizado. Como o franco-atirador texano, ele desenha o alvo depois de disparar. Porém, claro, ele não atira em qualquer lugar, ele nem sequer precisa especificar: embora a estratégia seja flexível, a missão da empresa, seu objetivo final de criação de valor para os acionistas é perfeitamente claro. A flexibilidade estratégica é possível apenas porque a visão de longo prazo é límpida.

A capacidade de mudar de opinião. A flexibilidade que esses diretores demonstram na estratégia também se manifesta em seu comportamento diário, em seu discurso. São capazes, e têm até orgulho, de mudar de ideia. Não como autocratas que sujeitariam sua equipe ao capricho do próprio humor, mas como líderes que dão exemplo de flexibilidade.

O presidente do banco já citado conta o seguinte: "Acostumei os membros do meu *board* a me verem mudar de ideia. Não de maneira arbitrária, mas com base na discussão e em fatos". Já outro CEO afirma: "Posso dizer algo pela manhã, obter um novo input durante o dia e mudar de ideia à noite".

Evidentemente, como o mesmo CEO tem o cuidado de acrescentar: "Isso só é possível com colaboradores de certo nível". Quando nos dirigimos a centenas de funcionários, devemos fazer isso com uma mensagem clara e que não muda de um dia para o outro. A essa altura, o tempo de decisão ficou para trás e a hora da implementação chegou. Quando ainda estamos na fase de tomada de decisão, ocupados em suscitar o diálogo e fazer com que pontos de vista descentralizados apareçam, apenas um líder capaz de mudar de ideia pode incentivar os colaboradores a fazer o mesmo.

Ele pode inclusive cumprimentá-los nessas ocasiões. O capitalista de risco Randy Komisar relata: "Gosto quando um líder muda de ideia, com base em argumentos sólidos apresentados por alguém à mesa. Gosto de ver quem decide admitir que a decisão é mais difícil do que esperava, e que talvez precise ser contestada de novo!".

Não ficar preso à própria narrativa, manter a flexibilidade necessária para mudá-la, para contar diferentes histórias, é uma boa maneira de lutar contra o viés de confirmação. É também uma disciplina a que poucos de nós estamos habituados, o que reforça o papel do líder em dar exemplo.

EM EQUIPE E SOZINHO

Ao longo desses exemplos, vislumbramos uma tensão: por mais que o diretor deva confiar em sua equipe, em última análise decide sozinho. Por mais que deva articular o diálogo, em última instância assume sua responsabilidade. Por mais que deva recorrer aos outros para combater seus vieses individuais, quando chega a hora de tomar uma decisão, não sabe se está sendo desviado pelos vieses.

Como, e quando, tomar a decisão final? Claro que não existe nenhuma fórmula mágica para responder a essa pergunta. De qualquer maneira, mais uma vez, alguns exemplos podem sugerir pistas.

Binômio. Um modo de ação raro, mas poderoso, consiste em pensar com duas cabeças: tomar decisões importantes em dupla diminui o risco de que os vieses individuais levem a melhor. Um diretor explica a sua metodologia: "Somos dois fundadores que se complementam e há uma relação de extrema confiança entre nós. O fato de decidirmos tudo a dois é a melhor barreira contra desvios autocráticos". Além disso, é uma barreira contra os jogos políticos: "Ninguém tenta adivinhar nossa opinião para se aliar, porque todos sabem que no início de uma discussão importante nunca concordamos!".

Comitê especial. O modelo de binômio sem dúvida não é transferível à maioria das organizações (e, quando é, também aumenta sua parcela de dificuldades). Como, em uma empresa mais tradicional, podemos nos beneficiar de "várias cabeças em uma"?

Uma resposta possível consiste em criar um comitê deliberativo especial, até especialíssimo, uma espécie de "conselho pessoal" em volta do CEO. Muitos adotaram essa prática de maneira informal. Outros a regulamentaram.

Esse é o caso de um dos diretores-executivos já mencionados, que criou um comitê estratégico, paralelo ao seu comitê de gestão. Por surpreendente que seja, ele inclui apenas os membros das funções do "staff", não os chefes operacionais das diferentes alçadas de seu grupo. A escolha contraria a conhecida "boa prática" que defende que devemos associar às decisões estratégicas aqueles que deverão implementá-las.

Por que essa escolha incomum? Porque esse líder quer recorrer, quando se trata de decisões de *corporate strategy*, de "estratégia de grupo", a pessoas "neutras" quanto à decisão e com os mesmos incentivos. Associar chefes de divisão a decisões que podem em parte afetar o destino de sua unidade é abrir a porta aos vieses de interesses individuais, ressaltar ainda mais a inércia na alocação dos recursos, dar lugar para os vieses do otimismo. Claro, esses quadros operacionais estiveram estreitamente envolvidos na preparação das decisões anteriores ao comitê especial. No entanto, no momento de decidir, a questão não é mais saber qual dos chefes de divisão será mais persuasivo na obtenção de recursos ou qual baterá mais forte na mesa do comitê deliberativo.

À luz da manhã. Apesar de tudo, à noite, após as horas de reunião, depois de rever e discutir as análises em detalhes, a decisão continua sendo tomada de modo individual. À noite... ou melhor, e se trata de uma constante entre os diretores entrevistados para este livro, no começo da manhã.

De fato, todos esses empresários, todos esses diretores de grandes ou pequenas empresas, têm algo em comum: decidem pela manhã. Apenas depois de uma noite de sono, por mais curta que seja, a clareza chega para eles. Um desses CEOs revela que se levanta às cinco da manhã e toma as decisões pendentes a essa hora. Outro aponta seu princípio de que uma decisão importante requer "uma noite de sono" para que se veja com mais clareza no dia seguinte.

Cada um tem sua própria estratégia. De qualquer maneira, devemos lembrar que, depois de todas as etapas, cabe ao líder decidir e que, como "a noite é boa conselheira", a etapa final talvez seja esperar até a manhã para tomar a decisão.

A DINÂMICA DA DECISÃO ÁGIL EM TRINTA SEGUNDOS

- Diálogo e descentralização não prosperam sem uma dinâmica organizacional ágil (**rotinas** e **cultura** da organização).

- Grandes organizações teriam muito a ganhar, na tomada de decisões, caso se **inspirassem nas pequenas.**

- **Cultivar a informalidade**: relações pessoais; cultura de *speak up*; incentivos compatíveis.

- **Assumir riscos com prudência:**
  - *Aprender sem gastar: a marca de luxo "transfere" o risco aos parceiros.*
  - *Fazer testes reais: testes A/B, não "pilotos".*
  - *Realizar comprometimentos progressivos, à maneira das rodadas sucessivas de captação de recursos.*
  - *Cultivar o direito ao insucesso (diferente do direito ao erro).*

- **Combinar visão e flexibilidade**: só contar a história depois de realizada (como o "atirador texano"); não hesitar em mudar de ideia.
  - *"Vou desapontá-lo, mas não tenho estratégia": uma visão de clareza, mais do que um "jardim francês" a qualquer custo.*

- Por fim, **decidir: em binômio; em comitê especial; ou sozinho, à luz da manhã.**

Conclusão
Você está prestes a tomar ótimas decisões

O progresso é impossível sem mudança, e aqueles que não conseguem mudar seu modo de pensar não conseguem mudar nada.
George Bernard Shaw

Armadilhas para quem decide, vieses cognitivos que desviam, ferramentas que permitem evitá-los: nós agora estamos equipados para construir nossa própria arquitetura de decisão.

Seguir essa direção é a promessa, tanto para quem decide no setor público quanto no privado, de fazer escolhas muito melhores. É também, como vimos por muitos exemplos, ter uma mudança radical de perspectiva. "Pensar de maneira comportamental" é questionar alguns de nossos hábitos mais arraigados.

MUDAR AS ALAVANCAS DE NOSSAS POLÍTICAS PÚBLICAS

Quer se trate da nossa saúde, da nossa economia ou dos nossos comportamentos de consumo, todos temos interesse, de modo individual e coletivo, de combater os efeitos dos nossos vieses cognitivos. Para isso, a arquitetura das nossas decisões, em vez de nos fazer cair nas armadilhas habituais, deve nos empurrar na direção certa. Essa é a ideia, já mencionada neste livro, do *nudge*, do "empurrãozinho".

O *nudge* não se encontra mais na fase experimental. Quase duzentas *nudge units*, inspiradas no experimento original britânico, estão em atividade no mundo. Em 2017, um estudo da Organização para a Cooperação e Desenvolvimento Econômico (OCDE) identificou mais de cem aplicativos diferentes que tornam possível proteger melhor os consumidores, reduzir o consumo de energia, proteger o ambiente, melhorar a eficiência dos sistemas de educação ou prevenir doenças evitáveis.

Os *nudges* "se baseiam na compreensão comportamental", ou seja, utilizam as alavancas mais eficazes para mudar os comportamentos individuais. Eles costumam usar um viés cognitivo para combater outro. Por exemplo, os contribuintes pagam seus impostos atrasados com mais rapidez quando descobrem que um alto percentual dos vizinhos já os pagou. Com esse empurrãozinho, colocamos o viés de grupo a serviço da cidadania e poupamos os contribuintes de multas dolorosas. Outro exemplo: no programa *save more tomorrow* [economize mais no futuro], os funcionários destinam com antecedência uma parte de seus futuros aumentos salariais para um plano de aposentadoria. A escolha é reversível a qualquer momento, não limitando a liberdade de preferência. No entanto, a "opção padrão", uma vez feita, em geral não é questionada. Nessa nova arquitetura de escolha, o viés do presente e o viés do status quo, em vez de levar os funcionários a um comportamento de cigarras, os transforma em formigas.

O outro princípio aplicado pela maioria das *nudge units* consiste em testar com rigor essas intervenções antes de generalizá-las, se possível realizando um estudo randomizado controlado. Dessa forma, podemos verificar que técnicas simples, muitas vezes a um custo irrisório, produzem efeitos significativos.

Infelizmente, a França não está na dianteira no uso dos *nudges*. Em uma mesma semana de 2010, Richard Thaler diz que recebeu o convite para apresentar sua pesquisa a lideranças de governo em Londres e em Paris. Da visita à Inglaterra surgiu a *nudge unit* na Downing Street, 10, que serviria de modelo para muitas outras. Da segunda visita, Thaler comenta: "Não deu em nada além de um excelente almoço".

Além da falta de compreensão (ou dos reflexos condicionados que levam algumas pessoas a rejeitar qualquer ideia de origem anglo-saxônica), o *nudge* esbarra em uma tradição de intervencionismo firmemente enraizada em quem toma decisões na esfera pública. Ao contrário de outros países, mais relutantes em interferir nas liberdades individuais, a França se satisfaz muito bem com o papel de "Estado Babá", que não hesita em controlar a proibição, a coerção e a tributação. Na França, não precisamos incentivar os cidadãos a economizar, porque todos devem ingressar em regimes de aposentadoria obrigatórios. Quase não precisamos nos dar o trabalho de lembrar aos cidadãos que devem pagar seus impostos em dia, pois a Receita Federal pode infligir multas dissuasivas. E de que adiantaria buscar *nudges* para incentivar a promoção de produtos saudáveis quando todos acham normal tributar de maneira mais pesada as bebidas açucaradas do que algumas bebidas alcoólicas (regulando de passagem algumas bebidas à base de adoçantes)?

Em poucas palavras, quem decide na esfera pública francesa tem pouca necessidade de buscar um empurrãozinho porque quase não tem escrúpulos de dar safanões. Nesse contexto, sugerir intervenções modestas que não interferiram na liberdade de escolha dos cidadãos equivaleria quase a perder a autoridade.

O outro princípio do *nudge*, a experimentação controlada, não é mais popular na França. Apesar da conscientização recente (sobretudo entre os parlamentares), não exigimos de modo sistemático que as administrações francesas demonstrem a eficácia de suas políticas ou que avaliem seus resultados. Quando uma medida é apresentada como um experimento, muitas vezes não passa de um meio de silenciar oponentes. Já no debate político costumamos justificar as propostas de políticas públicas por argumentos ideológicos em vez de pesquisas factuais.

Essas relutâncias não seriam um problema se tudo corresse às maravilhas na aldeia dos irredutíveis gauleses. No entanto, devemos lembrar que os franceses não estão menos sujeitos aos vieses do que pessoas de outros países. As autoridades públicas francesas penam para fazer mudar o comportamento de seus cidadãos em relação a muitos assuntos utilizando as alavancas usuais de tributação e incentivos: por exemplo, como incentivar os franceses a uma atividade física regular ou à separação diária de seus resíduos?

Temos esperança de que chegará o dia na França em que seremos capazes de nos inspirar em experiências estrangeiras. Não se trata de copiar com servilismo as soluções, mas de adotar a abordagem, de modo realista quanto aos propulsores de nossos comportamentos e de modo pragmático na avaliação das políticas que podem influenciá-los.

MUDAR A IMAGEM QUE TEMOS DAS CIÊNCIAS COMPORTAMENTAIS

A relutância das autoridades públicas francesas em adotar as ciências comportamentais é o reflexo da desconfiança demonstrada por muitos de nossos intelectuais. A metodologia do *nudge*, em particular, enfrenta críticas violentas de ordem ética, embora raríssimas vezes tenha sido implementada na França (talvez por essa mesma razão). Censuramos o caráter dissimulado, insidioso e infantilizante do *nudge*: seria uma "manipulação branda", um "policiamento invisível", uma "escravidão em uma prisão sem grades". Ao que parece, seria melhor que o Estado francês reduzisse abertamente nossas liberdades, em vez de preservá-las sugerindo certas escolhas para a população... De todo modo, a ética por trás do *nudge* (e sua regulamentação legal) é uma questão importante, que merece mais do que essas breves reflexões.

De modo mais geral, a economia comportamental ainda não adquiriu na França o lugar ocupado nas universidades de outros países. O desconhecimento dessas pesquisas é tão grande que alguns jornais, ao noticiar o vencedor do prêmio Nobel de economia de 2017, chegaram a apresentar Richard Thaler como "oriundo da escola de Chicago, criada por Milton Friedman". O contrassenso é jocoso quando conhecemos o tipo de recepção que a tal escola daria a Thaler. Já os economistas de esquerda, embora sejam os mais cáusticos opositores dessa mesma escola de Chicago, não veem com olhos melhores a economia comportamental, que não é tão radical. Os inimigos de nossos inimigos não são necessariamente nossos amigos!

Por sorte, cada vez mais economistas tomam consciência da importância de colaborações transdisciplinares com pesquisadores de psicologia e de ciências sociais. A riqueza da pesquisa neurocientífica francesa também é um diferencial valioso: na França, é mais comum nos laboratórios de neurociência do que nos departamentos de psicologia o estudo dos comportamentos e da maneira de influenciá-los. Podemos apostar então que as ciências comportamentais acabarão se impondo, tanto na França como em outros lugares.

MUDAR A IMAGEM QUE TEMOS DE QUEM DECIDE

Na contramão das relutâncias das autoridades públicas e acadêmicas, as empresas privadas estão na dianteira do uso das ciências comportamentais. Não é frequente que conceitos e ferramentas oriundos da pesquisa encontrem tão rápido diversas aplicações no mundo dos negócios.

Essas empresas compreenderam que "decidir bem" pode se tornar uma verdadeira fonte de vantagem competitiva para elas. No mundo incerto em que vivemos, que competência poderia ser mais valiosa do que a capacidade de adaptação, tomando as melhores decisões possíveis?

Vamos ir mais longe e afirmar: essas empresas não só tomam decisões melhores, como têm também líderes melhores. Em primeiro lugar, porque os homens e as mulheres com papel efetivo em um processo arquitetado de decisão estratégica são executivos mais motivados. Em segundo, porque as empresas que adotam uma arquitetura de decisão são mais capazes de escolher boas lideranças. Sem uma metodologia rigorosa de decisão, "o que vale é o resultado" para o avanço na carreira, e esse resultado é muitas vezes superinterpretado. Todos conhecemos algum polvo Paul, promovido não porque suas decisões eram boas, mas porque teve sorte. Também lembramos exemplos de diretores que fizeram e ganharam grandes apostas por muito tempo, construindo uma reputação de infalibilidade e uma carreira brilhante, até o dia em que, como Ron Johnson, experimentaram um retumbante fracasso levados por sua tomada de riscos. Todos recordaremos, por fim, empresas em que os melhores diretores se preocupam acima de tudo com a nomeação a cargos em que seus resultados serão facilmente visíveis, se possível em mercados em pleno desenvolvimento, para favorecer o avanço de sua carreira.

Se os diretores às vezes encontram dificuldades no esforço para adotar metodologias de decisão melhores, o principal obstáculo está nas suas próprias mentes: a imagem idealizada que fazem do líder, um herói nunca balançado pela dúvida. "Nosso modelo absoluto de líder é John Wayne, que toma pé da situação e diz: 'Bom, vamos fazer o seguinte', e nós o seguimos", observa Gary Klein.

Que imagem deve substituir a do líder heroico? Para tomar emprestado a imagem de Jim Collins, a de um homem ou de uma mulher que não se limita a informar as horas, mas que constrói um relógio. O líder do futuro entende que não pode mais, em um mundo complexo e dúbio, tomar todas as decisões por conta própria. Ele se enxerga como alguém que constrói uma organização capaz de ajudá-lo a decidir melhor. O relógio não apenas servirá de auxílio para que você não erre as horas, como continuará presente quando você tiver navegado para outros mares: a arquitetura da decisão sobrevive a seu arquiteto.

Essa mudança de mentalidade é difícil porque cria um potencial de conflito. O decisor que escolhe construir um relógio deve se resignar ao fato de que, às vezes, o relógio indica uma hora diferente da que ele teria desejado. Claro que, na condição de líder, ele sempre poderá ajustar os ponteiros. No entanto, esse ajuste será mais difícil do que se ele não tivesse o relógio para contestá-lo. Se a equipe acredita que a intuição de seu líder está errada, se o sistema que ele construiu não está de acordo com sua escolha, ele sempre poderá passar por cima, mas não poderá fingir que não sabia das divergências.

Nesse sentido, o sistema limita a capacidade do líder de impor seus pontos de vista sem discussão. Torna mais difícil tomar decisões arbitrárias, decisões às vezes classificadas de maneira equivocada (quando desejamos justificar a ausência de regras e de metodologias) de "pragmáticas". O líder não é mais aquela pessoa que decide confiando em seu instinto, que não tem dúvidas e toma a decisão no ato. De certa maneira, ele aceita restringir sua liberdade.

Outra imagem que não a de John Wayne pode nos ajudar a aceitar a ideia: a de Ulisses, no episódio em que enfrentou as sereias. Antes de se aventurar em águas desconhecidas, o herói da Odisseia também escolheu a restrição de sua liberdade. Ao pedir a seus marinheiros que o amarrassem ao mastro da nau e que tapassem seus ouvidos, ele renunciou a qualquer possibilidade de mudar de rumo, de dar novas instruções à tripulação.

Faltou visão, coragem ou liderança a Ulisses? Muito pelo contrário. Ele sabia que o canto das sereias seria uma tentação e se antecipou: um belo exemplo de visão. Colocou seu destino nas mãos de sua tripulação: bela demonstração de coragem e de confiança. Já seus marinheiros aceitaram essas estranhas diretrizes: sinal forte da liderança do herói e da confiança que ele inspira.

Reaprender a tomar decisões significa esquecer John Wayne e se assemelhar a Ulisses. O líder que escolher esse modelo precisará renunciar a seus dogmas, ter fé em sua tripulação e aceitar ser contestado. Assim, no momento em que chegar a hora de decidir, ele tomará decisões muito melhores.

Agradecimentos

Em primeiro lugar, gostaria de agradecer calorosamente a Daniel Kahneman, cuja curiosidade permanente, o rigor implacável e a humildade genuína representam uma fonte inesgotável de inspiração para mim e para tantos outros. Também devo muito a Dan Lovallo, com quem colaboro com satisfação, apesar da distância entre Paris e Sydney. Os conselhos e os incentivos de Cass Sunstein também foram de grande contribuição.

Este livro se baseia em incontáveis conversas com dezenas de clientes, amigos e parceiros. Todos dividiram comigo suas histórias de sucessos, suas dúvidas e suas ferramentas de decisão. Embora por confidencialidade eu não possa nomeá-los, gostaria de expressar toda a minha gratidão. Pelo precioso tempo dedicado no contexto específico da preparação deste livro, agradeço também a Guillaume Aubin, Xavier Boute, Jean-François Clervoy, Gary DiCamillo, Tristan Farabet, Franck Lebouchard, Guillaume Poitrinal, Carlos Rosillo, Nicolas Rousselet, Denis Terrien e Stéphane Treppoz.

As pesquisas que possibilitaram a redação deste livro ocorreram em parte dentro da consultoria McKinsey, e não teriam sido possíveis sem uma estreita colaboração com diversos de seus sócios e consultores. Entre eles, gostaria de agradecer em especial a Michael Birshan, Renee Dye, Marja Engel, Mladen Fruk, Stephen Hall, John Horn, Bill Huyett, Conor Kehoe, Tim Koller, Devesh Mittal, Reinier Musters, Ishaan Nangia, Daniel Philbin-Bowman, Patrick Viguerie, Blair Warner e Zane Williams.

Stéphanie Dameron, minha orientadora de tese, me guiou em meus primeiros passos de pesquisador. Também me impeliu a desenvolver e refinar algumas das ideias que apareciam na primeira versão deste livro, e a recolocá-las em seu contexto teórico. Agradeço a ela por isso com toda a admiração.

Sou particularmente grato a Omri Benayoun, Victor Fabius, Nathalie Gonzalez e Neil Janin por sua cuidadosa releitura dos sucessivos manuscritos e pelos valiosos comentários críticos.

Por fim, este livro não teria sido publicado sem a contribuição de duas equipes editoriais. Obrigado a Matthias, Raymond, Nicolas, Frédéric, Domitille e Alizé, da Débats Publics, por sua contribuição no desenvolvimento da primeira edição da obra. Obrigado a Sophie Berlin e Pauline Kipfer, da Flammarion, pela confiança e pelo apoio.

Anexo 1
Tipologia dos vieses

Os números entre parênteses remetem aos capítulos correspondentes.

FAMÍLIA	VIESES	DEFINIÇÃO	PÁGINA
Vieses de modelo mental	Viés de confirmação; *storytelling* (1)	Tendência a explicar os fatos por histórias coerentes e a negligenciar fatos que as contestem.	21
	Viés de experiência (1)	Analogia enganosa com situações já vividas das quais pensamos ser capazes de tirar lições.	24
	Erro de atribuição (2); viés do vencedor (1)	Atribuição do sucesso ou do insucesso aos talentos individuais, subestimando o efeito das circunstâncias.	34 ; 24
	Viés retrospectivo (6)	Tendência a julgar uma situação do passado com os dados disponíveis a posteriori.	84
	Efeito de halo (2)	Impressão geral de uma pessoa ou de uma empresa baseada em alguns traços disponíveis e marcantes.	36
	Viés de sobrevivência (2)	Tendência a tirar conclusões a partir de uma amostra que exclui os insucessos.	39

FAMÍLIA	VIESES	DEFINIÇÃO	PÁGINA
Vieses de ação	Excesso de autoconfiança (4)	Propensão a superestimar nossas aptidões para realizar uma tarefa, de modo absoluto e em relação aos outros (inclusive concorrentes).	55
	Viés de planejamento; excesso de otimismo (4)	Confusão entre o voluntarismo gerencial e o otimismo sobre fatores incontroláveis.	55
	Excesso de precisão (4)	Incapacidade de calibrar corretamente os intervalos de confiança nas estimativas/ previsões.	57
	Subestimação dos concorrentes (4)	Propensão a desenvolver projetos que negligenciam o contra-ataque da concorrência.	58
Vieses de inércia	Viés de ancoragem (5)	Influência irracional dos valores disponíveis durante decisões que envolvam números.	68
	Inércia na alocação de recursos (5)	Incapacidade de realocar os recursos de maneira radical o suficiente para refletir as prioridades apresentadas, sobretudo em caso de mudanças externas repentinas.	69
	Viés do status quo (5)	Propensão a não decidir e confirmar assim a "opção padrão".	76
	Escalada do comprometimento; viés dos *sunk costs* (5)	Persistência em um beco sem saída para não materializar uma perda latente de custos irrecuperáveis (ou *sunk costs*).	71
	Aversão à perda (6)	Sensibilidade maior a uma perda do que a um ganho do mesmo valor.	82
	Aversão exagerada ao risco (6)	Rejeição de riscos razoáveis por medo de que a decisão seja avaliada com viés retrospectivo.	81
	Aversão à incerteza (6)	Preferência por um risco quantificável (mesmo que alto) do que um risco desconhecido.	83

FAMÍLIA	VIESES	DEFINIÇÃO	PÁGINA
Vieses de grupo	Groupthink (8)	Tendência a silenciar as divergências dentro de um grupo que vai tomar uma decisão.	101
	Polarização (8)	Convergência do grupo a um ponto de vista mais extremo do que o do ponto de vista médio dos participantes.	106
	Efeitos cascata (8)	Suscetibilidade do resultado à ordem em que os pontos de vista são manifestados.	106
Vieses de interesse	Viés de autoconveniência (9)	Adesão sincera (e não calculista) a pontos de vista que favoreçam nossos interesses; influência indevida dos afetos.	116
	Viés do presente (7)	Incoerência no tempo de nossas taxas de atualização ("atualização hiperbólica"). Logo, incoerência das arbitragens entre custos imediatos e ganhos futuros, levando a um superprivilégio do presente (miopia de gestão).	96
	Julgamento diferencial ação-omissão (9)	Avaliação diferencial das escolhas diretas e indiretas; em particular, tolerância para decisões dos outros que seriam consideradas erradas ou imorais se nós as tivéssemos tomado.	118

Anexo 2
Caixa de ferramentas de quem toma decisão

PRINCÍPIO	FERRAMENTA	PÁGINA
Articular o diálogo	Favorecer a diversidade cognitiva dos participantes.	174
	Dedicar tempo suficiente ao debate.	175
	Diferenciar na ordem do dia os pontos "para discussão" e os pontos "para decisão".	175
	Substituir as apresentações de PowerPoint por memorandos redigidos, que devem ser utilizados como suporte de discussão on-line (editável) antes da reunião.	176
	Banir os argumentos de *storytelling*, assim como algumas comparações de forte impacto.	177
	Exigir um tempo de reflexão para decidir "de cabeça fria".	178
	Desestimular as opiniões categóricas, solicitando que cada um apresente o *balance sheet* de prós e contras, não apenas a própria conclusão.	178
	Escolher um ou mais "advogados do diabo".	179
	Substituir as propostas "binárias" por opções múltiplas.	180
	Supor a impossibilidade da alternativa cogitada para se obrigar a buscar outras (*vanishing options*).	180
	Pedir que os participantes proponham histórias alternativas com base nos mesmos fatos.	181
	Aplicar a técnica do *pre-mortem*.	182

PRINCÍPIO	FERRAMENTA	PÁGINA
Articular o diálogo	Utilizar um comitê ad hoc diferente do comitê diretivo (por exemplo, "Six Amigos").	183
	Escrever com antecedência as razões que justificariam a recusa e engavetar o memorando até o momento da decisão.	184
	... E estabelecer um prazo predefinido para o debate (*discord plus deadline*).	185
Favorecer a descentralização	Cercar-se de personalidades divergentes.	189
	Manter redes informais.	191
	Consultar diretamente os especialistas.	191
	Recorrer a consultores externos sem mencionar cedo demais suas próprias hipóteses.	192
	Formalizar um papel de "desafiante externo".	193
	Nomear uma "equipe vermelha".	193
	Organizar um exercício de *war gaming*.	194
	Utilizar a "sabedoria das multidões" para acrescentar estimativas ou colher sugestões.	194
	Estabelecer um modelo para oferecer pontos de "reancoragem".	195
	Utilizar as analogias estruturadas.	196
	Criar rotinas de questionamento do statu quo (por exemplo, revisões de portfólio).	197
	Formalizar uma checklist para decisões que se repetem.	198
	Padronizar os formatos de apresentação para garantir que todos os pontos importantes sejam abordados.	199
	Para decisões "únicas", formalizar os critérios de decisão ex ante.	199
	Submeter as hipóteses a um "teste de esforço" (em particular os "*worst cases*").	200
	Adotar a visão externa baseada na "classe de referência" de comparáveis interiores ou exteriores.	201
	Atualizar as próprias crenças utilizando o teorema de Bayes.	202
	... E encontrar maneiras de cultivar a humildade (por exemplo, "o antiportfólio").	204

PRINCÍPIO	FERRAMENTA	PÁGINA
	Favorecer relações amistosas e um clima de informalidade na equipe diretiva.	207
	Lançar mão e dar exemplo diário de uma cultura de *speak up*.	208
	Alinhar os incentivos individuais ao interesse comum.	208
	Buscar maneiras de aprender de graça.	210
	Fazer testes em que o insucesso é uma possibilidade, não pilotos realizados para o sucesso a qualquer preço.	211
	Organizar estudos randomizados controlados (testes A/B).	211
	Articular a experimentação permanente.	212
	Dar preferência aos comprometimentos progressivos em vez das grandes apostas.	212
Adotar uma dinâmica de decisão ágil	Instaurar o direito ao insucesso (não necessariamente ao erro).	213
	Compartilhar as próprias experiências de insucesso para incentivar a tomada de risco.	214
	Estabelecer objetivos como "o franco-atirador texano": limitar a comunicação externa sobre estratégias definidas ou resultados a curto prazo.	215
	Dar exemplo da capacidade de mudar de opinião com base nos fatos e na discussão.	216
	Decidir em binômio.	217
	Decidir em comitê especial para limitar conflitos de interesse.	217
	... E, por fim, tomar a decisão e assumir a responsabilidade da escolha ("à luz da manhã").	218

Fontes e referências bibliográficas

Para não atrapalhar a leitura, as fontes utilizadas foram organizadas por tema dentro de cada capítulo.

INTRODUÇÃO E BIBLIOGRAFIA GERAL [pp. 9-14 e pp. 9-226]

Sobre psicologia comportamental, decisão e vieses cognitivos em geral:

ARIELY, D. *Predictably Irrational*. Nova York: HarperCollins, 2008.
CIALDINI, R. B. *Influence: How and Why People Agree to Things*. Nova York: Morrow, 1984.
KAHNEMAN, D. *Thinking, Fast and Slow*. Nova York: Farrar, Straus and Giroux, 2011. [Ed. bras.: *Rápido e devagar: Duas formas de pensar*. Trad. de Cassio Arantes Leite. Rio de Janeiro: Objetiva, 2012.] O autor utiliza também a tradução francesa da obra: *Système 1, Système 2: Les Deux vitesses de la pensée*. Paris: Flammarion, 2012.
THALER, R. H. *Misbehaving: The Making of Behavioral Economics*. Nova York: W. W. Norton & Company, 2015.

Sobre as aplicações das ciências cognitivas no mundo corporativo, e em particular sobre vieses cognitivos e a tomada de decisão:

BAZERMAN, M. H.; MOORE, D. A. *Judgment in Managerial Decision Making*. 7 ed. Hoboken: John Wiley & Sons, 2008.
FINKELSTEIN, S.; WHITEHEAD, J.; CAMPBELL, A. *Think Again: Why Good Leaders Make Bad Decisions and How to Keep It from Happening to You*. Cambridge: Harvard Business Press, 2013.
HEATH, C.; HEATH, D. *Decisive: How to Make Better Choices in Life and Work*. Nova York: Crown Business, 2013. [Ed. bras.: *Gente que resolve: Como fazer as melhores escolhas em qualquer momento da sua vida*. São Paulo: Benvirá, 2014.]

ROSENZWEIG, P. M. *The Halo Effect... and the Eight Other Business Delusions That Deceive Managers*. Nova York: Free Press, 2007. [Ed. bras.: *Derrubando mitos: Como evitar os nove equívocos básicos no mundo dos negócios*. Trad. de Ricardo Gouveia. São Paulo: Globo Livros, 2008.]

SUNSTEIN, C. R.; HASTIE, R. *Wiser: Getting Beyond Groupthink to Make Groups Smarter*. Cambridge: Harvard Business Press, 2015.

Para aplicações em outras áreas:

HALPERN, D. *Inside the Nudge Unit: How Small Changes Can Make a Big Difference*. Londres: WH Allen, 2015.

SILVER, N. *The Signal and the Noise: Why so Many Predictions Fail – but Some Don't*. Nova York: Penguin, 2012. [Ed. bras.: *O sinal e o ruído: Por que tantas previsões falham e outras não*. Rio de Janeiro: Intrínseca, 2013.]

TETLOCK, P. *Expert Political Judgment: How Good Is It? How Can We Know?*. Princeton: Princeton University Press, 2005.

THALER, R. H.; SUNSTEIN, C. R. *Nudge: Improving Decisions About Health, Wealth, and Happiness*. New Haven: Yale University Press, 2008. [Ed. bras.: *Nudge: Como tomar melhores decisões sobre saúde, dinheiro e felicidade*. Rio de Janeiro: Objetiva, 2019.]

Sobre erros de gestão:

CARROLL, P.; MUI, C. *Billion Dollar Lessons: What You Can Learn from the Most Inexcusable Business Failures of the Last Twenty-five Years*. Nova York: Penguin, 2008.

FINKELSTEIN, S. *Why Smart Executives Fail: And What You Can Learn from Their Mistakes*. Nova York: Penguin, 2004.

KERDELLANT, C. *Le Prix de l'incompétence: Histoire des grandes erreurs de management*. Paris: Denoël, 2000.

_____. *Ils Se Croyaient Les Meilleurs: Histoire des grandes erreurs de management*. Paris: Denoël, 2016.

Sobre o erro organizacional, tema relacionado e não tratado nesta obra:

HOFMANN, D. A.; FRESE, M. *Error in Organizations*. Nova York: Routledge, 2011.

PERROW, C. *Normal Accidents: Living with High Risk Technologies*. Princeton: Princeton University Press, 1984.

REASON, J. *Human Error*. Cambridge: Cambridge University Press, 1990.

Sobre perspectivas teóricas mais aprofundadas a respeito da decisão, é possível a consulta das seguintes introduções:

MARCH, J. G. *Primer on Decision Making: How Decisions Happen*. Nova York: Free Press, 1994.
VIDAILLET, B.; D'ESTAINTOT, V.; ABECASSIS, P. *La Décision*. Louvain: De Boeck, 2005.

Outras fontes:

"Se somos tão estúpidos, como pisamos na Lua?": NISBETT, R. E.; ROSS, L. *Human Inference: Strategies and Shortcomings of Social Judgment*. Englewood Cliffs: Prentice-Hall, 1980. Citado em HEATH, C.; LARRICK, R. P.; KLAYMAN, J. "Cognitive Repairs: How Organizational Practices Can Compensate for Individual Shortcomings", *Research in Organizational Behavior*, v. 20, n. 1, pp. 1-37.
"Um estudo com mais de 2 mil executivos": Estudo de McKinsey realizado com 2207 executivos em 2010.

1. BOM DEMAIS PARA NÃO SER VERDADE [pp. 17-32]

Sobre os aviões-petroleiros:

"How a Big Bet on Oil Went Bust". *Fortune*, 26 mar. 2010.
LASCOUMES, P. "Au nom du progrès; de la nation: les 'avions renifleurs'". *Politix*, n. 48, 1999.
Relatório do Tribunal de Contas francês sobre o caso dos aviões-petroleiros, 21 jan. 1981.

Sobre a história da JCPenney

"How to Fail in Business While Really, Really Trying". *Fortune*, 20 mar. 2014.
"J. C. Penney: Can this Company Be Saved?". *USA Today*, 9 abr. 2013.

Sobre o viés de confirmação:

NICKERSON, R. S. "Confirmation Bias: A Ubiquitous Phenomenon in Many Guises", *Review of General Psychology*, v. 2, n. 2, pp. 175-220, 1998.
SOYER, E.; HOGARTH, R. M. "Fooled by Experience". *Harvard Business Review*, v. 93, n. 5, pp. 73-7, 2015.
STANOVICH, K. E.; WEST, R. F. "On The Relative Independence of Thinking Biases and Cognitive Ability". *Journal of Personality and Social Psychology*, v. 94, n. 4, pp. 672-95, 2008.
STANOVICH, K. E.; WEST, R. F; TOPLAK, M. E. "Myside Bias, Rational Thinking, and Intelligence". *Current Directions in Psychological Science*, v. 22, n. 4, pp. 259-64, 2013.

Sobre as fake news e a "bolha de filtros":

KAHAN, D. M.; LANDRUM, A.; CARPENTER, K.; HELFT, L.; HALL JAMIESON, K. "Science Curiosity and Political Information Processing". *Political Psychology*, v. 38, n. 51, pp. 179-99, 2017.
KRAFT, P. W.; LODGE, M.; TABER, C. S. "Why People 'Don't Trust the Evidence': Motivated Reasoning and Scientific Beliefs". *Annals of the American Academy of Political and Social Science*, v. 658, n. 1, pp. 121-33, 2015.
LAZER, D. M. J. et al. "The Science of Fake News". *Science*, v. 359, n. 6380, pp. 1094-6, 2018.
PARISER, E. *The Filter Bubble: What the Internet is Hiding from You*. Londres: Penguin, 2011.
PENNYCOOK, G.; RAND, D. G. "Who Falls for Fake News? The Roles of Bullshit Receptivity, Overclaiming, Familiarity, and Analytic Thinking". *SSRN Working Paper*, n. 3 023 545, 2018.
TABER, C. S.; LODGE, M. "Motivated Skepticism in the Evaluation of Political Beliefs". *American Journal of Political Science*, v. 50, n. 3, pp. 755-69, 2006.

Sobre os vieses de confirmação na polícia científica:

DROR, I. E.; CHARLTON, D. "Why experts make errors". *Journal of Forensic Identification*, v. 56, n. 4, pp. 600-16, 2006.
_____. "Biases in Forensic Experts". *Science*, v. 360, n. 6386, p. 243, 2018.
KASSIN, S. M.; DROR, I. E.; KUKUCKA J. "The Forensic Confirmation Bias: Problems, Perspectives, and Proposed Solutions". *Journal of Applied Research in Memory and Cognition*, v. 2, n. 1, pp. 42-52, 2013.
NEAL, T. M. S.; GRISSO, T. "The Cognitive Underpinnings of Bias in Forensic Mental Health Evaluations". *Psychology, Public Policy, and Law*, v. 20, n. 2, pp. 200-11, 2014.

Sobre a crise da reprodutibilidade em resultados científicos:

IOANNIDIS, J. P. A. "Why Most Published Research Findings Are False". *PLoS Medicine*, v. 2, n. 8, pp. 696-701, 2005.
LEHRER, J. "The truth Wears Off". *The New Yorker*, pp. 1-10, 2010.
NEAL, T. M. S.; GRISSO, T. "The Cognitive Underpinnings of Bias in Forensic Mental Health Evaluations". *Psychology, Public Policy, and Law*, v. 20, n. 2, pp. 200-11, 2014.
SIMMONS, J. P.; NELSON, L. D.; SIMONSOHN, U. "False-Positive Psychology: Undisclosed Flexibility in Data Collection and Analysis Allows Presenting Anything as Significant". *Psychological Science*, v. 22, n. 11, pp. 1359-66, 2011.

Outras fontes:

TALEB, N. N. *The Black Swan: The Impact of the Highly Improbable*. 2 ed. Nova York: Random House, 2010. [Ed. bras.: *A lógica do cisne negro*. Rio de Janeiro: Objetiva, 2021.]

2. "O GÊNIO STEVE JOBS..." [pp. 33-42]

Sobre o efeito de halo:

COLLINS, J.; PORRAS, J. *Bâties pour durer: Les entreprises visionnaires ont-elles un secret?*. Paris: Éditions Générales First, 1996. [Ed. bras.: *Feitas para durar: Práticas bem-sucedidas de empresas visionárias*. Rio de Janeiro: Alta Books, 2020.]

NISBETT, R. E.; WILSON, T. D. "The Halo Effect: Evidence for Unconscious Alteration of Judgments". *Journal of Personality and Social Psychology*, v. 35, n. 4, pp. 250-6, 1977.

PETERS, T. J.; WATERMAN, R. *Le Prix de l'excellence: Les Secrets des meilleures entreprises*. Paris: InterÉditions, 1983. [Ed. bras.: *Vencendo a crise: Como o bom senso empresarial pode superá-la*. São Paulo: Harper Row do Brasil, 1983.]

ROSENZWEIG, P. M. *The Halo Effect... and the Eight Other Business Delusions That Deceive Managers*, op. cit. [Ed. bras.: *Derrubando mitos: Como evitar os nove equívocos básicos no mundo dos negócios*, op. cit.]

Sobre o exemplo do forced ranking:

COHAN, P. "Why Stack Ranking Worked Better at GE than Microsoft". *Forbes*, 13 jul. 2012.

KWOH, L. "'Rank and Yank' Retains Vocal Fans". *The Wall Street Journal*, 31 jan. 2012.

Sobre o perigo da imitação no campo da estratégia:

MOURICOU, P. "Stratégie; imitation: Proposition d'une typologie des pratiques d'imitation concurrentielle". Luxemburgo, 19ª Conferência da Association Internationale de Management Strategique, 2010.

NATTERMANN, P. "Best Practice Does not Equal Best Strategy". *McKinsey Quarterly*, v. 2, pp. 22-31, 2000.

PORTER, M. E. "What is Strategy?". *Harvard Business Review*, v. 74, n. 6, pp. 61-78, 1996.

Sobre o viés de sobrevivência:

BROWN, S. J.; GOETZMANN, W.; IBBOTSON, R. G.; ROSS, S. A. "Survivorship Bias in Performance Studies". *The Review of Financial Studies*, v. 5, n. 4, pp. 553-80, 1992.

CARHART, M. M. "On Persistence in Mutual Fund Performance". *The Journal of Finance*, v. 52, n. 1, pp. 57-82, 1997.

ELLENBERG, J. *How Not to Be Wrong: The Power of Mathematical Thinking*. Londres: Penguin, 2015.

3. "DE ACORDO COM A MINHA LARGA EXPERIÊNCIA..." [pp. 43-52]

Sobre o uso da intuição por diretores:

AKINCI, C.; SADLER-SMITH, E. "Intuition in Management Research: A Historical Review". *International Journal of Management Reviews*, v. 14, n. 1, pp. 104-22, 2012.

DANE, E.; PRATT, M. G. "Exploring Intuition and Its Role in Managerial Decision Making". *Academy of Management Review*, v. 32, n. 1, pp. 33-54, 2007.

HENSMAN, A.; SADLER-SMITH, E. "Intuitive Decision Making in Banking and Finance". *European Management Journal*, v. 29, n. 1, pp. 51-66, 2011.

SADLER-SMITH, E.; BURKE-SMALLEY, L. A. "What Do We Really Understand about How Managers Make Important Decisions?". *Organizational Dynamics*, v. 44, n. 1, pp. 9-16, 2015.

Sobre a escola naturalista e as recomendações para os diretores que se inspiram nela:

CHOLLE, F. *The Intuitive Compass: Why the Best Decisions Balance Reason and Instinc*. San Francisco: Jossey-Bass, 2011.

GIGERENZER, G. *Gut Feelings: Short Cuts to Better Decision Making*. Londres: Penguin, 2008.

GLADWELL, M. *Blink: The Power of Thinking Without Thinking*. Nova York: Little, Brown and Company, 2005.

KLEIN, G. A. *Sources of Power: How People Make Decisions*. Cambridge: MIT Press, 1998.

Sobre as heurísticas e os vieses:

KAHNEMAN, D. *Système 1, système 2*, op. cit.

TVERSKY, A.; KAHNEMAN, D. "Belief in The Law of Small Numbers". *Psychological Bulletin*, v. 76, n. 2, pp. 105-10, 1971.

_____. "Judgment under Uncertainty: Heuristics and Biases". *Science*, v. 185, n. 4157, pp. 1124-31, 1974.

Sobre a colaboração entre Kahneman e Klein:

KAHNEMAN, D.; KLEIN, G. "Conditions for Intuitive Expertise: A Failure to Disagree". *American Psychologist*, v. 64, n. 6, pp. 515-26, 2009.

_____. "Strategic Decisions: When Can You Trust Your Gut?". *McKinsey Quarterly*, v. 13, pp. 1-10, 2010.

Sobre a competência dos especialistas em diferentes áreas:

SHANTEAU, J. "Competence in Experts: The Role of Task Characteristics". *Organizational Behavior and Human Decision Processes*, v. 53, pp. 252-6, 1992.

_____. "Why Task Domains (Still) Matter for Understanding Expertise". *Journal of Applied Research in Memory and Cognition*, v. 4, n. 3, pp. 169-75, 2015.

TETLOCK, P. *Expert Political Judgment: How Good Is It? How Can We Know?*, op. cit.

Sobre a pertinência da intuição na área do recrutamento:

DANA, J.; DAWES, R.; PETERSON, N. "Belief in The Unstructured Interview: The Persistence of An Illusion". *Judgment and Decision Making*, v. 8, n. 5, pp. 512-20, 2013.

HEATH, C.; HEATH, D. "Why It May Be Wiser to Hire People Without Meeting Them". *Fast Company*, 2009.

SCHMIDT, F. L.; HUNTER, J. E. "The Validity and Utility of Selection Methods in Personnel Psychology: Practical and Theoretical Implications of 85 Years of Research Findings". *Psychological Bulletin*, v. 124, n. 2, pp. 262-74, 1998.

4. "*JUST DO IT*" [pp. 53-64]

Sobre o viés de excesso de confiança:

MOORE, D. A.; HEALY, P. J. "The Trouble With Overconfidence". *Psychological Review*, v. 115, n. 2, pp. 502-17, 2008.

SVENSON, O. "Are We All Less Risky and More Skillful Than Our Fellow Drivers?". *Acta Psychologica*, v. 47, n. 2, pp. 143-8, 1981.

THALER, R. H.; SUNSTEIN, C. R. *Nudge: Improving Decisions About Health, Wealth, and Happiness*, op. cit.

Sobre o otimismo das previsões e o viés de planejamento:

FLYVBJERG, B.; HOLM, M. S.; BUHL, S. "Underestimating Costs in Public Works, Error or Lie?". *Journal of the American Planning Association*, v. 68, n. 3, pp. 279-95, 2002.

FRANKEL, J. "Over-Optimism in Forecasts by Official Budget Agencies and Its Implications". *Oxford Review of Economic Policy*, v. 27, n. 4, pp. 536-62, 2011.

Sobre o excesso de precisão:

ALPERT, M.; RAIFFA, H. "A Progress Report on The Training of Probability Assessors". In: KAHNEMAN, D.; SLOVIC, P.; TVERSKY, A. (Org.). *Judgment Under Uncertainty: Heuristics and Biases.* Nova York: Cambridge University Press, pp. 294-305, 1982.

RUSSO, E. J.; SCHOEMAKER, P. J. "Managing Overconfidence". *Sloan Management Review*, v. 33, n. 2, pp. 717, 1992.

Sobre a subestimação dos concorrentes:

CAIN, D. M.; MOORE, D. A.; HARAN, U. "Making Sense of Overconfidence in Market Entry". *Strategic Management Journal*, v. 36, n. 1, pp. 1-18, 2015.

DILLON, K.; LAFLEY, A. G. "I Think of My Failures as A Gift". *Harvard Business Review*, v. 59, n. 4, pp. 56-9, 2011.

"How Companies Respond to Competitors: A McKinsey Survey". *McKinsey Quarterly*, abr. 2008.

MOORE, D. A.; OESCH, J. M.; ZIETSMA, C. "What Competition? Myopic Self-Focus in Market-Entry Decisions". *Organization Science*, v. 18, n. 3, pp. 440-54, 2007.

RUMELT, R. P. "Good Strategy/Bad Strategy: The Difference and Why It Matters". *Strategic direction*, v. 28, n. 8, 2012.

Sobre os vieses e a seleção natural:

SANTOS, L. R.; ROSATI, A. G. "The Evolutionary Roots of Human Decision Making". *Annual Review of Psychology*, v. 66, n. 1, pp. 321-74, 2015.

Sobre o valor do otimismo:

ROSENZWEIG, P. "The Benefits — and Limits — of Decision Models". *McKinsey Quarterly*, 2014, pp. 1-10.

_____. *Left Brain, Right Stuff: How Leaders Make Winning Decisions.* Nova York: PublicAffairs, 2014.

5. "TUDO ESTÁ SOB CONTROLE" [pp. 65-78]

Sobre a história da Polaroid:

ROSENBLOOM, R. S. "Polaroid Corporation: Digital Imaging Technology in 1997". *Harvard Business School Case*, v. 9, pp. 798-813, 1997.

TRIPSAS, M.; GAVETTI, G. "Capabilities, Cognition, and Inertia: Evidence from Digital Imaging". *Strategic Management Journal*, v. 21, n. 10, pp. 1147-61, 2000.

Sobre a inércia na alocação de recursos:

BARDOLET, D.; FOX, C. R.; LOVALLO, D. "Corporate Capital Allocation: A Behavioral Perspective". *Strategic Management Journal*, v. 32, pp. 1465-83, 2011.
BIRSHAN, M.; ENGEL, M.; SIBONY, O. "Avoiding The Quicksand: Ten Techniques For More Agile Corporate Resource Allocation". *McKinsey Quarterly*, out. 2013, p. 6.
HALL, S.; KEHOE, C. "How Quickly Should A New CEO Shift Corporate Resources?". *McKinsey Quarterly*, outubro 2013, pp. 1-5.
HALL, S.; LOVALLO, D.; MUSTERS, R. "How to Put Your Money Where Your Strategy Is". *McKinsey Quarterly*, mar. 2012, p. 11.

Sobre o viés de ancoragem:

ENGLICH, B.; MUSSWEILER, T.; STRACK, F. "Playing Dice with Criminal Sentences: The Influence of Irrelevant Anchors on Experts' Judicial Decision Making". *Personality and Social Psychology Bulletin*, v. 32, n. 2, pp. 188-200, 2006.
GALINSKY, A. D.; MUSSWEILER, T. "First Offers as Anchors: The Role of Perspective-Taking and Negotiator Focus". *Journal of Personality and Social Psychology*, v. 81, n. 4, pp. 657-669, 2001.
STRACK, F.; MUSSWEILER, T. "Explaining The Enigmatic Anchoring Effect: Mechanisms of Selective Accessibility". *Journal of Personality and Social Psychology*, v. 73, n. 3, pp. 437-46, 1997.
TVERSKY, A.; KAHNEMAN, D. "Judgment Under Uncertainty: Heuristics and Biases", op. cit.

Sobtre a divisão Saturn da GM:

RITSON, M. "Why Saturn Was Destined to Fail". *Harvard Business Review*, 2009, pp. 2-3.
TAYLOR, A. "GM's Saturn Problem". *Fortune*, 13 dez. 2014.

Sobre a escassez das cessões:

FELDMAN, E. R.; AMIT, R.; VILLALONGA, B. "Corporate Divestitures and Family Control". *Strategic Management Journal*, v. 37, n. 3, pp. 429-46, 2014.
HORN, J. T.; LOVALLO, D. P.; VIGUERIE, S. P. "Learning to Let Go: Making Better Exit Decisions". *McKinsey Quarterly*, v. 2, p. 64, 2006.
LEE, D.; MADHAVAN, R. "Divestiture and Firm Performance: A Meta-Analysis". *Journal of Management*, v. 36, n. 6, pp. 1345-71, 2010.

Sobre a escalada do comprometimento:

DRUMMOND, H. "Escalation of Commitment: When to Stay The Course". *Academy of Management Perspectives*, v. 28, n. 4, pp. 430-46, 2014.
ROYER, I. "Why Bad Projects Are so Hard to Kill". *Harvard Business Review*, v. 81, n. 2, pp. 48-57, 2003.
STAW, B. M. "The Escalation of Commitment to a Course of Action". *Academy of Management Review*, v. 6, n. 4, pp. 577-87, 1981.
_____. "The Escalation of Commitment: An Update and Appraisal". *Organizational Decision Making*, v. 191, p. 215, 1997.

Sobre a Netflix e a Qwikster:

WINGFIELD, N.; STELTER, B. "How Netflix Lost 800,000 Members, and Goodwill". *The New York Times*, 24 out. 2011.

Sobre disrupção:

CHRISTENSEN, C. *The Innovator's Dilemma: When New Technologies Cause Great Firms to Fail*. Boston: Harvard Business School Press, 2013.

Sobre o viés do status quo:

KAHNEMAN, D.; KNETSCH, J. L.; THALER, R. H. "Anomalies: The Endowment Effect, Loss Aversion, and Status Quo Bias". *Journal of Economic Perspectives*, 5 v. 5, n. 1, pp. 193-206, 1991.
SAMUELSON, W.; ZECKHAUSER, R. "Status Quo Bias in Decision Making". *Journal of Risk and Uncertainty*, v. 1, n. 1, pp. 7-59, 1988.

Outras fontes:

"52% afirmam que não": estudo McKinsey feito com 463 executivos, citado em KAHNEMAN, D.; KLEIN, G. *Strategic decisions: When can you trust your gut?*, op. cit.
"Um estudo de referência no tema": HORN, J.T.; LOVALLO, D.P.; VIGUERIE, S.P. *Learning to let go: Making better exit decisions*, op. cit.

6. "SEJA UM EMPREENDEDOR!" [pp. 79-90]

Sobre a aversão exagerada ao risco:

KOLLER, T.; LOVALLO, D.; WILLIAMS, Z. "Overcoming A Bias Against Risk". *McKinsey Quarterly*, v. 4, pp. 15-7, 2012.

Sobre a aversão à perda:

KAHNEMAN, D.; TVERSKY, A. "Prospect Theory: An Analysis of Decision Under Risk". *Econometrica*, v. 47, n. 2, pp. 263-92, 1979.

Sobre a falta de inovação das grandes empresas cotadas na Bolsa:

CHRISTENSEN, C. M.; VAN BEVER, D. "The Capitalist's Dilemma". *Harvard Business Review*, v. 92, n. 6, pp. 60-8, 2014.
GROCER, S. "Apple's Stock Buybacks Continue to Break Records". *The New York Times*, 1 ago. 2018.
RAPP, N.; O'KEEFE, B. "Here's How Much Cash U. S. Companies Are Hoarding. There's Been a 40% Increase in The Past Five Years, With Apple Leading The Way". *Fortune*, 14 nov. 2016.

Sobre o viés retrospectivo:

BARON, J.; HERSHEY, J. C. "Outcome Bias in Decision Evaluation". *Journal of Personality and Social Psychology*, v. 54, n. 4, pp. 569, 1988.
FISCHHOFF, B. "Hindsight Is Not Equal to Foresight: The Effect of Outcome Knowledge on Judgment under Uncertainty". *Journal of Experimental Psychology: Human Perception and Performance*, v. 1, n. 3, pp. 288, 1975.
_____. "An Early History of Hindsight Research". *Social Cognition*, v. 25, n. 1, pp. 10-3, 2007.
FISCHHOFF, B.; BEYTH, R. "I Knew It Would Happen: Remembered Probabilities of Once-Future Things". *Organizational Behavior and Human Performance*, v. 13, n. 1, pp. 1-16, 1975.

Sobre o viés narrativo e retrospectivo na história:

ROSENBERG, A. *How History Gets Things Wrong: The Neuroscience of our Addiction to Stories*. Cambridge: MIT Press, 2018.

Sobre a ascensão de Churchill ao poder em 1940:

SHAKESPEARE, N. *Six Minutes in May: How Churchill Unexpectedly Became Prime Minister*. Londres: Harvill Secker, 2017.

Sobre o viés retrospectivo no contexto das organizações:

THALER, R. H. *Misbehaving*, op. cit.

Sobre "previsões ousadas e escolhas tímidas":

KAHNEMAN, D.; LOVALLO, D. "Timid Choices and Bold Forecasts: A Cognitive Perspective on Risk Taking". *Management Science*, v. 39, n. 1, pp. 393-413, 1993.
MARCH, J. G.; SHAPIRA, Z. "Managerial Perspectives on Risk and Risk Taking". *Management Science*, v. 33, n. 11, pp. 1404-18, 1987.

Outras fontes:

"A contribuição mais significativa da psicologia para a economia comportamental": KAHNEMAN, D. *Système 1, Système 2*, op. cit., p. 360.

7. "A LONGO PRAZO É LONGE DEMAIS" [pp. 91-9]

Sobre o capitalismo de longo prazo:

BARTON, D.; WISEMAN, M. "Focusing Capital on The Long Term". *McKinsey Quarterly*, dez. 2013.
FINK, L. D. "Carta aos acionistas da BlackRock", 2014.
GEORGE, B. "Bill George on Rethinking Capitalism". *McKinsey Quarterly*, dez. 2013.
POLMAN, P. "Business, Society, and The Future of Capitalism". *McKinsey Quarterly*, maio 2014.
PORTER, M.; KRAMER, M. "Creating Shared Value". *Harvard Business Review*, jan. 2011.

Sobre a miopia de gestão:

ASKER, J.; FARRE-MENSA, J.; LJUNGQVIST, A. "Corporate Investment and Stock Market Listing: A Puzzle?". *The Review of Financial Studies*, v. 28, n. 2, pp. 342-90, 2015.
GRAHAM, J.; HARVEY, C.; RAJGOPAL, S. "Value Destruction and Financial Reporting Decisions". *Financial Analysts Journal*, v. 62, n. 6, pp. 27-39, 2006.

Sobre a earnings guidance:

BUFFETT, W.; DIMON, J. "Short-Termism is Harming The Economy". *Wall Street Journal*, 6 jun. 2018.
CHENG, M.; SUBRAMANYAM K. R.; ZHANG, Y. "Earnings Guidance and Managerial Myopia". *Social Science Research Network*, nov. 2005.
HSIEH, P.; KOLLER, T.; RAJAN, S. R. "The Misguided Practice of Earnings Guidance". *McKinsey on Finance*, primavera de 2006.
PALTER, R.; REHM W.; SHIH, J. "Communicating with The Right Investors". *McKinsey Quarterly*, abr. 2008.

Sobre o viés do presente, o autocontrole e a atualização hiperbólica:

BENHABIB, J.; BISIN, A.; SCHOTTER, A. "Present-Bias, Quasi-Hyperbolic Discounting, and Fixed Costs". *Games and Economic Behavior*, v. 69, n. 2, pp. 205-23, 2010.
FREDERICK, S.; LOEWENSTEIN, G.; O'DONOGHUE, T. "Time Discounting and Time Preference: A Critical Review". *Journal of Economic Literature*, v. 40, n. 2, pp. 351-401, 2002.
LAIBSON, D. "Golden Eggs and Hyperbolic Discounting". *Quarterly Journal of Economics*, v. 112, n. 2, pp. 443-77, 1989.
LOEWENSTEIN, G.; THALER, R. H. "Anomalies: Intertemporal Choice". *Journal of Economic Perspectives*, v. 3, n. 4, pp. 181-93, 1989.
THALER, R. H. "Some Empirical Evidence on Dynamic Inconsistency". *Economics Letters*, n. 8, pp. 201-7, 1981.
THALER, R. H.; SHEFRIN, H. M. "An Economic Theory of Self Control". *Journal of Political Economy*, v. 89, n. 2, pp. 392-406, 1981.

8. "SE TODOS FAZEM..." [pp. 100-11]

Sobre o groupthink:

BUFFETT, W. Entrevista à CNBC, 23 abr. 2014.
JANIS, I. *Groupthink: Psychological Studies of Policy Decisions and Fiascoes*. Boston: Houghton--Mifflin, 1982.
SCHLESINGER JR., A. M. *A Thousand Days: John F. Kennedy in the White House*. Boston: Houghton--Mifflin, 1965.
WHYTE, G. "Groupthink Reconsidered". *Academy of Management Review*, v. 14, n. 1, pp. 40-56, 1989.

Sobre as cascatas e a polarização dos grupos:

GREITEMEYER, T.; SCHULZ-HARDT, S.; FREY, D. "The Effects of Authentic and Contrived Dissent on Escalation of Commitment in Group Decision Making". *European Journal of Social Psychology*, v. 39, n. 4, pp. 639-47, 2009.

HEATH, C.; GONZALEZ, R. "Interaction With Others Increases Decision Confidence But Not Decision Quality: Evidence Against Information Collection Views of Interactive Decision Making". *Organizational Behavior and Human Decision Processes*, v. 61, n. 3, pp. 305-26, 1995.

HUNG, A. A.; PLOTT, C. R. "Information Cascades: Replication and An Extension to Majority Rule and Conformity-Rewarding Institutions". *American Economic Review*, v. 91, n. 5, pp. 1508-20, 2001.

STASSER, G.; TITUS, W. "Hidden Profiles: A Brief History". *Psychological Inquiry*, v. 14, n. 3-4, pp. 304-13, 2003.

SUNSTEIN, C. R. "The Law of Group Polarization". *Journal of Political Philosophy*, v. 10, n. 2, pp. 175-95, 2002.

SUNSTEIN, C. R.; HASTIE, R. *Wiser: Getting Beyond Groupthink to Make Groups Smarter*, op. cit.

WHYTE, G. "Escalating Commitment in Individual and Group Decision Making: A Prospect Theory Approach". *Organizational Behavior and Human Decision Processes*, v. 54, n. 3, pp. 430-55, 1993.

ZHU, D. H. "Group Polarization in Board Decisions about CEO Compensation". *Organization Science*, v. 25, n. 2, pp. 552-71, 2013.

9. "SÓ NÃO DIGO ISSO PORQUE..." [pp. 112-21]

Sobre a teoria da agência:

BEBCHUK, L. A.; FRIED, J. M. "Executive Compensation as An Agency Problem". *Journal of Economic Perspectives*, v. 17, n. 3, pp. 71-92, 2003.

FAMA, E. F.; JENSEN, M. C. "Separation of Ownership and Control". *The Journal of Law and Economics*, v. 26, n. 2, pp. 301-25, 1983.

HOPE, O.-K.; THOMAS, W. B. "Managerial Empire Building and Firm Disclosure". *Journal of Accounting Research*, v. 46, n. 3, pp. 591-626, 2008.

JENSEN, M. C.; MECKLING, W. H. "Theory of The Firm: Managerial Behavior, Agency Costs and Ownership Structure". *Journal of Financial Economics*, v. 3, n. 4, pp. 305-60, 1976.

Sobre a má conduta de gestão:

BERGSTRESSER, D.; PHILIPPON, T. "CEO Incentives and Earnings Management". *Journal of Financial Economics*, v. 80, n. 3, pp. 511-29, 2006.

GREVE, H. R.; PALMER D.; POZNER, J. "Organizations Gone Wild: The Causes, Processes, and Consequences of Organizational Misconduct". *Academy of Management Annals*, v. 4, n. 1, pp. 53-107, 2010.

MCANALLY, M. L.; SRIVASTAVA, A.; WEAVER, C. D. "Executive Stock Options, Missed Earnings Targets, and Earnings Management". *The Accounting Review*, v. 83, n. 1, pp. 185-216, 2008.

Sobre o jogo do ultimato:

CAMERON, L. "Raising The Stakes in The Ultimatum Game: Experimental Evidence from Indonesia". *Economic Inquiry*, v. 37, n. 1, pp. 47-59, 1999.
GÜTH, W.; SCHMITTBERGER R.; SCHWARZE, B. "An Experimental Analysis of Ultimatum Bargaining". *Journal of Economic Behavior and Organization*, v. 3, n. 4, pp. 367-88, 1982.
KAHNEMAN, D.; KNETSCH, J. L.; THALER, R. H. "Fairness and The Assumptions of Economics". *Journal of Business*, v. 59, n. 4, pp. S285-S300, 1986.
THALER, R. H. "Anomalies: The Ultimatum Game". *Journal of Economic Perspectives*, v. 2, n. 4, pp. 195-206, 1988.

Sobre eticalidade limitada e ética comportamental em geral:

ARIELY, D. *The (Honest) Truth About Dishonesty: How We Lie to Everyone, Especially Ourselves.* Nova York: Harper Collins, 2012.
BAZERMAN, M. H.; GINO, F. "Behavioral Ethics: Toward A Deeper Understanding of Moral Judgment and Dishonesty". *Annual Review of Law and Social Science*, v. 8, pp. 85-104, 2012.
BAZERMAN, M. H.; TENBRUNSEL, A. E. *Blind Spots: Why We Fail to Do What's Right and What to Do About It.* Princeton: Princeton University Press, 2011.
BAZERMAN, M. H.; MOORE, D. A.; LOEWENSTEIN, G. "Why Good Accountants Do Bad Audits". *Harvard Business Review*, 2002, v. 80, n. 11, pp. 96-103, 2002.
_____. *Judgment in Managerial Decision Making*, op. cit.
HAIDT, J. "The New Synthesis in Moral Psychology". *Science*, v. 316, n. 5827, pp. 998-1002, 2007.
HARVEY, A. H.; KIRK, U.; DENFIELD, G. H.; MONTAGUE, P. R. "Monetary Favors and Their Influence on Neural Responses and Revealed Preference". *Journal of Neuroscience*, v. 30, n. 28, pp. 9597-602, 2010.
KLUVER, J.; FRAZIER, R.; HAIDT, J. "Behavioral Ethics for Homo Economicus, Homo Heuristicus, and Homo Duplex". *Organizational Behavior and Human Decision Processes*, v. 123, n. 2, pp. 150-8, 2014.

Sobre o julgamento diferencial ação-omissão:

PAHARIA, N.; KASSAM, K. S.; GREENE, J. D.; BAZERMAN, M. H. "Dirty Work, Clean Hands: The Moral Psychology of Indirect Agency". *Organizational Behavior and Human Decision Processes*, v. 109, n. 2, pp. 134-41, 2009.
SPRANCA, M.; MINSK, E.; BARON, J. "Omission and Commission in Judgment and Choice". *Journal of Experimental Social Psychology*, v. 27, n. 1, pp. 76-105, 1991.

Sobre os efeitos nocivos da disclosure:

CAIN, D. M.; LOEWENSTEIN, G.; MOORE, D. A. "The Dirt on Coming Clean: Perverse Effects of Disclosing Conflicts of Interest". *The Journal of Legal Studies*, v. 34, n. 1, pp. 1-25, 2005.

Outras fontes:

SMITH, A. *The Wealth of Nations*. Nova York: Mod. Libr., 1776.

10. HUMANO, DEMASIADO HUMANO [pp. 125-34]

Sobre as taxonomias de vieses (e os mecanismos de ação sobre os comportamentos):

BAZERMAN, M.; MOORE, D. *Judgment in Managerial Decision Making*, op. cit.
DOBELLI, R. *The Art of Thinking Clearly*. Nova York: HarperCollins, 2011.
DOLAN, P.; HALLSWORTH, M.; HALPERN, D.; KING, D.; VLAEV, I. "MINDSPACE: Influencing Behaviour Through Public Policy". Londres: Cabinet Office and Institute for Government, 2010.
FINKELSTEIN, S.; WHITEHEAD, J.; CAMPBELL, A. *Think Again: Why Good Leaders Make Bad Decisions and How to Keep It from Happening to You*, op. cit.
HALLSWORTH, M.; HALPERN, D. "EAST: Four Simple Ways to Apply Behavioural Insights", *Nesta*, 2014.
HALPERN, D. *Inside the Nudge Unit: How Small Changes Can Make a Big Difference*, op. cit.
HEATH, C.; HEATH, D. *Decisive: How to Make Better Choices in Life and Work*, op. cit.
TVERSKY, A.; KAHNEMAN, D. "Judgment under Uncertainty: Heuristics and Biases", op. cit.

Sobre a imputação excessiva dos erros aos vieses:

ROSENZWEIG, P. *Left Brain, Right Stuff: How Leaders Make Winning Decisions*, op. cit.

Sobre a recorrência dos erros nas aquisições:

BRUNER, R. F. "Does M&A Pay? A Survey of Evidence for The Decision-Maker". *Journal of Applied Finance*, v. 12, n. 1, pp. 48-68, 2002.
CARTWRIGHT, S.; SCHOENBERG, R. "Thirty Years of Mergers and Acquisitions Research: Recent Advances and Future Opportunities". *British Journal of Management*, v. 17, n. S1, pp. 1-5, 2006.
DATTA, D. K.; PINCHES, G. E.; NARAYANAN, V. K. "Factors Influencing Wealth Creation from Mergers and Acquisitions: A Meta-Analysis". *Strategic Management Journal*, v. 13, n. 1, pp. 67-84, 1992.

Sobre a recorrência dos erros a respeito da negligência dos concorrentes e de cessões:

Ver, respectivamente, as notas dos capítulos 4 e 5.

Sobre o debiasing:

BANAJI, M. Citado em Hidden Brain, *National Public Radio*, 9 mar. 2018.
"Bringing Hidden Biases into The Light". *Wall Street Journal*, 9 jan. 2014.
MUNGER, C. "Intervention à la Harvard Law School", 1995.
SOLL, J. B.; MILKMAN, K. L.; PAYNE, J. W. "A User's Guide to Debiasing". In: KEREN, G.; WU, G. (Org.). *The Wiley Blackwell Handbook of Judgment and Decision Making*. Chichester: John Wiley & Sons, 2015, p. 684.

11. ADMITIR A DERROTA NA BATALHA PARA GANHAR MELHOR A GUERRA [pp. 135-44]

Sobre o combate contra os vieses:

DOBELLI, R. *The Art of Thinking Clearly*, op. cit.
FINKELSTEIN, S.; WHITEHEAD, J.; CAMPBELL, A. *Think Again: Why Good Leaders Make Bad Decisions and How to Keep It from Happening to You*, op. cit.
HAMMOND, J. S.; KEENEY, R. L.; RAIFFA, H. "The Hidden Traps in Decision Making". *Harvard Business Review*, 2006, pp. 1-9.

Sobre os vieses de excesso de confiança dos motoristas:

SVENSON, O. "Are We All Less Risky and More Skillful than Our Fellow Drivers?", op. cit.

Sobre o debiasing (ver também as referências citadas no capítulo 10):

FISCHHOFF, B. "Debiasing". In: KAHNEMAN, D.; SLOVIC, P.; TVERSKY, A. (Org.). *Judgment Under Uncertainty: Heuristics and Biases*. Nova York: Cambridge University Press, pp. 422-44, 1982.
MILKMAN, K. L.; CHUGH, D.; BAZERMAN, M. H. "How Can Decision Making Be Improved?". *Perspectives on Psychological Science*, v. 4, n. 4, pp. 379-383, 2009.
MOREWEDGE, C. K.; YOON, H.; SCOPELLITI, I.; SYMBORSKI, C. W.; KORRIS, J. H.; KASSAM, K. S. "Debiasing Decisions: Improved Decision Making with A Single Training Intervention". *Policy Insights from the Behavioral and Brain Sciences*, v. 2, n. 1, pp. 129-40, 2015.
NISBETT, R. E. *Mindware: Tools for Smart Thinking*. Nova York: Farrar, Straus and Giroux, 2015.

Sobre a crise dos mísseis de Cuba:

KENNEDY, R. F. *Thirteen Days: A Memoir of the Cuban Missile Crisis.* Nova York: W.W. Norton & Company, 2011.
WHITE, M. "Robert Kennedy and The Cuban Missile Crisis: A Reinterpretation". *American Diplomacy*, 2007.

Outras fontes:

ARIELY, D. "Dan Ariely on Irrationality in The Workplace". *McKinsey Quarterly*, fev. 2011.
KAHNEMAN, D.; KLEIN, G. "Strategic Decisions: When Can You Trust Your Gut?", op. cit.

12. QUANDO ERRAR NÃO É PERMITIDO [pp. 145-55]

Sobre os acidentes espaciais:

CLERVOY, J. F. Entrevista para o autor.
Lista de acidentes e incidentes relacionados a voos espaciais, *Wikipedia*.

Sobre as checklists:

GAWANDE, A. *The Checklist Manifesto*, Nova York: Henry Holt and Company, 2009. [Ed. bras.: *Checklist: Como fazer as coisas benfeitas*. Rio de Janeiro: Sextante, 2011.]
HAYNES, A.; WEISER, T.; BERRY, W.; LIPSITZ, S.; BREIZAT, A.; DELLINGER, E.; MERRY, A. F. "A Surgical Safety Checklist to Reduce Morbidity and Mortality in A Global Population". *New England Journal of Medicine*, v. 360, n. 5, pp. 491-9, 2009.
KAHNEMAN, D.; LOVALLO, D.; SIBONY, O. "Before You Make That Big Decision". *Harvard Business Review*, v. 89, n. 6, pp. 50-60, 2011.

Sobre os procedimentos para melhorar a tomada de decisão nas empresas:

HEATH, C.; LARRICK, R. P.; KLAYMAN, J. "Cognitive Repairs: How Organizational Practices Can Compensate for Individual Shortcomings". *Research in Organizational Behavior*, v. 20, n. 1, pp. 1-37, 1998.

13. UMA BOA DECISÃO É UMA DECISÃO BEM TOMADA [pp. 156-167]

Sobre o exemplo de Bill Miller:

MILLER, B. "Bill Miller Dishes on His Streak and His Strategy". *Wall Street Journal*, pp. 1-4, 2005.
MLODINOW, L. *The Drunkard's Walk: How Randomness Rules Our Lives*. Nova York: Vintage, 2009.

Sobre o estudo das decisões de investimento:

GARBUIO, M.; LOVALLO, D.; SIBONY, O. "Evidence Doesn't Argue for Itself: The Value of Disinterested Dialogue in Strategic Decision-Making". *Long Range Planning*, v. 46, n. 6, pp. 361-80, 2015.
LOVALLO, D.; SIBONY, O. "The Case for Behavioral Strategy". *McKinsey Quarterly*, 2, pp. 30-43, 2010.

Outras fontes:

RUMSFELD, D. Coletiva de imprensa, fev. 2002.
THALER, R. H.; SUNSTEIN, C. R. *Nudge: Improving Decisions About Health, Wealth, and Happiness*, op. cit.

14. DIÁLOGO [pp. 171-87]

Sobre a eficiência do brainstorming:

DIEHL, M.; STROEBE, W. "Productivity Loss in Brainstorming Groups: Toward The Solution of A Riddle". *Journal of Personality and Social Psychology*, v. 53, n. 3, pp. 497-509, 1987.
KEENEY, R. L. "Value-Focused Brainstorming". *Decision Analysis*, v. 9, n. 4, pp. 303-13, 2012.
SUTTON, R. I.; HARGADON, A. "Brainstorming Groups in Context: Effectiveness in A Product Design Firm". *Administrative Science Quarterly*, v. 41, n. 4, pp. 685-718, 1996.

Sobre a diversidade cognitiva:

REYNOLDS, A.; LEWIS, D. "Teams Solve Problems Faster When They're More Cognitively Diverse". *Harvard Business Review*, 2017, p. 6.
ROBERTO, M. A. *Why Great Leaders Don't Take Yes for an Answer*. Upper Saddle River: Prentice--Hall, 2005.

Sobre o PowerPoint e como deixar de utilizá-lo:

BERETTI, N. *Stop au PowerPoint: Réapprenez à penser; à présenter.* 2. ed. Paris: Dunod, 2016.
BEZOS, J. *Carta aos acionistas da Amazon*, site oficial da SEC, 2017.
KAPLAN, S. "Strategy and PowerPoint: An Inquiry into The Epistemic Culture and Machinery of Strategy Making". *Organization Science*, 22(2), pp. 320-46, 2011.

Sobre a divergência genuína:

GREITEMEYER, T.; SCHULZ-HARDT, S.; FREY, D. "The Effects of Authentic and Contrived Dissent on Escalation of Commitment in Group Decision Making", op. cit.
NEMETH, C.; BROWN, K.; ROGERS, J. "Devil's Advocate Versus Authentic Dissent: Stimulating Quantity and Quality". *European Journal of Social Psychology*, v. 31, n. 6, pp. 707-20, 2001.

Sobre as opções múltiplas:

HEATH, C.; HEATH, D. *Decisive: How to Make Better Choices in Life and Work*, op. cit.
NUTT, P. C. "The Identification of Solution Ideas During Organizational Decision Making". *Management Science*, v. 39, n. 9, pp. 1071-85, 1993.

Sobre o pre-mortem:

KLEIN, G. "Performing A Project Premortem". *Harvard Business Review*, v. 85, n. 9, pp. 18-9, 2007.

Sobre a importância do "fair process":

KIM, W. C.; MAUBORGNE, R. "Fair Process: Managing in The Knowledge Economy". *Harvard Business Review*, v. 81, n. 1, pp. 127-36, 2003.
SUNSTEIN, C. R.; HASTIE, R. *Wiser: Getting Beyond Groupthink to Make Groups Smarter*, op. cit.

Outras fontes:

"How We Do It: Three Executives Reflect on Strategic Decision Making". *McKinsey Quarterly*, mar. 2010, entrevista com Dan Lovallo e Olivier Sibony.
O comentário do CEO da Quaker foi citado por Chip Heath e Dan Heath em *Decisive: How to Make Better Choices in Life and Work*, op. cit.
SCHMIDT, E. "Eric Schmidt on Business Culture, Technology, and Social Issues". *McKinsey Quarterly*, pp. 1-8, maio 2011.

15. DESCENTRALIZAÇÃO [pp. 188-205]

Sobre a história de Michael Burry:

LEWIS, M. *The Big Short: Inside the Doomsday Machine*. Nova York: W. W. Norton & Company, 2010.

Sobre a importância das ideias divergentes e as dificuldades de fazer com que apareçam:

GINO, F. *Rebel Talent: Why It Pays to Break the Rules at Work and in Life*. Nova York: Dey Street Books, 2018.
GRANT, A. *Originals: How Non-Conformists Change the World*. Nova York: Viking, 2016. [Ed. bras.: *Originais: Como inconformistas mudam o mundo*. Rio de Janeiro: Sextante, 2017.]

Sobre as "equipes vermelhas" e, de modo mais geral, sobre as "técnicas de análise estruturada" da CIA:

CHANG, W.; BERDINI, E.; MANDEL, D. R.; TETLOCK, P. E. "Restructuring Structured Analytic Techniques in Intelligence". *Intelligence and National Security*, v. 33, n. 3, pp. 337-56, 2018.
GINO, F. *Rebel Talent: Why It Pays to Break the Rules at Work and in Life*. Nova York: Dey Street Books, 2018.
GOVERNO DOS ESTADOS UNIDOS. "A Tradecraft Primer: Structured Analytic Techniques for Improving Intelligence Analysis Prepared by The US Government, March 2009". *Intelligence*, pp. 1-45, 2009.

Sobre a "sabedoria das multidões":

ATANASOV, P.; RESCOBER, P.; STONE, E.; SWIFT, S. A.; SERVAN-SCHREIBER, E.; TETLOCK, P.; UNGAR, L.; MELLERS, B. "Distilling The Wisdom of Crowds: Prediction Markets vs. Prediction Polls". *Management Science*, v. 63, n. 3, pp. 691-706, 2016.
GALTON, F. "Vox Populi (The Wisdom of Crowds)". *Nature*, v. 75, n. 7, pp. 450-1, 1907.
MANN, A. "The Power of Prediction Markets". *Nature*, v. 538, n. 7625, pp. 308-10, 2016.
SUROWIECKI, J. *The Wisdom of Crowds*. Nova York: Doubleday, 2004.

Sobre a reancoragem:

LOVALLO, D.; SIBONY, O. "Re-Anchor Your Next Budget Meeting". *Harvard Business Review*, v. 26, 2012.

Sobre a técnica das analogias estruturadas:

LOVALLO, D.; CLARKE, C.; CAMERER, C. "Robust Analogizing and The Outside View: Two Empirical Tests of Case-Based Decision Making". *Strategic Management Journal*, v. 33, n. 55, pp. 496-512, 2012.
SEPP, K. I. "Best Practices in Counterinsurgency". *Military Review*, v. 86, n. 1, pp. 8, 2006.

Sobre as rotinas de decisão estratégica:

SIBONY, O.; LOVALLO, D.; POWELL, T. C. "Behavioral Strategy and The Strategic Decision Architecture of The Firm". *California Management Review*, v. 59, n. 3, pp. 5-21, 2017.

Sobre a padronização das referências e das checklists:

GAWANDE, A. *The Checklist Manifesto*, op. cit.
KAHNEMAN, D.; LOVALLO, D.; SIBONY, O. "Before You Make That Big Decision", op. cit.

Sobre a "visão externa":

FLYVBJERG, B. "Curbing Optimism Bias and Strategic Misrepresentation in Planning: Reference Class Forecasting in Practice". *European Planning Studies*, v. 16, n. 1, pp. 3-21, 2008.
FLYVBJERG, B.; GARBUIO, M.; LOVALLO, D. "Delusion and Deception in Large Infrastructure Projects: Two Models for Explaining and Preventing Executive Disaster". *California Management Review*, v. 51, n. 2, pp. 170-93, 2009.
FLYVBJERG, B.; STEWART, A. "Olympic Proportions: Cost and Cost Overrun at The Olympics, 1960-2012". *SSRN Electronic Journal*, 2012, pp. 1-23.
KAHNEMAN, D. "Beware The 'Inside View'". *McKinsey Quarterly*, 2011, pp. 1-4.
LOVALLO, D.; KAHNEMAN, D. "Delusions of Success". *Harvard Business Review*, v. 81, n. 7, pp. 56-63, 2003.
MINISTÉRIO DE TRANSPORTE DO REINO UNIDO. "UK Department for Transport Optimism Bias Study", s.d.

Sobre a atualização bayesiana das crenças:

SILVER, N. *The Signal and the Noise: Why so Many Predictions Fail — but Some Don't*, op. cit.
TETLOCK, P. E.; GARDNER, D. *Superforecasting: The Art and Science of Prediction*. Nova York: Random House, 2016. [Ed. bras.: *Superprevisões: A arte a ciência de antecipar o futuro*. Rio de Janeiro: Objetiva, 2016.]

Outras fontes:

BUFFETT, W. Carta aos acionistas da Berkshire Hathaway, 2010, citado em "Buffett Casts A Wary Eye on Bankers". *The New York Times*, 1 mar. 2010.

16. DINÂMICA [pp. 206-19]

Sobre a predileção pelo risco dos empreendedores:

GRANT, A. *Originals: How Non-Conformists Change the World*, op. cit.

Sobre os testes e mentalidade de experimentação permanente:

HALPERN, D. *Inside the Nudge Unit: How Small Changes Can Make a Big Difference*, op. cit.
LOURENÇO, J. S.; CIRIOLO, E.; ALMEIDA, S; R.; TROUSSARD, X. "Behavioural Insights Applied to Policy: European Report, 2016".
RIES, E. *Lean Start-Up*. Nova York: Random House, 2011. [Ed. bras.: *A start-up enxuta*. Rio de Janeiro: Sextante, 2019.]

Sobre as razões que fazem da noite boa conselheira:

DIJKSTERHUIS, A.; BOS, M. W.; NORDGREN, L. F.; VAN BAAREN, R. B.; BRAVA, C. "On Making the Right Choice: The Deliberation Without Attention Effect". *Science*, v. 311, n. 5763, pp. 1005-7, 2006.
VUL, E.; PASHLER, H. "Measuring the Crowd Within: Probabilistic Representations Within Individuals". *Psychological Science*, v. 19, n. 7, pp. 645-8, 2008.

CONCLUSÃO [pp. 221-6]

Sobre os nudges e as políticas públicas:

HALLSWORTH, M.; HALPERN, D. "EAST: Four Simple Ways to Apply Behavioural Insights", op. cit.
HALPERN, D. *Inside the Nudge Unit: How Small Changes Can Make a Big Difference*, op. cit.
LOURENÇO, J. S.; CIRIOLO, E.; ALMEIDA, S. R.; TROUSSARD, X. "Behavioural Insights Applied to Policy: European Report, 2016", op. cit.
ORGANIZAÇÃO PARA A COOPERAÇÃO E DESENVOLVIMENTO ECONÔMICO (OCDE). *Behavioural Insights and Public Policy: Lessons from Around the World*. Paris: OCDE, 2017.
THALER, R. H.; BENARTZI, S. "Save More Tomorrow: Using Behavioral Economics to Improve Employee Savings". *Journal of Political Economy*, v. 112, n. S1, pp. 164-87, 2004.

THALER, R. H.; SUNSTEIN, C. R. *Nudge: Improving Decisions About Health, Wealth, and Happiness*, op. cit.

Sobre a ciência comportamental (e sua crítica) na França:

COLETIVO. "Mesurer L'Impact des politiques publiques est un exercice indispensable". *Le Monde*, 5 jul. 2018.
COLETIVO. "Politiques publiques: Vers Une Évaluation bien trop aléatoire". *Libération*, 20 jun. 2018.
ENTHOVEN, R. "Nudge: La Domestication de l'homme par l'homme". *Philosophie Magazine*, maio 2015.
OULLIER, P.; SAUNERON, S. "Nouvelles Approches de la prévention en santé publique: L'Apport des sciences comportementales, cognitives et des neurosciences". Relatório do Conselho de Análise Estratégica, 2010.
SERVET, J. M. "Chassez l'econ par la porte, il revient par la fenêtre!". *Revue de la Régulation*, primavera de 2017.
SINGLER, E. *Nudge marketing: Comment changer efficacement les comportements*. Paris: Pearson, 2015.
TIROLE, J. "L'*Homo economicus* a vécu". *Le Monde*, 5 out. 2018.

Sobre a ética do nudge *e seu enquadramento jurídico:*

ALEMANNO, A.; SIBONY, A.-L. *Nudge and the Law: A European Perspective*. Londres: Bloomsbury, 2015.
HILL, A. "Why Nudges Coerce: Experimental Evidence on The Architecture of Regulation". *Science and Engineering Ethics*, pp. 1-17, 2017.
SUNSTEIN, C. R. "The Ethics of Nudging". *SSRN Electronic Journal*, 2014.
_____. "Freedom: The Holberg Lecture", 2018, 1, pp. 1-19.

Outras fontes:

COLLINS, J.; PORRAS, J. *Bâties pour durer*, op. cit.
KAHNEMAN, D.; KLEIN, G. "Strategic Decisions: When Can You Trust Your Gut?", op. cit.

ESTA OBRA FOI COMPOSTA PELA ABREU'S SYSTEM EM INES LIGHT
E IMPRESSA EM OFSETE PELA LIS GRÁFICA SOBRE PAPEL PÓLEN SOFT
DA SUZANO S.A. PARA A EDITORA SCHWARCZ EM JULHO DE 2021.

A marca FSC® é a garantia de que a madeira utilizada na fabricação do papel deste livro provém de florestas que foram gerenciadas de maneira ambientalmente correta, socialmente justa e economicamente viável, além de outras fontes de origem controlada.